La maison Trestler

Madeleine Ouellette-Michalska

La maison Trestler

ou le 8e jour d'Amérique

Texte revu par l'auteur

Présentation de
Janet M. Paterson

BQ

BIBLIOTHÈQUE QUÉBÉCOISE

Bibliothèque québécoise inc. est une société d'édition admi-
nistrée conjointement par la Corporation des Éditions Fides,
les Éditions Hurtubise HMH Ltée et Leméac Éditeur et qui
bénéficie du soutien financier du Conseil des Arts du Canada
pour son programme de publications.

Typographie et montage électronique : Dürer *et al.* (MONTRÉAL)
Couverture : Évelyne Butt

Données de catalogage avant publication

Ouellette-Michalska, Madeleine, 1930-

La maison Trestler, ou Le 8ᵉ jour d'Amérique

(Littérature)

Publié à l'origine dans la coll. : Collection Littérature
d'Amérique

ISBN 2-89406-108-0

I. Titre. II. Titre : Le 8ᵉ jour d'Amérique. III. Titre : Le
huitième jour d'Amérique. IV. Collection : Littérature (BQ).

PS8576.I17M35 1955   C843'.54   C95-940251-9
PS9576.I17M35 1995
PQ3919.2.M52M35 1995

DÉPÔT LÉGAL : DEUXIÈME TRIMESTRE 1995
BIBLIOTHÈQUE NATIONALE DU QUÉBEC

ISBN : 2-89406-108-0

Les nombreuses pièces
de *La maison Trestler*

Romancière, nouvelliste, dramaturge, poète, essayiste et journaliste, Madeleine Ouellette-Michalska est une figure bien connue des lettres québécoises. Pour certains, elle est avant tout l'auteur d'un remarquable essai, *L'échappée des discours de l'œil*[1], qui lui a mérité, en 1982, le prix du Gouverneur général. Pour d'autres, elle est plutôt la journaliste lucide qui a signé de nombreux articles dans *L'actualité*, *Le Devoir*, *Perspectives* et *Châtelaine*. Mais pour la majorité des lecteurs, Madeleine Ouellette-Michalska est surtout l'auteur de plusieurs romans passionnants, dont *Le plat de lentilles* (1979), *La maison Trestler* (1984), couronné par le prix Molson de l'Académie canadienne-française, *La fête du désir* (1989) et *L'été de l'Île de grâce* (1993) qui a reçu le prix France-Québec.

Quand *La maison Trestler* a paru, la critique a été enthousiaste. On pourrait même parler de coup de foudre tant les louanges se sont multipliées. Alors que le public en appréciait la belle histoire d'amour, la critique

---

1. Tiré d'une thèse de maîtrise, l'essai analyse les dimensions et l'enjeu des discours masculins et féminins dans la culture occidentale.

universitaire s'intéressait tout particulièrement à la dimension historique et à l'aspect novateur des structures narratives. Cette réception n'est guère surprenante, car *La maison Trestler* est incontestablement l'œuvre la plus riche et la plus complexe de l'auteur. C'est justement cette complexité qui donne au récit non seulement sa force et son souffle, mais est également à la source de tout un réseau de significations. *La maison Trestler* est un roman qu'on peut lire et relire souvent, pour lui donner chaque fois une nouvelle dimension ou y trouver un thème demeuré jusque-là inaperçu. C'est un roman à la fois traditionnel, par la trame du récit principal, et postmoderne par l'exploration de structures inédites. Et comme son titre le laisse entendre, c'est autour d'une maison que se construit cette pluralité de formes et de sens.

De nombreux lecteurs québécois auront — sans le savoir peut-être — aperçu la maison Trestler, puisqu'elle a orné la couverture de l'annuaire téléphonique de Montréal, en 1981. La maison fut construite en 1798, sur la Pointe de Quinchien, à Dorion, par un soldat allemand, Johan Josef Tröstler, qui avait combattu pour l'armée britannique lors de la guerre d'indépendance américaine. Après la guerre, il s'est installé au pays, où il a épousé une Canadienne française. Commerçant et homme politique (il fut député du Bas-Canada), Tröstler a habité la grande maison avec sa famille jusqu'à la fin de ses jours.

En 1969, l'imposante résidence a été ouverte au public et classée comme monument historique par le gouvernement d'Ottawa (en 1976, le gouvernement du Québec lui a accordé le même statut). Au cours des années, la maison a reçu plusieurs prix d'architecture et a vu défiler de nombreux visiteurs officiels, dont, en 1978, l'ancien Premier ministre français, Raymond Barre[2].

C'est après avoir lu un reportage sur la maison Trestler que Madeleine Ouellette-Michalska a décidé de construire un roman à partir de ses espaces réels et fictifs. Comme elle l'a précisé dans une entrevue, l'auteur a effectué de nombreuses recherches avant d'en entreprendre la rédaction : « Et quand l'imprégnation sensorielle est faite, j'ai besoin d'aller faire la recherche... Il faut savoir ce qu'on met dans les assiettes, il faut savoir comment on parle, comment on s'habille... Il faut faire une recherche anthropologique aussi. Une recherche historique ; même si dans le roman ça devient une ligne et demie[3]. »

Il est intéressant de remarquer que le mouvement d'écriture et de recherche est doublé par celui de la narratrice qui, à l'instar de l'auteur, se propose d'écrire le « roman Trestler ». L'histoire de cette narratrice, innommée, constitue la première intrigue du roman. Elle se situe à l'époque contemporaine et raconte la vie d'une femme d'environ quarante ans : son enfance, ses difficultés amoureuses, son expérience de la maternité et son travail de romancière. Par son côté réaliste, le récit transpose, dans un cadre fictif, certains aspects de l'expérience de nombreuses femmes écrivains, critiques et journalistes, dans les années quatre-vingt. Leurs ambitions, leurs angoisses et leurs dilemmes sont illustrés avec finesse, par des anecdotes sur l'apprentissage difficile de l'autonomie, l'émancipation intellectuelle et le désir de participer au monde

---

2. Sur la maison elle-même, voir l'article de Michel Bélisle : « La maison Trestler de Madeleine Ouellette-Michalska », *Continuité*, n° 60 (été 1994), p. 23-25.

3. *Ibid.*, p. 24.

de la création : « Pour contrecarrer la patience apprise et fuir la banalité quotidienne, je ne m'épargnais aucun effort. Comprendre, c'était ruser. Survivre, c'était prévoir. Et même écrire. » (p. 70)

Écrire. La seconde intrigue est le récit imaginaire de la vie de la famille Trestler, en particulier de celle de Catherine. Quelle belle histoire d'amour et de passion ! Située à la fin du dix-huitième siècle et débordant sur le dix-neuvième siècle, elle raconte, sur un mode traditionnel, l'enfance malheureuse de Catherine, qui a perdu sa mère à la naissance, l'expérience éprouvante d'un amour interdit par son père et les joies de la sexualité et de la maternité. Comme dans les grands romans du dix-neuvième siècle, il est question de relation illicite, de transgression, de conflit, et même de procès, pour exprimer le drame d'un individu qui lutte contre le pouvoir oppressif de son milieu familial et de la société.

Ce bref résumé laisse deviner une structure narrative assez complexe. Le lecteur passe fréquemment, sans transition, du présent au passé, d'une voix narrative à une autre, et de la première intrigue à la seconde. On se demandera peut-être à quoi servent les multiples va-et-vient dans le temps, les entrecroisements fréquents de la narratrice et de Catherine, pour ne rien dire de l'évocation de faits tantôt présents, tantôt passés. Cette structure inscrit le roman dans une poétique postmoderne qui caractérise, par exemple, les œuvres d'Hubert Aquin, Nicole Brossard, Michel Butor, Italo Calvino, Thomas Pynchon, John Barth et Vladimir Nabokov. Lire *La maison Trestler* dans ce contexte permet de mieux saisir la signification de l'éclatement des thèmes et des structures narratives.

Faut-il rappeler ce que signifie le terme postmoderne

employé pour décrire des phénomènes aussi variés que le cinéma, l'architecture, la philosophie, l'androgynie et la mode punk ? Selon le philosophe Jean-François Lyotard, le postmodernisme est une remise en question radicale des discours fondateurs de la société occidentale, tels l'histoire, la science et la philosophie, qui défendent les notions de vérité, d'authenticité et de consensus. Le postmodernisme incarne ainsi une crise de légitimation face au pouvoir des grands récits. Il remet en question une certaine vision de l'Histoire comme discours véridique et objectif ; il conteste la société patriarcale et, à un niveau plus fondamental, fait le procès des concepts d'unité et d'homogénéité.

Bref, dans la poétique postmoderne, l'ordre des certitudes est bouleversé. D'où une valorisation de la multiplicité et de la différence. Il n'y a plus un seul modèle de pensée légitime, mais une pluralité de formes possibles, toujours en mutation ; de même, il n'y a plus un seul centre de pouvoir, mais une multiplicité de lieux d'affirmation. Cette pensée, qui revendique la pluralité et l'hétérogénéité, se manifeste dans la littérature par l'éclatement des structures et par la mise en relief des pratiques d'écriture et de lecture. Souvent jouissive, la littérature postmoderne superpose le temps et l'espace, confond les sujets narratifs et mélange les codes et les langages. Ce faisant, elle manifeste une force libératrice et une grande vitalité. En d'autres mots, elle déconstruit les lieux de certitudes par l'éclatement des formes et des discours. *La maison Trestler* est certainement un des romans postmodernes les plus réussis de la littérature québécoise. Original et dense, il interroge avec puissance certains grands mythes par le biais même de ses structures.

Dans ce récit, l'identité du je narratif est quelquefois insaisissable. À certains moments, il est presque impossible de savoir s'il renvoie à la narratrice ou à Catherine. Qui parle dans le passage suivant : « Couchée dans l'herbe, je colle à la terre. Mon corps respire par sa peau. Rien ne bouge sous l'épaisseur de temps posée sur mes paupières » (p. 49) ? Si la suite du texte nous apprend que ces réflexions sont attribuables à Catherine, la fusion — et la confusion — temporaire des voix est riche de sens. Elle met en lumière un aspect capital de la poétique du roman : la découverte de soi par l'écriture, le renouvellement intérieur par la création d'un personnage fictif.

Toutes deux en quête d'identité, de bonheur et de liberté, les voix féminines du roman sont fréquemment des voix contestataires, et en cela bien postmodernes. À deux cents ans d'intervalle, elles remettent en cause certaines formes de pouvoir. Catherine intente un procès à son père qui veut la priver de sa part d'héritage maternel. Quant à la narratrice, elle s'interroge souvent sur les modalités du pouvoir et du savoir dans la société. La fusion et la répétition du je narratif féminin est donc très importante sur le plan symbolique. À l'encontre des récits traditionnels, où la narration est généralement prise en charge par un sujet masculin — un il impersonnel et omniscient —, c'est un je féminin qui gouverne la fiction dans *La maison Trestler*. Un je intime et lucide, qui affirme de façon magistrale la présence et le désir de la femme. Un je postmoderne, si l'on veut, qui conteste la puissance hégémonique des grands récits.

La superposition des voix narratives entraîne un télescopage du temps et de l'espace. En suivant l'intrigue, le lecteur passe sans transition de l'époque contemporaine (celle de la narratrice : la fin des années soixante-dix) à une époque antérieure (celle de Catherine : le début du dix-neuvième siècle). De même, il circule très librement du bungalow de la narratrice, situé en banlieue de Montréal, à la maison Trestler, habitée tantôt par Catherine et tantôt par les nouveaux propriétaires. Ce n'est pas tout, car le récit le mène aussi dans les lieux du rêve et de la mémoire. Les descriptions sont souvent oniriques, faisant éclater les frontières du réel : « Dans la nuit, je rêve de Catherine. Je suis Catherine. Elle est le double inventant les mots insaisissables. Elle est la passeuse violant le silence des chambres fermées. » (p. 49) Récusant un mode de représentation unitaire, le roman remet en question la frontière entre le rationnel et l'irrationnel, le présent et le passé.

L'originalité de *La maison Trestler* vient en grande partie de son exploration de l'Histoire. Le roman met d'abord cette dernière en scène en racontant des événements présents et passés : c'est le récit fait par la narratrice, avec verve et humour, de la visite officielle de Monsieur B (en qui on aura reconnu le Premier ministre français Raymond Barre) à la maison Trestler en 1978 ; ce sont, par exemple, les anecdotes relatives à l'invasion du Bas-Canada, en 1775, par les troupes de Montgomery. Cette juxtaposition temporelle met en évidence l'aspect polémique d'un roman qui soulève périodiquement la question de l'identité sociopolitique du Québec. « La visite de Monsieur B ne changerait rien. Nous resterions les missionnaires de la francophonie. Opiniâtres dans notre refus des *week-end*, *shopping* et *parking* du pays mère qui souhaitait parler anglais, la langue de l'Amérique » (p. 66). Les renvois au passé accentuent ce point de vue en rappelant les conflits entre le Bas-Canada et les Américains.

Par ailleurs, voilà un roman qui met en cause les formes mêmes du récit historique. Le discours de l'Histoire est-il objectif et véridique ? Est-il complet ? C'est-à-dire, peut-il raconter tous les aspects d'un événement ? Est-il, comme la fiction, soumis aux contraintes de la narration ? Enfin, peut-on vraiment soutenir, comme l'ont fait tant de chercheurs, que l'Histoire est une science ? Toutes ces questions sont soulevées, directement ou indirectement, tant dans l'intrigue que dans les commentaires de la narratrice.

À l'instar de la grande maison dont il porte le nom, ce très beau roman offre donc des espaces multiples, ouverts à des significations diverses. Des espaces vastes et profonds, tels les questionnements féminin et historique, qui donnent à réfléchir par leur visée contestataire ; d'autres, aux murs bariolés, qui invitent à la rêverie et à la jouissance en mélangeant les faits, les sensations et les souvenirs ; et d'autres encore, sans doute les plus séduisants, qui parlent du désir et de l'amour.

Janet M. Paterson

La maison Trestler

Le futur est en avant et en arrière
et vers les côtés.

Clarice LISPECTOR

1

Je ne sais plus comment cette histoire a commencé.

Peut-être dans la vieille maison accrochée au rocher nu bordant la route de Gaspé. Peut-être dans l'impatience de mon père lorsqu'on l'arrachait à son journal, à ses conversations avec les touristes américains qu'il hébergeait en été. Il était né à Lowell, Massachusetts. Dans ma tête, *Son of a gun, son of a bitch* a d'abord été une comptine. Et l'Amérique, une caravane blanche tirée par une Cadillac décapotable qui pétaradait sous le soleil.

L'Amérique, c'était aussi les caméras de luxe, les boîtes de chocolats, les usines de textile, les souliers blancs. Tout ce qui reluisait. Tout ce qui faisait riche. Tout ce qui ressemblait, de près ou de loin, à la parenté des États. La France était discrète. Elle ne débarquait jamais chez nous. Elle me parlait par les livres d'histoire. Elle se racontait par la bouche de ma mère les jours de pluie : la bataille de Saint-Cloud, Charlemagne, saint Louis, Marie-Antoinette, Versailles, Louis XIV.

Tante Antoinette, la sœur cadette de père, avait fait ses humanités avant d'entrer au Carmel. Ses livres traînaient dans les vieilles malles du grenier. Je les ouvrais et je palpais les mots contenus entre les pages gaufrées par l'humidité. M'aidant de l'index droit, je suivais les lettres étalées sous mes yeux. Je retenais des dates, une absence frappée de nostalgie. Assise dans le rectangle de lumière découpé par la lucarne qui éclairait la pièce obscure, je m'appliquais à déchiffrer les phrases mystérieuses.

Des découvertes me stupéfiaient. N'importe quel point du globe et n'importe quel lieu du désir tenaient en quelques lignes. Les aventures les plus rares et les désirs les plus extravagants se tenaient embusqués derrière les mots. La clameur du monde, ses passions imprégnaient le papier d'une odeur insistante.

Ces séances de lecture égayaient mes journées monotones. Elles me renvoyaient l'écho d'un assouvissement possible par l'imaginaire. Car dans ces instants, le rêve était un récit qui collait aux doigts. L'intrigue, un art de vivre et de mentir, l'art du temps divisé en paragraphes et en chapitres. Mais cette fascination, tôt devenue nécessité, recelait un piège. Sitôt que je me levais et suspendais ma lecture, la magie cessait. Le monde retournait à lui-même, aminci, lié au bon vouloir des gens qui le réduisaient à leur usage.

En bas, la famille s'affairait. J'étais une enfant douce. Personne ne savait que je jouais avec le feu. Personne ne me soupçonnait de recomposer des visages, de perpétrer des meurtres, de préparer des fuites. Je l'ignorais aussi, mais l'habitude était prise. Je continuerais de lire comme une forcenée, et l'envie d'écrire suivrait, puissante transformation du silence et de la sensation en paroles. J'entretiendrais le vertige. Les mots resteraient illusoires et généreux.

Un jour, trente ans plus tard, survient un incident décisif. Dans un magazine, la photographie d'une maison de pierre du dix-huitième siècle, étalée sur quatre colonnes, m'interpelle comme une énigme. L'article qui l'accompagne évoque des événements dont l'étrangeté me frappe. L'implantation à proximité de la métropole d'un mercenaire allemand, son élection à la Chambre des députés, ses deux mariages, quatre filles d'un premier lit et quatre garçons d'un second, mais seulement deux survivants de chaque sexe.

Cette maison m'ensorcelle. La visite qu'y fait un dignitaire étranger, répondant au nom de Monsieur B, ajoute à l'enchantement. Éblouie par quelque coïncidence occulte dont j'ignore le sens, j'éprouve, à regarder cette photographie, un sentiment de déjà vu dont la puissance m'étonne.

Je scrute la façade du bâtiment austère que l'on dit hanté. Derrière les fenêtres aux reflets glauques, j'imagine des couloirs gorgés d'ombre, des chambres aux relents de camphre et de lilas où bougent des rideaux fanés. J'ignore à quel passé tenu secret conduit cette lenteur du temps déployée sur l'image observée. Mais je m'applique à déceler des signes imperceptibles au regard, car je sais les bruits que je veux entendre, le noir des nuits que je veux distiller. Je sais. Et pourtant cette habitation colossale et sombre alerte le corps, sans livrer à la conscience claire son poids de mystère et d'effroi.

Il est trois heures du matin. Je me dirige vers ma table de travail où j'écarte les papiers accumulés durant ces derniers jours. Je glisse la découpure de presse dans une chemise vierge, au centre de laquelle j'inscris en lettres gothiques, sur un rectangle blanc liséré de rouge, *La maison Trestler*. Puis je place ce dossier sur celui, plus volumineux, étiqueté *Visite de Monsieur B.*

Stefan a vu le rai de lumière sous la porte du bureau. Il s'amène, l'œil inquiet, faussement interrogateur. Guidée par l'instinct de culpabilité qui corrompt les plus fermes déterminations, je retourne au lit sagement, remettant à plus tard l'approfondissement de l'énigme. Ce n'est qu'une toquade, croit-il, une passion folle que dissipera l'étreinte qui nous rassemble sans vraiment nous unir. Il ne sait pas qu'à l'aube un rêve me tiendra lieu de signal.

Appuyée à la rampe d'un escalier, je descends dans un sous-sol en m'éclairant d'une chandelle. Tandis que mes pieds effleurent les marches vermoulues, un point lumineux s'allume devant moi et une goutte de sang suinte du mur poreux que je longe. Je racle celle-ci du bout de l'ongle et la lèche goulûment. À peine me suis-je essuyé les lèvres qu'une femme approche, vêtue d'une longue tunique blanche. Elle me fixe longuement, puis elle me remet un manuscrit ancien sans rien dire.

Plutôt que de le consulter, je cherche des yeux une fenêtre qui éclairerait le visage inconnu. Le femme disparaît avant que j'en aie repéré une. Mais il me semble qu'elle a prononcé mon nom en traversant la pièce.

Au réveil, mon corps tranquille ne laisse transparaître aucun étonnement. Je me tourne vers Stefan. Il dort, allongé sur le dos, le visage découvert. Lorsqu'il ouvre les yeux, je lui raconte mon rêve et il le trouve inquiétant. Sa réaction me paraît justifiée. Le rêve est, avec l'écriture, le plus haut des cris. Le plus puissant obstacle à l'aveuglement.

— Tu m'accompagneras à Dorion demain ?
— Pour quoi faire ?
— Pour visiter la maison Trestler.
— On verra.

Lorsque enfin nous roulons sur la route déserte, radio fermée, je lui avoue avoir déjà rédigé vingt pages sur la fille aînée Trestler, Madeleine, enfant calme à qui j'ai d'abord cru ressembler. J'ai déchiré ce texte avant de monter en voiture. Je construirai plutôt le roman autour de sa sœur Catherine, enfant têtue qui défia son père à cause d'un homme et lui intenta un procès pour toucher la part d'héritage maternel dont il voulait la spolier.

Nous traversons un village couvert d'une lumière crémeuse qui paraît venir du lac des Deux-Montagnes. Sur le pare-brise, un battement d'air sec. Et entre nous, de longs silences malgré l'effort de conciliation. Stéphan déteste jouer les princes consorts. Il m'accompagne à contrecœur, avouant ne pas comprendre mon engouement pour ces villages aux balcons branlants et aux tourelles victoriennes que n'harmonise aucune architecture cohérente.

Les rues défilent dans le rétroviseur. Rue Vaudreuil, rue Galt, rue Valois, j'ai déjà répété ces mots sans trop y prêter attention. Les histoires coloniales sont si encombrées de noms d'intendants, d'officiers, de gouverneurs qu'elles anesthésient la mémoire et confondent l'imagination. De ces récitations monotones échelonnées sur une enfance tenace et lointaine, j'ai retenu qu'il y avait là-bas de grands destins, des rois, des châteaux, alors qu'ici des hommes de paille se battaient pour des moulins à vent.

— Tu exagères, dit Stefan.

— C'est toujours comme ça quand on pense.

Sur notre droite, un toit gris se colore de la lumière montante. Des treillis de ronces, auxquels sont restées attachées des feuilles sèches, masquent le portique d'une maison basse.

Quelque part, une cloche sonne derrière une grille couverte de lierre. Nous sommes sur le point de changer de saison. Une végétation touffue couvrira bientôt ces murs percés de soupiraux. Là-bas, on dit que la roseraie n'existe plus, que le jardin descend toujours en pente vers la rivière, qu'une terrasse occupe maintenant le côté est de l'habitation. La porte s'ouvrira sur un hall lambrissé de pin donnant sur un sombre escalier Tudor, et je voudrai tout de suite atteindre le palier qui gémit sous les pas, la chambre condamnée où s'accumulaient les chauves-souris mortes ?

Un train franchit un passage à niveau, et coupe le paysage en deux. Plus loin, à une intersection où nous hésitons, Stefan a ces mots aigres :

— Bien sûr, l'Amérique a été découverte par hasard.

— C'est tout de même un geste manqué qui a réussi.

— Si l'on veut. Après tout, pourquoi pas ?

Je pense : réussir comme on réussit en affaires, mais je m'abstiens de parler. À quoi bon jeter de l'huile sur le feu. Je sais jusqu'où le rêve est mon refuge, ma manière de converser.

Nous longeons l'ancien Chemin du Roy. Stefan finit par emprunter la rue de la Commune découpée à flanc de forêt. Une pente douce débouche sur un cul-de-sac. Fin de la civilisation. Ici commence la splendeur du monde. Ici s'entend un silence absolu, mesure de temps parfaite qui incite à descendre de voiture sans faire claquer les portières.

Sous le froid de fin de saison, une douceur inattendue tempère l'air. Devant nous, un lac gelé fait reculer les arbres nus qui trouent le ciel. Ce paysage éveille en moi une émotion si vive que je ferme les yeux, m'efforçant de raviver l'impression de familiarité liée à des détresses et des jubilations dont j'ai perdu le souvenir, mais qui sont restées présentes en moi, ancrées au lieu de plus grande vulnérabilité.

Je dois me souvenir. Où ai-je déjà soutenu l'éclat du soleil qui pesait sur mes paupières, tandis que je m'affamais d'une terre opiniâtre qui prenait à la gorge ? Où ai-je cru pour la première fois qu'il suffisait de se réfugier dans un espace de paix pour jouir d'une certitude jusqu'à l'extase ? Était-ce le dimanche après la messe, après le déjeuner plus copieux que d'habitude, le thé servi aux grandes personnes et les gâteaux découpés devant la fenêtre, lorsqu'une accalmie favorisait ma fuite ?

J'ai oublié le thé et les gâteaux d'hiver. Y en avait-il ? Je ne saurais dire. Mais certains dimanches, en été, je quittais la maison, vêtue d'une robe de coton clair, et je traversais la route bordant le cap réservé à de rares excursions familiales. J'avais franchi les limites du quotidien. J'avais quitté le nécessaire. Je pouvais m'offrir l'indispensable : découvrir des sources, explorer les pierres, introduire mes doigts entre les failles poreuses d'où j'extirpais des fleurs minuscules, des lichens rares, des mousses colorées.

Dans ces instants, la vie était une matière chaude qui collait aux doigts. Le bonheur, un vertige entretenu pour le plaisir du corps. Je me soûlais d'odeurs, de courses folles et de découvertes pendant des heures. Puis, ventre au sol, je fixais la ligne d'horizon à laquelle je souhaitais me fondre. À demi assoupie, et cependant en état d'éveil, je prolongeais l'ébriété, retardant le moment de redescendre. Là-haut, je ressentais moins que parmi eux le poids des choses utiles contraignant un appétit de bonheur déjà trop chargé de mémoire, et d'obligations, pour profiter pleinement de l'instant offert.

Lui ne dit rien, perdu dans ses propres souvenirs, atteint par d'autres paysages. Une odeur humide monte des champs déserts. Dans un mois, l'hiver sera terminé.

— Regarde, dit Stefan, un ancien chenal.

Sur la gauche, un sentier de neige battue descend vers le lac. À droite, une entrée de cour, percée de fondrières, débouche sur une habitation massive. Je la reconnais. C'est elle, portes closes, volets fermés, et son haut toit à larmier. C'est la maison Trestler. Une image devenue réalité. Du courage, de l'obstination, du solide. Une élaboration patiente, coulée dans la pierre au mortier retouché, de teinte plus pâle, qui trahit les rénovations récentes.

En Amérique, les maisons vieillissent mal. Et pourtant, j'ai toujours cherché des traces anciennes sur les poignées de portes, au fond des placards, dans les greniers des demeures traversées. J'ai toujours construit des romans sur les lambeaux de papier peint tapissant de vieilles armoires ou des murs effrités. J'ai toujours convoqué les mots autour d'un portique éteint, d'une pièce condamnée, d'un couloir secret dont j'ignorais l'histoire et l'usage.

Est-ce réminiscence ou prémonition ? J'ai l'impression de connaître cette maison. Je détaille ses lucarnes étroites, sa porte cintrée, ses fenêtres symétriques. Je compte les arbres centenaires qui l'entourent, et une telle épaisseur de temps exerce sur moi une fascination âpre et désordonnée. Le souvenir, peut-être, des longs hivers où résonnaient des voix familières. « Des clous cassent », disait ma sœur Rachel en tendant l'oreille, comme si cela dût résumer la totalité présente et future de notre situation. Refusant de me prêter à ce jeu, j'effaçais ses paroles d'un geste précipité, préférant le risque de l'indétermination.

Étourdie par la lumière, traversée par les lames d'eau qui imbibent la surface du lac, j'ai brusquement envie de rebrousser chemin.

Je me suis trompée. Ce n'est pas la maison Trestler que je souhaite avant tout connaître. Ce n'est pas le passage de Monsieur B en ses murs qui m'intéresse. Stefan proteste : « Il est trop tard. J'ai déjà frappé le gong. »

La porte s'ouvre. Éva et Benjamin sont dans le hall, une pièce haute dont le mur principal, en grès de Potsdam, constitue l'épine dorsale de la maison. Pour tout mobilier, je vois une armoire à pointes de diamant, un fauteuil capucine, une table basse où j'aperçois un livre d'or que je commence à feuilleter. Une signature me brûle les doigts. Éva tourne la page à la bonne date. Monsieur B a du nerf. Son écriture est ferme. Le jambage est sûr, sensuel. Les majuscules arrondies, soulignées d'un trait ascendant fortement appuyé, dénotent une ambition peu commune.

— C'est une sorcière, dit Stefan. Elle lit dans les astres. Elle déchiffre les écritures. Méfiez-vous. Elle vous jettera un sort.

Éva rit, insensible aux rumeurs qui circulent sur sa maison. Elle sait que la visite de Monsieur B a nourri la légende en revêtant d'un caractère historique, quasi sacré, une simple formalité diplomatique.

Des tasses de porcelaine fument sur le plateau qu'elle vient d'apporter. Nous prenons le thé tout en jetant de temps à autre un regard sur l'échancrure du lac où la neige cède. Ce sol est lézardé depuis le début. Depuis l'instant où les Blancs débarquèrent en terre américaine avec leur camelote, leurs fusils, leurs mains blanches.

Ici même, que du blanc. Les murs et les tapis sont blancs. Des laines vierges recouvrent les fauteuils. Nos fronts sont purs, nos voix innocentes. Stefan est celui qui parle le plus. Ce blessé de guerre avait quatre ans lorsque son père partit pour le front. Nous sommes, quant à nous, les descendants du général français qui s'écroula sur les plaines d'Abraham en soupirant : « Tant mieux, je ne verrai pas les Anglais entrer dans Québec. »

— Le monde actuel, dit Stefan, c'est de la folie. Tout va trop vite. Tout est anonyme. Personne ne connaît personne.

— Les hommes d'affaires d'un côté, les artistes de l'autre, renchérit Benjamin, ça n'a pas de sens. On veut décloisonner tout ça.

Stefan porte un nom en *ski*, un nom à particule inconnu en Amérique. Il méprise les hommes d'affaires et les bourgeois.

— Vous rêvez, dit-il, la bourgeoisie se sert de l'art, elle sert rarement les artistes.

Aujourd'hui, c'est dimanche. Les ouvriers ont congé. Un menu, tracé au crayon feutre, est affiché dans le couloir du rez-de-chaussée dont on achève la réfection.

Soupe aux clous

Hachis de pommes de terre lambrissées

Salade au Varsol

Soufflé de pelure d'émail

Je souris. Quand le Québec sera devenu l'utopie délabrée des Amériques, il se trouvera quelque part un graffiti insolite pour témoigner de notre passage sur terre.

Nous passons à la salle à manger. Une cheminée en pierre des champs, surmontée d'une large corniche, occupe presque tout le mur central. L'âtre, creusé au centre, trahit un usage quotidien. Éva en déduit que nous sommes dans l'ancienne cuisine. Elle dépose un plateau de fruits sur la table, s'affaire dans cette pièce comme si elle l'avait toujours occupée. Puis, elle indique du doigt une armoire encastrée, munie d'une double paroi, qui servait à conserver les laitages au temps des Trestler.

Maintenant, nos murs sont de carton, cloisons fragiles qui ne retiennent ni traces ni empreintes. J'enfonce un bras dans l'ouverture de l'armoire, et le temps m'avale aussitôt. Penchée sur un trou d'ombre, je capte l'odeur du bois ancien, sa patine de couleurs mâchées, un relent de lait et de crème qui dit, mieux que les mots, le goût d'anciennes contraintes et de lointaines voluptés.

J'imagine les demoiselles Trestler assises à cette table, propres, un peu guindées. Une odeur rance monte de la laiterie où l'on vient d'écrémer le lait. Madeleine se pince les narines, attendant que le liquide mousseux ait refroidi avant d'y tremper les lèvres. D'une voix ferme, le père interdit de poser les coudes sur la table et de laisser des restes sur l'assiette. Ils sont quatre à lui obéir. Deux filles aux mains pâles qui arrondissent leur tablier en demi-cercle autour des cuisses. Deux garçons aux doigts rugueux, et au front couvert de mèches de cheveux trempées de sueur.

Madame Trestler apporte un plat de pommes de terre, et distribue méticuleusement les tranches de porc fumé que le chef de famille découpe avec la précision d'un chirurgien. Sa fourchette se dirige vers les fils servis par rang d'âge, avant de passer aux filles. Catherine feint d'ignorer ce manège. Mais cette stratégie l'atteint. Une boule dure se forme dans sa gorge. L'appétit l'a quittée. Elle se cramponne à sa chaise pour ne pas tomber.

Hébétée, elle suit le va-et-vient des poignets au-dessus de la nappe, entend le heurt des gobelets, le bruit des couteaux sur l'assiette. Supportant mal un spectacle marqué d'ennui et de répétition, elle poursuit J.J. Trestler et son épouse de sa dévorante exigence. Elle les épie, guettant la venue du désir dans leurs yeux, la montée de salives chaudes sur leurs lèvres. Elle souhaite que ce repas finisse au plus tôt. Mais le dîner s'éternise, et rien n'arrive de ce qu'elle a rêvé.

J.J. Trestler parle, et personne ne l'interrompt. Personne ne s'immisce dans la conversation sans être interpellé. Catherine le voit essuyer ses lèvres sur sa serviette, encercler la table de son regard et poser ses mains de chaque côté de son couvert. Elle mendie en silence l'affection de ces mains puissantes qui ne l'ont jamais touchée. Jamais aimée, jamais rejointe. Sur la main gauche, une bague couvre l'avant-dernier doigt de reflets violets. Parfois, elle fixe cette bague jusqu'à l'hypnose, souhaitant briser sa force arrogante et s'approprier son éclat. Ensuite elle porterait le bijou éclaté et bercerait à vie le cœur mis à nu par son regard.

De tous les gestes qu'elle a appris à modifier, celui-ci persiste. Chaque jour, elle ravale ses mots, flèches acérées qui perceraient l'opacité de leurs yeux. Mais ils ne voient rien. Ils disent il faut. Ils disent ensuite. Ce sont les parents, les gens d'en face, ceux dont elle doit se méfier.

Constants, prudents, ils gouvernent cette maison, imposant leur rigueur à la perfection des lieux. La voûte remplie de fourrures, le four à potasse, les écuries, le magasin bien approvisionné, les lits garnis de duvet sont leur œuvre. Marie-Anne Curtius, épouse de J.J. Trestler, est irréprochable. Au petit matin, elle déplie les robes et les habits, rabat les draps, secoue les corps endormis. Le soir, elle se vautre dans la satisfaction du devoir accompli. Une tâche sans bavures. Elle a régné sur la table, le potager, une partie du commerce. Elle a discipliné les enfants, veillé au bien-être de l'époux, partagé le souci de sa fortune et de sa réputation.

Cette femme, Catherine lui voue une méfiance tenace. Souvent, pour se préserver, l'enfant déserte la maison ou se réfugie dans ses rêves. Secrète, elle leur soustrait sa raison de vivre. Dans la grand-salle, elle a découvert le globe terrestre sur une page du dictionnaire, sphère coupée en deux parties égales remplies de terres fécondes, d'eaux poissonneuses, de corps ardents dont elle imagine les élans. Ici, elle ne voit rien de l'étendue du monde, rien de la course des chemins dans l'air libre. Rien non plus de la satisfaction du désir et des besoins du cœur dont ils condamnent les emportements.

Devinent-ils sa pensée ? Ils la regardent, et aussitôt sa bouche se fige. Ils barrent ses mots, lui soufflant la suite. Il était une fois, le lui a-t-on assez répété dans cette histoire où tout avait été prévu, ses frères, futur médecin et futur officier, se disputeraient les fioles, les épées, les médailles. Dans les villages et sur les champs de bataille, ils guériraient les malades et les blessés, défendraient le territoire contre l'occupation ennemie. Et, par-dessus tout, ils entretiendraient des relations utiles, accumulant les titres et les propriétés.

Catherine entend leur cabriolet dévaler le Chemin du Roy. Les fils Trestler honorent leur père. Ils connaissent déjà les traits marquants de l'histoire d'Allemagne, de France et d'Angleterre. Cela s'étale sur trois pays, deux continents, plusieurs siècles. Cela remplit les livres et nourrit la mémoire. Cela dicte les gestes qui s'accomplissent à cette table, commande les événements qui se déroulent dans cette maison où l'on exige le retrait des filles, femmes qui vivront ailleurs, porteront un autre nom, formeront un autre clan.

Les parents ignorent cependant qu'une fissure menace une si parfaite ordonnance. La fausse soumission de Catherine les confond. Elle rompt le pain, et ses lèvres bougent au milieu de son visage impassible. Elle vide l'assiette, et ses doigts s'ouvrent et se ferment comme convenu. Paraissant quêter leur approbation, elle les épie. Elle les voit, mains étalées sur toute chose qu'ils s'approprient, dire « je » comme si l'objet possédé devenait la prolongation de leurs doigts, la courbure de leurs ongles, et cela la révulse.

Terrifiée par cette avidité, et mettant toutes ses ressources à se reposséder, elle souhaite que son corps grandisse vite. Eux s'en désolent. Chaque printemps, Marie-Anne Curtius s'étonne d'avoir à retoucher l'ourlet des jupes. « Mais elle a encore grandi ! » Un reproche à peine voilé, une appréhension à peine contenue. Les seins de la fillette gonflent, ses jambes allongent, ses cuisses s'arrondissent. La mère pense aux convoitises que cela fera naître, aux beaux partis à surveiller. Alors elle redouble de vigilance, multiplie les interdits. Tu dois, il ne faut pas.

Front tranquille, Catherine se retire à l'intérieur d'elle-même. La mère renonce. « Elle n'a pas de cœur, autant s'y faire. » L'affrontement est une idée rigoureuse. Cette femme médiocre préfère l'esquive.

Catherine se morfond dans une tranquillité féroce. Ils peuvent la munir d'une dot, souhaiter la caser dans un mariage favorable, lui enlever le goût d'apprendre, de toucher, de remuer, elle préservera l'essentiel : ce besoin de boire la lumière des yeux et des visages, cet appétit de terre chaude qu'elle satisfait dès qu'elle échappe à leur emprise. Chaque jour, elle court vers les champs et s'étire au soleil, goûtant le jeu liquide des veines, le mûrissement de la peau, l'odeur d'herbe qui lui fait oublier les matins froids et les après-midi ennuyeux.

De ces expériences, de ces plaisirs célébrant la vitalité de l'enfance, aucun Trestler ne la dépossédera jamais. De cela, elle est absolument sûre.

Éva me tend une liasse de papiers.

— Tenez, jetez-y un coup d'œil. Ça vous intéressera.

Sur le dessus de la pile se trouvent trois pages dactylographiées résumant la vie de l'ancien propriétaire du domaine. Puis une colonne de dates, dressée sur une feuille à part, fait la somme d'événements déterminants. *1757 — Naissance à Mannheim, duché de Bade, Allemagne, de J.J. Trestler, fils de Henry Tröstler et de Magdeleine Seitten. 1776 — engagé comme mercenaire contre la guerre de l'Indépendance américaine, J.J. Trestler arrive à Québec avec le régiment Hesse-Hanau, compagnie du major Franken. 1783 — licencié, il demeure à Montréal et devient marchand ambulant.*

Suit le volet familial, la naissance de quatre filles. Mauvais départ pour un ancien militaire. Tout est clair quant aux acquis, mais rien n'explique la disparition des deux aînées, cinq et six ans, au lendemain du remariage du père. Sur une notice biographique, leur vie tient en quatre lignes : deux pour la naissance et deux pour la mort. Si je veux percer ce mystère, je devrai inventer ou m'en remettre à Catherine, survivante qui a bravé le père et encouru le scandale.

— Trestler est devenu le plus riche négociant de Vaudreuil. Mais il a commencé comme simple colporteur.

— Un Boche, maugrée Stefan.

Entre ces mots, comme une voix *off*, le tic-tac de l'horloge. Surtout, ne pas trop réfléchir. Ne pas trop remuer. Oublier l'usure que l'on se refile de génération en génération sans que personne ose dire : l'histoire se continue, dormez tranquille, la terre tourne toujours.

Benjamin ouvre la porte-fenêtre donnant sur le jardin et nous entretient de ses projets. À l'été, il restaurera la roseraie et plantera des jonquilles du côté sud de la maison où se trouvait autrefois, croit-il, une galerie protégée des vents du lac. Catherine s'y réfugiait probablement avec sa sœur, lorsqu'elle ne disparaissait pas dans les sous-bois avoisinants.

J'imagine l'enfant captant les bruits, les odeurs, grisée par le mouvement des plantes et des insectes. Ailleurs, c'était hier, j'ajustais mes pas aux siens, sentant battre mon pouls au rythme du sol martelé par ses chaussures. L'air était chaud. Je longeais un sentier parfumé d'oseille, puis j'interrompais ma course. J'avais rejoint la fontaine creusée dans le quartier de roches qui, sur une centaine de mètres, servait de frontière à la propriété.

Je me penchais et buvais le clapotis cristallin. Une fois rassasiée, je relevais la tête et regardais la pierre ramper sous les ronces. Puis je filais du côté des mûriers sauvages. La terre bougeait. Une musique sourde remplissait mes oreilles. L'air libre était un orchestre.

Réveil des sens. Le roman s'organisera autour d'odeurs grasses et épicées. Dans la vieille maison grise bordant la route de Gaspé, des ragoûts et des poudings à la vapeur languissaient souvent longtemps sur le poêle de fonte.

J'aimais les soupes qui mijotaient de longs avant-midi, mais les rôtis de porc ficelés dans leur gras me donnaient des haut-le-cœur. Mes préférences allaient aux confitures et aux sirops blonds qui tournaient en tire. Et à ces bouillonnements d'écume qui couvraient, certains jours, le goulot des cruches de vin de salsepareille cachées par mon père derrière les jarres de maïs qui fermentaient dans la dépense où s'accumulaient les réserves.

Manger était un acte grave. Nous n'en abusions pas. Ma nourriture, je la prenais avant tout dans les propos des grandes personnes en visite, réflexions et confidences qui ne m'étaient pas destinées mais que je m'appropriais. La rareté du don aiguisait mon appétit des miettes, mon horreur de la pauvreté de cœur — la plus intolérable des indigences.

Tous ces bonheurs se soutenaient de la clarté du jour. Car, déjà, la nuit m'était un cauchemar. Les orages et les ombres me terrorisaient. Toujours, j'ai craint les fantômes qui s'agitent derrière les murs, les souffles sans voix ni visage qui rôdent dans les chambres. Toujours, j'ai redouté ce qui se trame dans une tête enfiévrée. Parfois, dans mes rêves, je revis des scènes anciennes, et la couleur des murs est restée la même. Dans la chambre des filles, longue pièce rosâtre au plafond noueux, j'élaborais des histoires à l'aube, tôt éveillée par les cris des oiseaux, le passage d'un attelage, le grincement des crochets de fer contre la fenêtre, bruits multiples que je m'empressais d'absorber avant que la lumière se répande sur le lit.

Et dans le salon vert qui n'existe plus, où pendait un rideau de cretonne fermant l'accès à la galerie donnant sur un précipice, la photo de mariage de mes parents trône encore sur la table baroque placée au centre de la pièce. Je vois le marbre victorien parfaitement lisse, taillé en ovale, où frémissaient les doigts. L'Enfant Jésus de Prague et l'œuf de porcelaine, rapportés des États-Unis par les grands-parents paternels, n'ont pas non plus bougé de la corniche garnie d'une dentelle de soie ivoire.

Grâce aux formes, le passé dure. Grâce aux images, le temps bouge. Ma fascination de la maison Trestler remonte à l'enfance. À l'époque, la parole était rare. La communication se faisait surtout par le regard. L'ensorcellement de vieux objets, l'adhésion aux signes et aux choses qui paraissaient contenir le mystère de la vie me conduiraient à ces pages où s'inscrivent les mots qui ont manqué trente ans plus tôt.

Catherine et Madeleine Trestler me ressemblent. Elles sont les enfants du retrait. Elles sont des filles sans larmes, sans cris, à qui l'on offrit la distance des bouches et le grain des surfaces. À deux cents ans d'intervalle, nous partageons la même sagesse suspecte. La même méfiance pour tout ce qui entrave le bonheur. La même aptitude à camoufler les entailles accumulées dans une langue et des chairs contraintes aux apparences.

Par-dessus tout, nous connaissions les usages. Nous parlions peu. Nous pardonnerions plus tard.

Éva se demande à qui elle a prêté le dernier inventaire de J.J. Trestler. La veuve Marie-Anne Curtius le sait peut-être. Elle en possède sûrement une copie, car elle est seule à avoir vu et entendu ce qui s'est passé dans sa maison entre le onze et le quinze janvier mil huit cent soixante-treize.

J'examine la dernière phrase de l'acte notarié. *Après avoir vaqué jusqu'à quatre pleines journées, il a été cessé et la continuation remise à demain matin, et ont les dites parties signé avec nous, notaire.* Au bas, à droite, figure le nom du notaire Dumouchelle, souligné d'un prétentieux paraphe. À gauche, très appuyé, celui de l'épouse satisfaite. Enfin, plus à l'écart, ceux des quatre témoins.

Dès le premier jour de l'inventaire, Marie-Anne Curtius suffoque sous tant de poussière remuée. Mais elle se garde d'enrayer les opérations. Il lui tarde de connaître la somme exacte des biens dont elle dispose, et dont elle se ménagera un usufruit tranquille, persuadée que J.J. Trestler n'aurait pu les acquérir seul. Forte de cette certitude, elle prie le notaire d'accélérer la procédure. Elle veut jouir en paix de son veuvage. Elle veut fermer sa porte aux intrus, régner enfin seule dans son statut de veuve opulente et respectable.

À la grève on a compté quatre bateaux, un bac et un canot, le tout vingt-cinq livres sterling. Au grenier de la maison, un lit de plumes, deux paillasses, deux couchettes et deux draps, une pelle et un aviron complet, deux robes de bœuf, une robe de chat, une peau d'ours et une couverture de carriole, treize livres sterling. S'y trouvent également un portemanteau, vingt-trois moules à chandelles, sept valises, une chaise et une charrette d'enfant, de même qu'un lot de gabardine et divers objets évalués à dix livres sterling, premier sous-total de cet inventaire fixé à deux mille six cent dix-sept livres et quatre shillings.

Éva jette un châle sur ses épaules et regarde vers le lac. Dans ses yeux coule la pesanteur du bâtiment aux cloisons épaisses sur lequel l'avancée du toit projette une ombre étroite. Le salon, prolongé par une terrasse construite au début du siècle, occupe l'extrémité de la maison actuellement exposée au soleil. Sur une photographie trouvée dans un dossier remis aux architectes, les deux cheminées du mur principal, qui viennent d'être dégagées du plâtre qui les recouvrait, forment une seule masse surmontée d'une épaisse tablette de chêne.

C'est probablement ici que se trouvait la salle principale ainsi décrite dans l'inventaire : *une grande salle où*

l'on compte une table, sept chaises, un piano forte, une
histoire romaine en treize tomes, une histoire ancienne de
quatorze volumes et divers ouvrages allemands dépareil-
lés, en sus quatre chandeliers argentés, deux carafes,
diverses bouteilles et tasses, le tout valant vingt-six livres
dix shillings.

Soulagée, la veuve Trestler referme la pièce humide
où elle n'allume plus le feu. Elle n'a jamais touché à
aucun des livres exposés. Toute sa vie, une seule histoire
l'a passionnée : la sienne, composée de jours égaux, tran-
quilles, ajustée à celle, brusquement interrompue, de
l'époux Jean-Joseph.

Suivie des vérificateurs, elle se dirige vers les chambres. D'abord celle-ci, avec ses deux petits lits, sa table,
son grand miroir, une vieille pendule dont le temps s'est
figé devant deux cadres d'argent ciselé. Une douleur lui
laboure le ventre. Ses deux fils disparus prématurément
blessent encore ses souvenirs. Elle ferme la porte derrière
elle en s'essuyant les yeux du coin de son tablier, avant
d'indiquer d'un geste la chambre étroite, longeant le mur
d'appui, qui ne compte qu'un lit et un coffre pour tout
ameublement.

Ils passent à la pièce voisine où se trouvent deux
couchettes, un lit garni, une table et deux chaises, deux
valises, un miroir et quatre cadres, le tout valant douze
livres sterling qui ne lui seront jamais rendues, ces deux
enfants étant parties pour l'au-delà au lendemain de ses
noces, événement macabre qui assombrissait son bonheur
mais faisait place nette pour sa descendance à elle. Car
Marguerite Noël, fragile, enfantine, lui avait laissé deux
filles qu'elle promit d'élever comme ses propres enfants,
générosité à laquelle elle se prêta, tout en sachant que
nulle promesse n'est jamais tenue.

La veuve désigne maintenant du doigt le bureau et les cinq chaises encombrant le couloir où une boîte en bois, remplie de couteaux et de fourchettes, a été déposée par hasard. Voilà un shilling qui traîne à la mauvaise place. La maison est sens dessus dessous depuis le départ d'Adélaïde, traîtresse qui suivit Catherine à Saint-Michel le jour de son mariage avec leur commis Éléazar Hayst. Maudissant la perte de son ancienne domestique, elle se dirige vers la salle à manger où ils enregistrent une table ordinaire, deux tables demi-lune, une chaise, le tout cinq livres dix shillings, également un poêle de fer et sept feuilles de tuyau, une fontaine de faïence et un miroir cinq livres sterling, plus dix carafes, cinq flacons, deux pots, un entonnoir, le tout valant vingt shillings, sans oublier les vingt-quatre gobelets d'étain, une corbeille à pain, deux portes-carafes, des ustensiles divers, des assiettes et des tasses désassorties totalisant quatre livres sterling à porter à cet inventaire éprouvant qui lui révèle le désastre de sa maison.

Plus tard, elle rangera ce fouillis. Mais pour l'instant elle dénombre les terrines, tinettes et marmites inutilisées depuis le décès de Jean-Joseph, osant malgré tout se réjouir ensuite de la variété des couverts de faïence exposés sur la table. Elle couvre du regard les douzaines d'assiettes et de plats de service empilés dans le vaisselier, s'indignant d'apercevoir à l'extrémité de la pièce un lot de couvertures dépareillées, une vieille robe de cachemire qui n'est pas la sienne, et deux couteaux à hacher le tabac de feu son mari. Elle se penche, soulève du plancher sale une dizaine de peaux de rat musqué qui devraient se trouver dans la voûte. Seigneur, ne pourraient-ils faire le décompte proprement, et éviter de placer la pelle et l'égoïne à côté de la cafetière et du légumier ? Les hommes s'y entendent si peu aux choses de la maison. Qu'ils partent enfin, et la laissent seule, épuisée mais souveraine, ravie de ses privilèges, effrayée de sa solitude.

Incapable d'imposer son souci d'ordre, elle replace d'un geste las les mèches de cheveux échappées de son chignon. Car ce n'est pas fini. La voix du notaire heurte encore le silence. *Dans une pièce entre la cuisine et la salle, une table, une huche, un banc-lit, une chaudière de fer blanc, cinq chaises et un billot, un lit et ses couvertures, le tout deux livres trois shillings. Dans la pièce d'à côté, une tourtière et deux bouilloires de cuivre, un gril trois feux et une lèchefrite, deux pilons, trois moulins à café, une paire de chandeliers et deux paires de mouchettes, le tout trois livres sterling.*

Que Dieu lui pardonne, mais elle supportait mal de voir Jean-Joseph héberger les mendiants qui frappaient à leur porte à la tombée de la nuit. Avant de se retirer dans sa chambre, elle prenait soin d'enlever la hache placée sur le billot de l'entrée. Mais elle n'arrivait pas à fermer l'œil. Dans la région, des bâtiments flambaient après le passage de fainéants qui jetaient un sort aux propriétaires inhospitaliers.

Marie-Anne Curtius a gardé pour la fin la chambre qu'elle occupera le reste de l'hiver. Placée devant la couchette garnie d'une paillasse et d'un édredon de plumes qu'ils osent soulever, elle les empêche d'atteindre l'armoire où elle a caché, derrière une pile de serviettes, une poupée de son et un sautoir d'argent reçus de sa famille, le tout valant à peine dix shillings. Son regard dur éconduit leur obstination. Mais elle souffrira de les voir dénombrer ses objets personnels, la bassine et le broc de faïence utilisés pour sa toilette matinale, le savonnier rempli d'épingles de nourrice et de broches à cheveux, le gobelet d'étain où dort une eau grise à laquelle elle n'a pas touché pendant ces heures abominables où elle attendait l'aube qui l'arracherait à sa torpeur.

La mort existe et elle doit s'y soumettre, mais elle veut fuir cette désorientation qui ne lui apporte ni paix ni oubli. Elle veut se reposer, s'arracher à la dissolution qui la mine. Au sortir du lit, elle se sent défaite, épuisée. Elle a si peu dormi depuis une semaine. Si peu reposé dans ses habitudes qu'elle se sent comme hors du temps, incapable de ressaisir un passé qui lui permettrait de se rejoindre dans ses différents âges, confondus soudain dans l'hébétude qui la saisit.

Appuyée au mur, elle fixe le bout du couloir pour se donner une contenance. Eux en profitent pour la devancer. Ils entrent dans la chambre conjugale dont ils violent l'intimité, déclarant plus de trente livres sterling en mobilier et en literie. Elle ne peut supporter de les voir toucher aux vêtements de J.J. Trestler, soulever des vestes et des chemises qui ont gardé la rondeur du corps dont elle était seule à quémander la tiédeur. Seule à déceler les faiblesses, les exigences, l'inassouvissement.

Elle frissonne. Ce froid qui sévit depuis décembre accentue son sentiment d'abandon, et la pousse à s'agiter sans rien accomplir d'utile. Elle se souvient avec effroi de ce moment de vérité, sa honte lorsqu'elle s'est retrouvée le front entre les genoux, presque impudique, dégagée du déroulement de l'inventaire qui mêlait les objets d'utilité courante aux effets personnels du défunt.

Elle s'est ressaisie depuis. Ou peut-être s'habitue-t-elle à la douleur. Peut-être se résout-elle à accepter cet effritement de la pensée, ce vide qui la remplit.

Malgré tout, dans ces rites mortuaires confirmant l'abomination du sacrifice subsiste le désir de posséder.

Les paupières gonflées, elle conduit les vérificateurs vers le coffre de cèdre contenant quarante-trois draps, quinze nappes de chanvre et vingt-sept serviettes de toile fine. Dieu merci, elle n'en a pas oublié le nombre, ses facultés sont moins affectées qu'elle ne croit.

« Qu'est-ce que c'est ?

— Trois cuillères d'argent et vingt-quatre gobelets. »

Éva m'aide à déchiffrer l'inventaire. Elle sait que le corps du langage englobe tous les autres corps. Sous les fioritures du texte ancien dont elle saisit les variations d'orthographe et de vocabulaire, elle lit l'histoire de sa maison. Ce document, comme tous les autres déjà empilés sur la table, lui en a appris autant sur le tempérament des Trestler que sur la vie au XIXe siècle.

Nous en discutons. Cela m'aide à apprivoiser Catherine, à mieux percevoir les agissements d'une famille qui fut d'abord pour moi deux pages d'un magazine et une goutte de sang dans un rêve. L'instant de la fascination obéit à une règle précise. On y cède pour mieux éprouver ce qui nous émeut, avant même de savoir que le mot émotion existe.

Benjamin tisonne les braises du foyer, et le feu se met à dévorer les bûches par avancées lentes et paisibles. Cette progression des flammes entame à peine la marche du temps. Depuis que les jours allongent, la lumière s'attarde plus longtemps aux fenêtres, ouvrant pour nous la ligne d'horizon qui regroupe les îles plantées comme des balises sur la rivière Outaouais. Ainsi le regard peut courir jusqu'aux confins du monde. Jusqu'au bout de nos utopies. Il est toujours mauvais de se garder une poutre dans l'œil quand on veut déchiffrer les augures.

Catherine aussi a vu ces îles, cette eau. Elle a aussi contemplé le jardin endormi sous la neige pendant les longs hivers de son enfance, et plus tard elle a fait huit enfants pour perpétuer la légende du corps immortel. Ma propre mère accoucha de quatorze. De quoi voir large. De quoi ouvrir l'arrière-pays sur le fleuve océanesque, l'Atlantique déjà avec ses cargos, ses dauphins et ses mouettes. Mais ne nous égarons pas. Revenons à cette femme qui me fut imposée par le hasard, comme Cartier, Bigot, Descartes ou Papineau. Un hasard objectif, naturellement. Celui-là même qui mit la Pompadour, à laquelle je pensais ce matin en regardant les photos du passage de Monsieur B à la maison Trestler, dans le lit de Louis XV.

Je deviens amère. L'hiver a trop duré. Une lampée de caribou par-ci, une goutte de gin par-là, et la saison avance à pas d'oiseau. « Ici, c'est facile de faire les comptes, m'a dit la semaine dernière un Espagnol de la rue Saint-Denis. Après six mois de neige, c'est six mois de moustiques. » Il ignorait que dans le Bas-du-Fleuve l'hiver compte deux mois de plus.

Aujourd'hui, il neige dans ma tête. L'impossible devrait pouvoir se raconter. Éva serre son châle autour de ses épaules. Elle dit avoir dû s'aliter pendant cinq jours. Une fièvre tenace. Une fatigue extrême, par suite de surmenage. Chaque fin de mois, elle se demande comment joindre les deux bouts. Car en plus de couvrir les frais d'entretien, les comptes de chauffage et d'électricité, elle doit assumer l'accueil et l'animation des groupes. La maison Trestler est devenue un centre culturel, mais elle est classée maison historique et le passé coûte cher.

— Et si vous tentiez d'intéresser un mécène ou un financier qui cherche un abri fiscal ? Après tout, les maisons sont faites pour servir d'abri.

— Allez voir si ça entrera dans leurs catégories. Les fonctionnaires se fichent de la culture.

— En Amérique, tranche Benjamin, le mot culture est déplacé.

— L'Amérique, l'Amérique, j'en ai marre de ce refrain.

Stefan s'emporte. Nous habitons le plus riche continent du monde — *The biggest in the world* face au soleil levant des multinationales. Alors, de quoi nous plaignons-nous ?

Il voudrait partir. Il ne comprend pas cette toquade pour une maison de roturiers. Je le prie de dresser un plan du salon, et il s'exécute mollement. Il n'est pas né ici. Il n'entrera jamais en transe pour un lampion d'église ou une vieille table de pin. Ce qui le frappe, sur ce continent, c'est plutôt le style nouveau riche, ces maisons rectangulaires échelonnées le long des autoroutes : mêmes portiques, mêmes façades californiennes, mêmes *living-rooms*, mêmes sous-sols garnis de bars en mélamine et de télévisions en couleurs.

Cette maison de style français lui paraît une imposture, et Trestler, un bourgeois médiocre. « De la graine de Boche à la solde d'une armée étrangère ! » Il oublie que l'Europe a déjà été l'imposture de l'Orient. « Compte à l'envers », disait ma sœur en m'obligeant à partir de cent, ou même de mille, pour redescendre à zéro.

— L'Amérique, ça ne se comprend qu'à rebours.

— Ça suffit. Il faut partir.

Nous nous approchons du hall d'entrée. Une femme se tient dans l'escalier Tudor, habillée d'une longue robe bleue, ceinturée de rouge, qui lui donne une allure altière. Éclatante et sensuelle, elle se détache du mur lambrissé de bois sombre, et je vois, dans la demi-obscurité qui la couvre, sa main gauche en mouvement, la violence de l'attitude. Judith l'Israélite triomphe de l'occupant assyrien Holopherne.

— Un héritage, dit Éva. Ce tableau a appartenu au cardinal Fesh, oncle de Napoléon. Il nous a été transmis par le chanoine Linsay, petit cousin du grand-père de Benjamin.

— Un jour, rêve Benjamin, on enlèvera ces balustrades Tudor. C'est trop lourd pour le style français.

La hantise du style français peut constituer une raison de vivre. Avant eux, deux hommes d'affaires ont transformé la maison en prétentieux camp de chasse, mi-ranch, mi-pub, qui a tour à tour porté les noms de château et de manoir.

Ici, comme dans les pièces voisines, pour retrouver la couleur du parquet, le grain de la pierre et les rainures des poutres, il a fallu décaper, poncer, nettoyer. Tout en causant, nous nous dirigeons vers la voûte, vaste salle recouverte de crépi blanc, au plafond piqué d'anneaux de fer. C'est à ces anneaux que Trestler suspendait les paquets de peaux de castor, de loutre, de vison et de rat musqué dont il faisait le commerce. Ici qu'il entreposait une part de la mercerie et des marchandises sèches écoulées dans son magasin. Au plafond pend un lustre à motifs de chevalerie, retenu par de longues chaînes, qui jette des lueurs fauves sur le parquet sombre et les murs lambrissés de panneaux Tudor. Cette pièce, convertie en salle de billard après le départ des Trestler, sera désormais consacrée à l'art. On y accrochera des tableaux, on y fera jouer du Bach, du Mozart et du Vivaldi.

— Voyez à quel point Trestler avait la phobie du feu et multipliait les caches, dit Éva. Celle-ci, en fer, servait sans doute de coffre-fort.

Éva travaille comme une ethnologue. La reconstitution de la vie des Trestler lui importe autant que les travaux de rénovation en cours. Entre deux coups de truelle, elle court les archives pour compléter ses dossiers. Sur la longue table de monastère servant aux repas de groupe se trouvent des pans de toile ancienne imprimée au pochoir, trouvés dans une pièce condamnée, dans lesquels elle taillera des tentures d'époque. Ce tissu ramagé où s'ébattent de grands oiseaux bleus et roux, probablement rapporté de l'une des expéditions anglaises aux Indes, rappelle l'ancienne fonction commerciale du bâtiment.

La réfection du rez-de-chaussée s'achève avec cette voûte. Au-delà se trouve un couloir longeant une pièce humide et déserte, couverte de plusieurs couches d'émail, qui occupe la place de l'ancien magasin. À son extrémité, derrière une série d'armoires, j'aperçois un escalier étroit, et sans rampe, qui grimpe à l'étage des chambres. Stefan craint de voir notre départ compromis par cette découverte. Il insiste : « Viens ! »

2

Dans la nuit, je rêve de Catherine. Je suis Catherine. Elle est le double inventant les mots insaisissables. Elle est la passeuse violant le silence des chambres fermées.

Elle est l'enfant de mon nom. Mêmes traits, même détermination, même fragilité calculée. Même violence sous le front imperturbable. On ne sait pas à quoi elle pense. On ne l'a jamais vue mordre à sa colère. Mais cette rumeur d'encre sous les doigts, cette écriture haletante sous des silences pressés. Trop calme, cette fille. Trop conforme à leur vouloir, cette nature réservée qui rattrapera son enfance sur le tard.

Couchée dans l'herbe, je colle à la terre. Mon corps respire par sa peau. Rien ne bouge sous l'épaisseur de temps posée sur mes paupières. Je dors presque. À demi ivre, je mûris dans l'après-midi torride, m'accordant un répit avant l'événement qui va se produire.

Père viendra. Lorsque je l'apercevrai, je m'enroulerai à ses pieds en retenant un cri. Il posera ses lèvres sur mes joues et m'entourera de ses bras. Quand je serai grande, je l'épouserai, et nous ne nous quitterons plus jamais. Je l'empêcherai de filer vers le Chemin du Roy. Je lui interdirai de disparaître derrière le chenal, emporté par le chaland qui glisse sur les eaux du lac.

Mon père est plus puissant que le soleil. Debout, il dépasse l'orme géant de l'entrée. S'il le voulait, il n'aurait qu'à me hisser au bout de ses bras pour me permettre de décrocher la lune. Je lui offrirais aussi les étoiles, la Grande Ourse, la Petite Ourse et les comètes. Je lui offrirais tout l'or de la terre et la beauté du ciel s'il consentait à me garder contre lui, buvant sa chaleur, respirant son odeur de tabac et d'étoffe.

Pour cet homme, je ferais n'importe quoi. S'il m'aime, je pourrai vivre un siècle. Je refuserai d'aller pourrir sous terre comme Marguerite Noël. Au fait, vous ne savez pas encore qui est cette femme. Je vous en parlerai bientôt, mais je dois d'abord en finir avec lui. Sinon, je n'aurai jamais le courage de reprendre l'histoire à partir du début, avant d'avoir souhaité sa mort, vengeance dont personne ne me tiendra responsable puisqu'il l'a provoquée bien avant que ce récit ne vous en informe.

Auparavant, il y a l'été, l'herbe touffue, les rumeurs chaudes. Des insectes bourdonnent autour de mes oreilles. Je les chasse mollement, occupée à me refaire une beauté. Je me maquille en prévision de ce qui doit arriver. Tout à coup, des rames battent l'eau du lac. Un clapotis joyeux humecte l'air. On jette l'ancre. J'entends ouvrir le portail.

Des pas martèlent le gravier. J'ouvre à peine les yeux, préférant me laisser surprendre. Mon pouls s'accélère. Je me retourne et saisis les hautes jambes qui approchent. Père est prisonnier.

— Catherine ! Nom de Dieu, qu'est-ce que tu fais ?

Silence. Il faut tenir bon.

— Catherine, je t'interdis de te comporter comme une hystérique.

Je retiens mon souffle. Il est trop tôt pour réagir.

— Debout !

Mon regard détaille les bottes fauves, le pantalon de toile, la veste marron. J'imagine aussi le torse fier, le cou gêné par le col de la chemise, la tête qui refuse de s'incliner. Un regard dur me frappe. Je lâche prise. Ses mains larges, à demi refermées, pendent au bout des manches. J'ai inutilement parfumé mes joues de fleurs de trèfle. Il ne me permettra pas de l'embrasser.

— Une enfant bien élevée dit « Bonjour, père ».

— Bonjour, père.

— Hector, vous avez entendu ?

Hector fait signe que oui.

— Et maintenant, debout.

Hector m'observe du coin de l'œil. Par contrat, il a promis d'obéir à son maître en toutes choses. Cela lui rapporte cinq cents shillings par an, plus le gîte et le couvert. Car il mange à notre table et boit du vin au repas du soir.

Mes jambes s'étirent sous la jupe froissée. J'ai obéi. Je suis debout. La douleur s'éveille.

Ils se dirigent vers l'entrée. Hector pousse la porte, s'efface comme un chien fidèle derrière son maître. Je les suis à distance, espérant un regard de l'homme autoritaire dont je souhaite effacer les rides posées en travers de son front comme une condamnation permanente de mes penchants sauvages. Je connais le refrain. Une demoiselle ne doit pas se rouler par terre, souiller ses vêtements, embrasser l'herbe avec sa peau. Une demoiselle doit avoir de la retenue, de la distinction, des bonnes manières. Une demoiselle Trestler doit raser les murs sans encombrer le passage de celui qui fait trembler la terre.

C'est promis, père. Je me tiendrai loin de ton univers. Loin de tes possessions, de la voûte où dorment les fauves abattus. Loin des entrepôts où s'accumule la marchandise destinée aux grands bourgeois de Vaudreuil : ces rouleaux de tissus, gants de chevreau, foulards de soie, colliers de perles, toiles importées et crêpes de Chine, ces velours et brocarts préservés du vol et des rats par des volets de fer et des bouchées de lard farcies d'arsenic que l'on prépare sous mes yeux horrifiés.

Tu entres. Je te regarde ouvrir le coffre-fort de l'entrée et lancer un sac rempli d'espèces sonnantes dans la gueule noire qui engloutit ta main. Tu te retournes et passes en revue le régiment familial. À chaque retour de Montréal, où tu as réglé des affaires importantes, nous sommes convoqués pour l'événement.

Voici Madame mère, ton épouse, le buste haut, les reins sanglés dans sa robe de serge grise. Voici Michel-Joseph, ton fils aîné, filleul du distingué seigneur de Lotbinière et de l'élégante Madame de Lotbinière. Puis Jean-Baptiste, fils cadet, second héritier des ambitions et de l'orgueil Trestler. Enfin, Madeleine, fille effacée sur laquelle tu jettes à peine les yeux. Et moi, Catherine, que tu feins d'apercevoir pour la première fois.

Tu te tournes vers tes fils, et tu avances de deux pas.

— Vous êtes déjà des hommes. Vous ferez de bons soldats.

Je te connais, va. Tu veux de la bravoure, peut-être même la mort au champ d'honneur. Tu bois le sang qui rougit les tempes de mes frères et nous réunit dans une même absence, Madeleine et moi, futures épousées tenant par un fil au nom Trestler que nous porterons encore quelques années avant de consentir à un beau mariage. Car tu vois déjà tes filles au bras d'hommes riches et puissants. Ton regard croise le mien. Tu te proposes de briser l'enfant sauvage. Tu veux mater cette rébellion qui risquerait de m'écarter de la voie où je devrai m'engager après avoir suivi l'exemple de mère, femme robuste qui te seconde sans te contrarier.

Marie-Anne Curtius sourit une fraction de seconde, puis elle retrouve son air habituel, un souci d'ordre protégeant son visage d'abandons excessifs. Ses mains recommencent à battre l'air, cherchant de quoi s'occuper, de quoi nourrir sa passion du ménage et du rangement. Une lueur de satisfaction remplit ses yeux. Ses pots de confiture dorment, parfaitement étanches, sur la table de la dépense. Ses provisions de mélasse et de fromage sont assurées pour une semaine. Elle pourra, ces prochains jours, s'employer à détruire mes rêves. Entre nous, la distance s'élargit, et pourtant nous ne nous sommes jamais comprises. Jamais reçues. Jamais imaginées.

Parfois, ne supportant plus sa présence, je file à la cuisine d'où s'échappent des odeurs de soupe et de pain. Adélaïde ne me voit pas venir. Elle pétrit la pâte avec des gestes lents, se parle à elle-même comme si elle s'adressait à quelqu'un d'autre. Ses mots défilent, machinal remuement de lèvres autour des prières récitées, mais rien ne filtre jamais de sa vie confondue à celle des Trestler au service desquels elle travaille depuis l'ouverture de cette maison.

Juchée sur l'escabeau, j'observe son chignon précocement blanchi, sa robe noire à col blanc, ses bas de coton clair. Je me contente d'abord de la regarder en silence. Puis je me jette contre son épaule imprégnée d'un parfum de sueur salée. J'enfonce ma tête dans son corsage recouvert du tablier de grosse toile qui filtre l'étreinte. Elle proteste doucement.

— Catherine, on ne t'entend jamais venir.

Mère compense. Elle me voit, pour sa part, toujours venir. Au mauvais endroit, au mauvais moment, dans les lignes de fuite aménagées entre sa méfiance et mes audaces travesties d'obéissance. Elle me refile l'abc de ce qu'elle appelle « une bonne éducation » : modérer ses élans, se tenir correctement, savoir se présenter et s'effacer en temps et lieu afin de toujours livrer de soi une image favorable. Je refuse ces comportements étriqués, cette retenue masquant des voracités inavouables.

Ai-je entendu sa voix ? Elle esquive mes questions. J'écarte ses réponses. Nous sommes quittes.

La nuit dernière, j'ai encore rêvé de Catherine.

Elle était assise dans la grand-salle où elle avait passé de longues heures à broder un mouchoir. Après un long bâillement, elle a approché le mouchoir de ses yeux, car elle n'y voyait plus rien. Puis elle a regardé par la fenêtre et dit qu'elle voudrait être ailleurs. Elle déteste la broderie, ce plat mouvement des mains qui reproduit de fausses tiges et de fausses fleurs sur un tissu empesé qui tache ses doigts d'une poussière de craie blanche. À la fin, une femme s'est approchée et a rendu son jugement. « Attention à ton fil. Tes points sont inégaux, ils doivent tous être de même longueur. »

Dans le noir, j'ai suivi l'enfant rebelle. Écrire est un acte dangereux. Au petit matin, j'ai vu un chat noir attendre la mort tandis que je me retournais dans le lit, brûlante de fièvre.

Tout a commencé le jour où je me suis glissée entre draps et cahier, la bouche sèche, un goût de sang travaillant les gencives occupées à retracer les mots de celle qui ne parlera jamais. Pourquoi cette maladie de Catherine ? Pourquoi cette bronchite d'Éva ? Pourquoi suis-je moi-même alitée à cause d'une mauvaise grippe, les épaules enfoncées dans les oreillers de duvet repliés derrière mon dos ?

Je me suis recouchée après avoir taillé mes crayons. J'ai dû m'assoupir. Stefan s'est inquiété.

— Tu as crié. Ça ne va pas ?

— Ça va. Je veux dormir.

Un rai de lumière suit le mouvement d'air déplacé par les jupes qui contournent le lit. La flamme d'une bougie vacille, se tend comme une langue et lèche l'îlot de cire mouillant les bords du chandelier. Adélaïde se penche vers moi, et son tablier craquelé remplit ma vue. Des lézardes semblables fendillent le lac des Deux-Montagnes aux premiers dégels.

L'hiver doit tirer à sa fin. Pendant mon sommeil, j'ai entendu des corneilles croasser sur le Chemin du Roy.

— Adélaïde, demain vous m'ouvrirez ces fenêtres.

— Madame sait bien que ce n'est pas la saison.

— Vous ouvrirez ces fenêtres. Je veux respirer l'air du lac.

— Mais il y a encore de la neige, et les contre-fenêtres sont toujours fixées aux châssis.

— Les contre-fenêtres ?

— Oui. L'été est encore loin.

Une lame d'acier transperce mes poumons. Je reconnais cette douleur, ma plainte, la résonance du corps. Je m'agrippe au matelas pour échapper à l'étau qui serre la poitrine. À chacune de ces crises, je crains d'y passer. Mais la respiration se rétablit. J'ai appris à ruser avec la souffrance. Cent fois j'ai été traversée par ce mal, et cent fois j'en ai triomphé.

Je connais la suite. Toujours les mêmes vieilles terreurs, les mêmes fantômes lâchés sur ma peur. Mon enfer. Mes ombres sournoises. En une seule nuit, je meurs plusieurs fois de suite.

À l'aube, je suis étonnée d'entendre la neige fouetter les vitres par bourrasques sèches. Je suis enfermée dans cette chambre, dans l'hiver, et attendre me tue. Je ne sais pourquoi, subitement, mon cœur bat à un tel rythme.

J'aime l'été, ses odeurs, ses cycles et ses fêtes. Mais toujours j'ai détesté cette saison maudite. Toujours j'ai refusé de lui céder. Je me lèverai. Je mettrai fin à ce cauchemar.

— Madame va trop vite, dit Adélaïde. Il faut patienter. Allez vous recoucher.

Des lueurs fauves dansent sous mes paupières, et l'iris chavire derrière les cils. Je reconnais ce vertige. L'été approche. Il me délivrera de mon mal.

Stefan vient de me toucher l'épaule.

— Réveille-toi. Tu as encore crié.

Depuis une semaine, le téléphone sonne peu. J'en profite pour écrire. Le roman Trestler allonge. J'en jette des bouts et je recommence, tandis que Catherine court dans les herbes et les ajoncs, sa robe me faisant signe à distance comme une trace à saisir, malgré les mots qui se refusent.

Je consulte souvent le dictionnaire afin de trouver l'expression juste. Ce souci m'importe d'autant plus que Catherine n'est pas née du sexe de ses parents. Elle est une création de mon esprit. Elle est n'importe quelle phrase à qui je peux faire dire n'importe quoi. Bientôt, elle prendra corps et vivra des hasards qui l'ont tirée de l'oubli : l'émigration de son père en terre québécoise, l'achat de la maison Trestler par Éva et Benjamin, le reportage d'un magazine sur la visite que Monsieur B y fit.

Quinze jours plus tard, je retourne à la maison Trestler comme on revient sur les lieux du crime. La goutte de sang recueillie dans mon rêve a germé. Ma taille n'a pas bougé, mais Catherine grossit dans mes flancs et ma tête. Portant jour et nuit l'enfant de ma chair et de mes mots, je vis une grossesse de rêve pour laquelle je me cherche des témoins. Mais lorsque j'essaie de reconstituer sa vie et ses traits à partir d'indices trouvés dans les actes notariés du père, l'essentiel m'échappe toujours.

Son visage, sa voix, la couleur de ses yeux et de ses cheveux me sont encore un mystère.

À peine entrée, je dépose les deux premiers chapitres de mon roman sur la table de la cuisine. Éva y jette à peine un coup d'œil. Cette gestation ne concerne que moi. Ma méfiance à l'égard des dates et de la chronique la scandalise. Elle me ramène sur terre chaque fois que je m'emballe à propos d'une hypothèse farfelue. Elle ne sait pas que les écrivains mentent pour mieux dire la vérité. Elle ne sait pas que les mots trahissent le réel tout autant que le réel déjoue les mots.

Elle ignore tout des motifs qui m'ont conduite à prendre parti pour Catherine. J'ai aussi des comptes à régler avec ma famille, et une famille ne s'arrête pas à la troisième ou quatrième génération. Quand je porte des douleurs vieilles de trois siècles, je deviens irascible. Quand je suis malade de l'Amérique, je cherche à m'en guérir.

J'attise ma hargne en fixant le piano à queue, couvert de la mousse dentelée des fougères, à l'autre extrémité de la pièce.

— Monsieur B en a joué ?

— Non. Son séjour a été écourté.

— Et elle ?

— Non plus. Mais j'avais commandé des partitions de leurs compositeurs préférés.

— Et qu'est-ce que vous leur aviez commandé encore ?

— Des peintures du musée des Beaux-Arts.

— Ça a eu l'effet escompté ?

— Pas vraiment. Un cendrier de porcelaine hongroise a eu la cote d'amour.

— Hongroise ?

58

— Elle est née là-bas.

L'Amérique est une terre fruste où l'on déniche parfois un meuble, un vase, un bibelot venu d'Europe. Le reste vient par surcroît. Où avais-je lu : *Quant à Madame B, elle est musicienne. Elle aime les fleurs et s'intéresse beaucoup aux musées et à la peinture moderne.*

Ma colère de trois cents ans se réveille. Ça ne se passera pas comme ça. Je les tiens responsables d'avoir fondé un pays. C'est comme accoucher, on ne peut fermer les yeux ensuite et dire merci, c'est terminé. Éva les défend : il s'agissait plutôt d'une paternité et, de toute manière, l'enfant doit s'émanciper, voler de ses propres ailes un jour ou l'autre.

Le corps épanoui d'Éva avoue des maternités heureuses. Mais nous ne sommes pas les enfants choyés dont elle parle. Nous sommes les bâtards du Nouveau Monde. « Ni Français ni Américains ? Mais alors quoi ? » — « Québécois, et ça suffit. » — « Kébé quoi ? » — « Québé-cois, c'est ça, oui, ça vient de Québec, mot de deux syllabes qui signifie, en indien, une ville haut perchée. »

Derniers héritiers d'une langue morte, nous prolongeons l'utopie. Ici, il n'y a pas d'histoire, mais des généalogies. Or je refuse l'absurde.

— Depuis le traité de Paris, il n'y a eu que le Beaujolais et la grammaire pour nous relier à eux.

— Je vous trouve sévère.

— Et la maison Trestler comparée à une ferme jurassienne ?

Je touche un point sensible. Un article du *Figaro* l'a vexée. Pour rester conformes à la légende, nous devons rester Filles du Roy, paysans, coureurs de bois. Ou alors, devenir les géants de la baie James, les superstars de l'uranium, les héros du Grand Nord.

Le Québec, petit pays de deux syllabes, est un rêve qui ne finit jamais. Il me manque quatre cents ans pour toucher la source de mon désir. « Voyez-vous, insinue Éva, on n'a pas renoncé à eux, mais ils ont bel et bien renoncé à nous. »

Elle y avait pourtant mis le prix. Elle connaissait leurs préférences, leurs goûts, leurs lectures. Elle avait sorti Baudelaire, Saint-Simon, Mallarmé et Proust des caisses de livres empilées dans la future bibliothèque. Elle leur avait préparé des bouquets, des bougies, des plateaux de confiserie, quelques bouteilles de grands crus. « Il n'y aura ni vermeil ni or », déclarait-elle à la presse trois jours avant leur arrivée. Non, rien de tout cela. Mais son cœur, nu comme le lac des Deux-Montagnes en hiver.

Un soleil voilé d'une fine brume blanche, un ciel strié d'éclaircies bleu pâle, juste ce qu'il faut de froid et de neige pour signifier la rigueur de l'hiver, tel était le décor qui s'offrit à Monsieur B, lorsque son avion le déposa avec sa suite sur l'aérodrome d'Ottawa.

Monsieur B a aussi lu l'article.

Il ignore que le réel s'y montre conforme à l'imaginaire. Il ne se sait pas mêlé à l'un de ces récits à tiroirs où l'intrigue se fragmente en péripéties dictées par les contingences extérieures plutôt que par la volonté des personnages ou la logique des situations.

En quittant la passerelle du quadrimoteur qui le dépose sur cette terre glacée où les gestes se rétrécissent, il éprouve une singulière appréhension. Que vient-il faire ici ? Qu'attendent de lui ces inconnus de même souche qu'il connaît comme une légende nonchalamment apprise ?

Tant de froid et de blancheur le saisit. D'être si près du Grand Nord lui fait éprouver la vanité des entreprises humaines, comme si cette partie du globe indiquait plus nettement qu'ailleurs la précarité de la culture et de ses patientes édifications. Pressé par ses hôtes, il n'a pas le loisir de s'interroger plus longtemps. Tout se déroule comme sur une pellicule cinématographique. Carte postale d'un jour d'hiver en Amérique : on lui parle, et les mots résonnent à ses oreilles, irréels, archaïques. Mais le scénario progresse. Il ouvre la bouche, et le décor s'anime. Il forme des phrases, et les corps se déplacent.

L'ovation est à son paroxysme. Elle jaillit des mains, des bouches, éclate dans la buée givrée qui couvre son front et ses lèvres. À 1800 kilomètres de Paris, il se sent plus Français qu'à Montmartre ou Saint-Cloud. Ému, il tend les mains vers la foule afin de capter l'élan admirable exprimant l'instinct de survie qui les fit triompher des vicissitudes du destin.

Aux confins de l'exil, sur un territoire qui fait trois fois la France, un peuple élu se voue corps et âme à sa vocation messianique. Où a-t-il déjà lu que ce pays avait trop de géographie et pas assez d'histoire ? Néanmoins, d'avoir dévoré des livres ne l'aide en rien. Les mots encombrent inutilement. Ils arrivent toujours trop tôt ou trop tard.

« C'est vrai que votre pays est beau sous la neige », finit-il par articuler.

Monsieur B a pris les tics des habitants du pays. Il parle de température en guise de salutation. Le cœur de cette population bat dans sa main largement ouverte. Il se déplace, porté par la rumeur convulsive qui fouette son appétit d'amour. Il les voit maintenant en contre-plongée du haut d'une mezzanine. Les visages échappent aux lignes du corps, mais les mains et les bouches l'appellent toujours avec avidité.

Alors, il succombe à la dévoration. Il réagit au magnétisme qui l'incite à se rapprocher d'eux. Cédant à l'élan qui le propulse vers les lèvres et les bras ravivant son propre désir de fusion, il fait le geste d'avancer. Leurs frustrations mutuelles s'apaisent. Ils oublient les pactes dérisoires, les trahisons répétées. Et lui se repose de la froideur désabusée des siens.

Modulant les phrases qui comblent l'attente, il multiplie les inflexions suggérées par l'indéfectibilité de l'alliance et célèbre les lendemains qui chantent. Ce peuple vibre à toute voix qui le situe dans l'espace infini des gloires posthumes. Mais voilà qu'un raté s'introduit dans son discours. « Il est très important de trouver les mots précis », hasarde-t-il gauchement.

Énonçant la règle à laquelle il devrait satisfaire, il raidit les mâchoires, espérant trouver la suite. Un grouillement ténu monte de l'assistance et se déploie autour de lui dans une sorte de reptation confuse. Dans ce pays à double langue, il se sent observé par un monstre bicéphale qui ne lui pardonnera aucun impair. Tiraillé entre deux continents, partagé entre deux cultures qu'il peut difficilement circonscrire, il se voit piégé par l'histoire. À quel rameau rattacher ses paroles ? *You speak French, Sir ?* ou l'on parle encore comme nos ancêtres les Gaulois ?

Un rire généreux l'enrobe. Il se ravise, comprenant soudain que sa tirade interrompue vaut mille discours. Dès lors, il retrouve son souffle et rattrape les mots perdus. Que cette fin de phrase se soit fait attendre importe peu. Cette terre a six heures de retard sur Paris. La patience est sa plus longue habitude.

— Vous savez ce que *Le Figaro* a écrit ? dit Éva.

— Non.

— *Il n'y aura pas de débarquement de la Légion étrangère sur les rives du Saint-Laurent.*

— Que le diable les emporte.

Monsieur B roule dans la tranchée creusée par le chasse-neige dans l'amoncellement des dunes, arêtes et replats qui remplissent la voie de ceinture conduisant à la capitale.

Dans ce paysage figé dans l'étau de la congélation, il suit la poussée des stalactites qui pendent aux piliers des viaducs, aux tabliers des ponts, aux portiques des buildings, persuadé que les climatologues ont eu tort de fixer les points culminants des glaciations terrestres aux quatorzième et dix-huitième siècles. Il croit frôler les bords du monde habitable. S'il restait longtemps, cet hiver le tuerait.

Québec apparaît enfin, couverte d'une lumière blanche qui la fige dans l'immobilité des bas-reliefs. À proximité du parlement, des bonhommes de neige montent la garde devant le palais des Glaces où de gracieuses duchesses, habillées de faux manteaux d'hermine, exécutent la danse d'une saison en enfer pour un groupe de touristes américains. On baisse la vitre de la limousine pour permettre au dignitaire de mieux voir. À peine distrait par ce ballet de sylphides qui, sous des cieux plus cléments, éveillerait son intérêt et peut-être même son désir, Monsieur B claque des dents. Il vomit les scribes qui se gargarisent d'icebergs et de banquises sans avoir jamais souffert de la moindre engelure.

Autrefois, lorsqu'il trouvait entre les pages des livres feuilletés des Vikings congelés portant l'habit de cour, les bras croisés sur la poitrine et le visage tourné vers le ciel, il ambitionnait de prendre la relève. Plus tard, il irait explorer les régions boréales sur un traîneau tiré par des chiens sauvages. Il chasserait le phoque et la baleine. Il se nourrirait de viande crue et dormirait dans un igloo. Plus tard, il deviendrait un héros.

Plus tard est le temps de l'enfance. Aujourd'hui, tout héroïsme l'a quitté. Il ne rêve plus que de l'essentiel : une chambre chaude, un double scotch et des pantoufles. Lorsqu'il se sera détaché de l'événement, il se remémorera ce voyage, leur entêtement rigoureux, leur familiarité dans la fête, et il comprendra alors pourquoi ce pays regorgeait d'horloges et de calendriers. Pourquoi la parole y était parfois rare. Pourquoi l'on y était plus hospitalier que sociable.

Bien calée dans mon fauteuil, je regarde sur mon écran de télévision le convoi ministériel remonter la Grande-Allée, et dans ma mémoire une enfant se souvient. Elle a le même âge que le jeune Monsieur B amoureux d'Esquimaux et de Vikings. C'est l'hiver. Elle court sur les champs glacés bordant la route, redoutant la bassine d'eau froide dans laquelle on plongera ses pieds nus dès qu'elle franchira la porte.

On la fera asseoir, et elle sentirait des aiguilles traverser les chairs meurtries. Avant qu'elle enfile ses longs bas de laine, on la persuadera d'aller courir sur la neige pour endormir la douleur. Obstinée, elle se cramponnera à sa chaise, repoussant l'horreur du mal. De tout mal, ces calamités de la mauvaise saison : la mort des rêves, la mort des fleurs, des gens, des bêtes.

Plus tard, un jeune Français sur le point d'épouser sa sœur sera trouvé gelé sur la route de Gaspé, au lendemain d'une tempête de neige. Elle y pensera longtemps, oubliera le drame classé dans les faits divers des journaux, puis elle en tirera finalement un roman qui ne ressuscitera personne.

Monsieur B entre au Colisée où l'attend une foule agitée.

Il est là pour régler une affaire de famille, une histoire embarrassante et compliquée comme le sont toutes les histoires de famille. Il devra de nouveau émouvoir, promettre, rassurer. Il devra de nouveau ruser avec le protocole, exposer des sentiments intraduisibles. Au contact des foules, il s'abandonne à la jubilation parentale, exaltant des passions dont il doit ensuite tempérer les excès. Car impuissant à réaliser l'impossible symbiose, il ne peut que blesser, décevoir.

Son regard suit néanmoins avec plaisir la levée des bras dans l'air froid. C'est bien lui que l'on aime. Lui que l'on accueille avec une ferveur qui le ramène dans les foulées du défunt général. Dieu ait son âme, ils l'idolâtrent encore. Élevant la voix, il proclame : « Je vous apporte l'assurance que nous constituons une grande famille. »

Au dîner d'adieu servi dans le Jardin d'hiver du musée, il porte un toast à leur avenir commun. Le geste est sans conséquence. Cette descendance peut l'aimer, elle ne saurait l'élire. Shawinigan, Chibougamau, Natashquan, Arthabaska et la baie des Ha-Ha sont des onomatopées, non des circonscriptions électorales.

« Et qu'est-ce qu'en a dit *Le Figaro* ? »

— *Il n'y a jamais eu de Royaume du Québec. Les Québécois sont des personnages en quête d'auteur.*

— *Son of a bitch !* aurait dit mon père.

Donner le change me serait une piètre consolation. Derniers héritiers d'une langue morte, nous avions été floués par l'histoire. Ici, il n'y avait pas de généalogie, mais des générations. Pas de territoire, mais des terres à l'infini. Pas de pays, mais des paysages, des saisons, quatre, prétendaient les anciens manuels de géographie.

La visite de Monsieur B ne changerait rien. Nous resterions les missionnaires de la francophonie. Opiniâtres dans notre refus des *week-end, shopping* ou *parking* du pays mère qui souhaitait parler anglais — la langue de l'Amérique —, nous continuerions de rouler le rocher de Sisyphe, heureux de nous consacrer à un destin sublime.

Éva m'invite à passer la nuit à la maison Trestler.

Nous sommes au premier étage. Un long couloir traverse le corps du logis et s'incurve dans l'aile est où il se rétrécit. De chaque côté se trouvent sept ou huit chambres mansardées dont la plupart sont pourvues de meubles anciens offerts par des amis, ou dénichés à l'Armée du salut. Dans quelques-unes, je vois des matelas nus. Mais il y a des rideaux partout, et parfois des tapis.

Une fenêtre me renvoie le reflet brouillé d'une enfant qui y pose un instant le front. Elle s'en détache, comme étourdie par la lumière. J'entends les pas de Catherine, sa voix contenue. Elle sait être raisonnable malgré la peau moite, le désordre de ses cheveux.

— Regardez, dit Éva, la porte de la belle-mère.

— Ça servait à quoi ?

— Selon la légende, c'est par là qu'on se défaisait des belles-mères indésirables. Mais c'était probablement une sortie de secours. Peut-être aussi une ouverture par où entrer les provisions au grenier.

Cette porte donne sur le vide. Isolées dans ces pièces au plafond bas, les filles Trestler auraient-elles éprouvé, certains soirs, la tentation d'y précipiter Marie-Anne Curtius ? Tout geste excessif et passionné aurait pu en effet tenter Catherine qui méprisait les compromis, refusait de se conformer au hasard du destin. Mais peut-être suis-je abusée par mon imagination. Rien, sur cette porte, ne trahit l'intention d'une telle violence.

— Le fils noyé. Il aurait pu tomber par là ?

— Je n'en sais rien, mais c'est possible. L'accident paraît être survenu pendant les travaux d'agrandissement de 1806.

J'avance, et le plancher craque sous mes pieds. Ça sent l'enfance, la poussière de la vieille maison grise, les poutres brûlées du grenier. Ma décision est prise. Je dormirai dans la chambre à courtines, la plus vaste et la plus rassurante des pièces.

J'examine cette pièce où tout est resté intact. Rien ne manque. Sur la table de toilette, je reconnais le broc de porcelaine anglaise et la cuvette fendillée qui servaient, depuis deux ou trois générations, aux ablutions matinales. Je retrouve l'odeur crémeuse du savon de ferme, les peignes d'écaille, les épingles à cheveux que les femmes utilisaient pour fixer leur chignon. Et dans ce gris imprécis de la nuit commençante, je revois la pellicule de glace qui flottait à la surface de l'eau les soirs de grand froid.

L'atmosphère était exactement la même. Les crochets de fer grinçaient derrière les volets, préparant les réveils brusques auxquels je ne m'habituai jamais. Je grelottais sous l'édredon de plumes. Et la peur m'étreignait, malgré la compagnie des sept sœurs fanfaronnes à qui je n'osais me confier.

Je sais tout des maisons traversées, tout de l'alchimie des formes et des sensations mises en contact avec le temps du regard. Et cependant, j'erre dans cette pièce, fébrile, à l'affût de ce qui pourrait surgir du côté des ombres. J'ignore ce qui s'est passé dans cette chambre, et de quelle façon cela s'est déroulé, mais j'ai cru entendre la pendule sonner onze coups avant que quelqu'un soupire : « Il gèle à pierre fendre. »

Une femme se regarde dans le miroir étroit de la salle de bains. Elle ne voit ni ses épaules ni sa taille, mais elle se reconnaît. L'enfant pauvre est devenue une dame élégante qui court le monde, écrit des articles, loge parfois dans des hôtels cinq étoiles et des maisons rares.

Je renonce à faire couler l'eau dans la vieille baignoire crapaud, me contentant comme autrefois d'un débarbouillage rapide. Sans les fleurs séchées et les serviettes grenat posées sur l'appui de la fenêtre, l'odeur de la tuyauterie, le blanc du lavabo et des cabinets seraient un souvenir triste. Des relents de cloître et de pièce délabrée se ravivent, de même que le tintement des seaux, et ces longs glaçons qui pendaient souvent sous le bec de la pompe au petit matin.

Dehors, un chien vient d'aboyer, et il m'a semblé entendre sa chaîne heurter la niche. Vivre au présent est un pari. Il suffit d'un bruit, d'un mot, d'une odeur, pour que la mémoire bascule d'un quart de siècle.

L'enfant a peur de chavirer dans ses anciennes terreurs. Elle enfile sa robe de nuit et se rapproche de la cheminée dont elle palpe le grain. Puis elle saute dans le lit, tire l'édredon sous sa gorge et se retient de bouger.

Bras collés au corps, elle fixe l'ampoule nue qui se balance au-dessus de sa tête. Jadis, ils s'éclairaient avec des lampes à pétrole, et elle aimait voir s'agrandir les cernes noirs qui enfumaient les globes tandis que les femmes brodaient, assises autour de l'homme qui racontait Lowell, la politique, ses courses au village, sa fuite du réel.

Dans la vieille maison accrochée au rocher nu bordant la route de Gaspé, le sommeil apaisait les sens sans tuer l'imagination. Je m'éveillais, cherchant le blanc rassurant des draps, effrayée de ne plus trouver les contours du lit. Mes sœurs dormaient, têtues, paisibles. Le vent du nord fouettait la corde à linge où des serviettes glacées se balançaient dans le vide. Il gémissait aux portes, dans la bouche, entre les mains repliées sous la gorge. Il soufflait à l'étage des chambres, nourrissant la hantise des départs. Je connaissais la mélodie. Je me la répétais pour me donner du courage. Un jour, je m'évaderais. Un jour, j'irais m'installer dans une ville chaude et peuplée où des gens parlent à toute heure et font ce qui leur plaît.

Cette détermination raffermissait l'équilibre du désir. Inventer l'avenir par les mots préservait la perception. Mais le lendemain, ce fossé qui me séparait d'eux, cette solitude dont je refusais l'apprentissage. Pour contrecarrer la patience apprise et fuir la banalité quotidienne, je ne m'épargnais aucun effort. Comprendre, c'était ruser. Survivre, c'était prévoir. Et même écrire.

Dans un cahier à lignes bleues, j'avais noté d'une écriture maladroite, et pour mon seul plaisir, quelques anomalies de l'histoire, grande histoire apprise sans but, sans maîtres, dont le premier chapitre était peut-être inclus dans le roman familial dont la maison Trestler me restituait des bribes.

Christophe Colomb a découvert l'Amérique en 1492, qu'est-ce qu'on attend pour découvrir l'Amérique Centrale et l'Amérique du Sud ? — Mon premier aïeul repoussa Phipps à Rivière-Ouelle avec ses trois fils en 1691, mais j'ai perdu la trace de ses filles nées d'une Fille du Roy. — Dieu créa le monde en sept jours et il se reposa ensuite, il aurait mieux fait de continuer sa besogne.

L'air est lourd. Les nuits sans sommeil épuisent. Catherine voit les battements d'ailes des chauves-souris dans le halo clair découpé par la chandelle, et elle frémit malgré la présence du bouquet de fleurs fraîches sur la table de chevet.

Le soir tombe sur elle comme un cauchemar dans lequel elle s'engouffre. Soutenue par mon affection, elle recommence ses prières trois fois de suite. Puis nous comptons les moutons de la bergerie, et nous alignons des carnets d'allumettes en rangs serrés sur nos genoux. Mais les chauves-souris planent toujours au-dessus de nos têtes. Au petit matin, le soleil pénétrera dans la chambre et les chassera. Nous serons alors délivrées.

Je me replie en position fœtale, tandis que Catherine se tourne contre le mur. Les parents Trestler ignorent, ou feignent d'ignorer les frayeurs qui s'emparent d'elle lorsque les bêtes monstrueuses envahissent la chambre, leurs grandes ailes déployées. Le soir, ils se contentent de fermer les fenêtres, espérant ainsi affamer les bêtes et les obliger à aller s'approvisionner dans le lac. Car ils n'imaginent de solution que dans la fermeture, ces barrières qu'ils ne cessent de placer entre le dedans et le dehors.

Clefs et loquets protègent le royaume de J.J. Trestler. En ce moment, il dort tranquille. Sa fortune est en lieu sûr, enfouie dans des caches, couverte par l'obscurité. Mais dort-il vraiment ? Des pas glissent sur le parquet de la chambre d'en bas. Il est probablement en train de remplir le chauffe-lit de braises afin de tempérer l'humidité des draps. Des attentions pour Marie-Anne Curtius dont j'imagine le corps robuste étalé sur le lit à quenouilles.

Mes poings se serrent. Je ferme les yeux. Certaines minutes durent un siècle. Plus tard, le cri délivrera.

Une nuit, Catherine a crié plus fort que d'habitude. Pressée par le besoin de dire la vérité, sa sœur a parlé. Elle lui a dit que Marie-Anne Curtius n'est pas leur vraie mère.

— Tu mens.

— Je t'assure.

— Comment sais-tu ?

— Adélaïde me l'a dit sans le vouloir. Elle regrette d'avoir parlé. Notre vraie mère s'appelait Marguerite Noël. Marie-Anne Curtius est la deuxième femme de père. La femme du deuxième lit, comme on dit.

Il n'y eut ni larmes ni protestation. Pas d'effusion inutile. Impuissante à détourner les mots, Catherine quitta l'enfance d'un seul coup.

En silence, elle a longtemps répété les deux mots : *Marguerite Noël*. Puis elle s'est attardée au premier. C'est celui de la fleur blanche qu'elle effeuille parfois, s'amusant à laisser tomber les mots *Marie, marie pas, fais une sœur — Lettre, cadeau, visite, rien*. Les pétales se détachent lentement sur sa paume. Rien ne presse. L'événement est suspendu à sa voix fortifiée par l'attente.

Le second mot, *Noël*, évoque pour elle un jour

magique. Un jour heureux. Catherine aime l'odeur des viandes qui grésillent au-dessus des bûches du foyer. Elle a vu Adélaïde préparer la tourtière et les gâteaux. Elle sait que l'on a étrillé un pur-sang, astiqué le traîneau. Dans quelques jours, on enroulera les enfants dans une couverture de fourrure, et ils glisseront sur la route mordue par les patins de l'attelage. D'autres traîneaux formeront une caravane derrière eux. L'air glacé raidira les bouches et les oreilles affamées de cantiques. À un moment, le sommeil tombera, précis, courbant les nuques et les épaules, effaçant l'heure de la nuit.

Sous le porche, les gens s'effacent pour les laisser passer. On salue J.J. Trestler avec respect. Marie-Anne Curtius avance, guidant le cortège jusqu'au banc familial, le premier à droite, derrière celui des marguilliers. Entourée de notables, la famille regarde le seigneur et Madame de Lotbinière faire leur entrée. Un spectacle offert à tout Vaudreuil réuni. Les Trestler s'inclinent, fiers d'afficher une relation qui les honore.

La messe est célébrée en grande pompe par des prêtres habillés de dentelle et de chasubles brodées d'or. Tout cet apparat fouette l'imagination de Catherine qui se laisse envoûter par le chatoiement des couleurs et l'éclat de la cérémonie. Les roulements d'orgue, le bruit des chapelets et le tintement des vases sacrés, remués dans un tourbillon d'encens, ajoutent à son plaisir. Elle souhaite que la fête ne se termine jamais.

Dans cette même église, quelques siècles plus tard, Monsieur B fera cortège avec sa dame et son fils, sous le regard des paroissiens massés dans la nef et le jubé. On aura minutieusement choisi les notables dont l'importance autorisera l'honneur d'entendre accueillir les représentants d'outre-mer. *Jour choisi, jour solennel, Dieu se réjouit. Mes frères, notre cœur s'ouvre à votre venue comme à une promesse et à une fête. Ensemble célébrons ces retrouvailles qui augurent d'agapes éternelles.*

L'office s'étire. *Dominus vobiscum. Et cum spiritu tuo.* Des quintes de toux et des claquements de langue aiguisent l'appétit. Je frémis sous la fureur de l'orgue. La chorale remplit la voûte d'hymnes retentissantes. Heureuse et lasse, j'enfonce le nez dans mon col de fourrure parfumé d'encens.

Au retour, les gestes de J.J. Trestler sont plus lents que d'habitude. Il ne parle plus d'affaires, il a donné congé à ses employés. À l'office, dans la voûte et les entrepôts, les activités sont suspendues. Marie-Anne Curtius s'active, préoccupée par la table, les invités. Noël met la maison à l'envers pour quelques jours. Il y a relâchement de la discipline. Catherine entend des rires et des éclats de voix.

Mais aujourd'hui, elle est en deuil. Ces réjouissances la blessent. Elle regarde son père droit dans les yeux. Son cœur bat vite. Elle attend un aveu.

— Sois sage et obéissante avec ta mère.

— Ma mère ?

— Elle se plaint que tu ne lui obéis pas assez.

S'ouvrir les veines pour toucher sa douleur. Ne pas attendre une seconde de plus, et tuer cette femme. En finir avec l'étrangère qui la rejette, l'a toujours rejetée.

La tête collée aux genoux, elle commence à gémir. Sa vraie mère est l'ombre dont elle n'entendra jamais la voix, le corps dont elle ne verra jamais le visage. Elle est l'absente couverte des initiales *M.N.* aperçues sur le drap déchiré dans lequel se vautre la seconde épouse. Avec son sens pratique et ses bonnes manières, Marie-Anne Curtius use de constance et de ruse pour ensorceler J.J. Trestler. Elle se rend indispensable pour mieux le dominer.

Je connais cet art de régner. S'effacer, laisser à cet orgueilleux les privilèges de l'autorité visible. S'abîmer dans une fausse humilité afin de mieux assurer son triomphe et ménager ses intérêts : ses deux fils, la branche mâle sortie de ses précieuses entrailles. Assise à l'extrémité de la table, elle trône face à J.J. Trestler, digne de sa confiance et de son admiration. De sa tolérance même, lorsqu'elle semble chercher son souffle dans un soupir dont il paraît saisir la nécessité.

Chaque fois que le repas traîne en longueur, Catherine est envahie par un malaise qu'elle doit dissimuler. Elle mange en silence. Son père discute avec Hector de la hausse des peaux de vison et de castor. Il respecte les Anglais dont il redoute la mainmise sur le commerce. Mais il fréquente les Canadiens français, plus proches de la culture française qu'il affectionne.

Cet homme est prudent. Il a pris soin d'associer l'Éternel à ses affaires. En toutes lettres, sur la façade du corps de logis, il a fait graver l'inscription *Ô grand Dieu — J.J. Trestler, 1798.* Deux autres pierres, dont l'une porte les mots *À Dieu la gloire — J.J. Trestler, 1805*, garnissent les ailes est et ouest de l'habitation. Dieu et le marchand de fourrure ne font qu'un. La terre appartient à Dieu dans la mesure où Vaudreuil et ses habitants appartiennent à J.J. Trestler.

« L'esprit de Dieu est partout, son bras vengeur s'abat sur tous ceux qui lui résistent », récite parfois

Adélaïde à voix basse. Un frisson parcourt alors Catherine. Elle voit le bras de son père rafler le bétail des pauvres gens qui n'ont pu rembourser leur dette. Il use avec eux de la rigueur militaire dont il se départit dans la vie sociale lorsqu'il reçoit les épouses des notables, parées et parfumées, devant lesquelles il s'incline. Elle apprendra plus tard qu'il vénère moins la femme que les marques d'opulence dont on la couvre.

À huit ans, Catherine connaît par cœur la route des vieux pays. Avec son doigt, elle suit sur la carte l'embouchure du long fleuve conduisant à la sortie du Nouveau Monde, et elle se lance dans la traversée de l'Atlantique. Elle touche Paris, capitale de la France. Rome, ville sainte. L'Angleterre, d'où vint le malheur — Wolfe, Craig, Durham et tous les autres. Puis l'Allemagne, plus à l'est, et son duché de Bade. Enfin, Mannheim où naquit son père.

Cent fois elle a effectué ce parcours, prenant garde de sombrer dans les Grands Lacs ou de bifurquer vers les glaces du Pôle Nord. Cent fois elle a visité Mannheim, aperçu ses clochers, senti l'odeur des pèlerines d'écolier accrochées dans le vestiaire de l'école fréquentée par son père. Partout, elle a trouvé des objets qui lui ont appartenu, des gens qui l'ont connu. Mais jamais elle n'a pu rejoindre cet homme.

— Ça ne sert à rien de se révolter, dit Madeleine. Tu te fais du mal pour rien.

Assise sur le lit défait, Madeleine continue de parler. Dos tourné, Catherine regarde la fenêtre plongée dans une noirceur d'encre. Aucune rumeur, aucun aboiement, aucun clignotement de lumières ne filtre jusqu'à elle. Le vide absolu remplit cette maison. Dans sa tête naît une détermination farouche. Elle ira à la vie comme l'autre est allée à la mort, consentante, affamée d'éternité.

Des années plus tard, Adélaïde dira : « La mère de Madame aimait beaucoup le bleu. » Elle en parlera comme d'une chose inhabituelle. Et pourtant, en été, les alentours de la maison sont bleus. L'herbe, l'eau, les pierres prennent cette couleur, et même les pensées de Catherine. Comme si, à certains moments, l'intensité de l'absence dégradait le rouge des radiations solaires.

Je n'avais rien écrit depuis trois jours lorsque j'entendis Catherine répéter qu'Adélaïde devait absolument ouvrir les fenêtres de la chambre. Elle disait vouloir se lever et descendre au jardin cueillir un bouquet de jonquilles. Peut-être était-elle devenue folle.

Un hiver à finir, et je la suivais dans l'ourlet de brume bordant le lac. Rapidement, elle se dérobait. Elle prenait les devants, légère, confondue à la silhouette de Marguerite Noël. Aveuglée par le soleil, je m'embourbais dans les marécages, humant l'odeur acide des plantes confites. J'avançais sans trop savoir où je posais les pieds, me demandant à quoi serviraient tous les documents accumulés. Rien ne m'aidait à reconstituer les traits de Catherine, ni à construire cette histoire qui exigeait une constante disponibilité du corps. « Imaginez que vous dessinez les contours de votre corps sur l'herbe, et puis effacez-les ensuite », disait pendant la saison chaude une monitrice de yoga d'un centre naturiste, qui n'entendait pas monter les cris du fond de nos gorges nouées.

Dans ma somnolence, je voyais Adélaïde ranimer la flamme du chandelier qui léchait la cire par petits coups. Un élancement transperçait ma poitrine, et j'ouvrais la bouche. Une bouffée d'air sec incendiait les bronches. Ma respiration tombait. Une sorte de sifflement traversait mes lèvres. Des larmes brûlaient mes joues.

Après ces crises, la sueur glacée, et la peur chaque fois. Adélaïde dépose une bûche sur les chenets et manie le soufflet, mais le feu baisse. Comment dire le cœur arrêté, la pensée qui échappe, la fenêtre fouettée d'un poudroiement sec ? Et ce grondement qui ébranle la terre tandis que la maison s'enfonce dans un enfer blanc.

Un clou casse. Les murs craquent. La tempête nous précipite dans le néant de l'hiver. Une coulée de sang noir remplit les veines. Cette nuit doit finir. Je souffre trop.

« Madame a crié. Elle se sent plus mal ? »

— Ce n'est rien, Adélaïde. Un cauchemar. Retournez vous coucher.

Adélaïde s'inquiète. Elle sait que la mort frappe surtout en hiver. Ce sont toujours les mêmes symptômes. Une toux sèche, un point au cœur, le souffle court, des crachements de sang, et parfois le délire. Ensuite, l'arrêt final. Alitée depuis des jours, j'ai l'impression de toucher un terme. De ressasser une évidence. Quand je parcours ma vie dans les deux sens, la mémoire trouve, à chaque extrémité, un corps sans âge allongé dans un lit. Le reste est illusion, force dévorante couvant sous les cendres.

Mais je dure. On ne meurt pas aussi facilement quand on est une Trestler. « Vos gouttes, Madame », insiste Adélaïde qui redoute mon silence.

Elle attire mon attention sur la potion que je dois prendre aux trois heures, comme si les heures avaient encore de l'importance. Les braises tombent, et j'ai froid. L'hiver est une saison maudite. Une saison dangereuse qui oblige à mesure notre amour et notre lassitude de la vie. Je hais l'hiver, comme je hais tout ce qui fait toucher la fin des choses. Le fond de la mémoire, sans raison ni refuge.

Ce hurlement du vent derrière la fenêtre, je l'entendais déjà à six, quatre, ou peut-être même deux ans. Était-ce Adélaïde qui allait vérifier si les crochets du châssis tenaient bon quand la tempête faisait rage ? Était-ce elle qui soufflait un peu de buée chaude sur la vitre râpée par l'ongle, et glissait ensuite un œil dans le cerne minuscule où se perdaient les directions des champs et des routes ?

— C'est la tempête noire, Madame. On n'y voit plus rien. La route doit être complètement fermée.

Rassure-toi, Adélaïde, ce sera ma dernière plainte. Je palpe le matelas, cherchant les surfaces tiédies par le corps, et mes doigts ne trouvent ni accroc ni déchirure. Aucune issue par où mes forces pourraient fuir. Je palpe une pleine longueur et une pleine largeur de lit donnant la mesure exacte de ma solitude. Vaudreuil dort. Je suis un point minuscule de la douleur du monde. J'apprends à mourir. Quelle chance. On ne me prendra pas à l'improviste.

Dans un rêve récent, je me suis sentie menacée en me retrouvant, tard dans la nuit, plongée dans les eaux glauques qui baignent la maison Trestler au printemps. Et cependant ailleurs, je sais que le sol s'écaille, noir dans ses replis de roches. Lâcher prise serait facile. Mais, en moi, l'enfant persiste. Toujours, je me recommence. Toujours je reviens à l'essentiel, la géographie intérieure, seul lieu sûr lorsqu'on ne veut plus rien savoir des jours qui passent.

Dès le premier instant, Catherine a aimé Éléazar, son corps, la beauté et le plaisir qu'il lui apportait. Mais il est absent. Les gens aimés trouvent souvent d'excellents prétextes pour s'absenter. Ce départ, je savais déjà. Le lendemain, en rentrant chez moi, je trouvai la maison vide. Stefan fuyait. Il découchait. Sans honte, j'avançai vers le lit et me roulai par terre, gémissante, assenant au matelas de violents coups de poing.

Ensuite, pour exorciser le mal, seule dans le bungalow désert où toutes les horloges s'étaient arrêtées, je me suis mise à écrire. De plus en plus vite. De plus en plus désespérément. Dans la lumière bleue de la vitre panoramique qui me séparait à peine du dehors, tout était si présent, si dense, tout imprégnait si totalement le corps, devenu plaie ouverte, que les mots échouaient à rendre un sens qui pût réconforter.

Pendant deux semaines je tournai en rond, incapable de manger, de penser. Le dossier Trestler traînait sur la moquette poussiéreuse. Je n'y touchais plus. Absente, délirant doucement, je regardais la brume envahir le ruisseau figé devant ma fenêtre.

À la fin, la maison était traversée par un cri.

— Monsieur n'est pas rentré ?

— Non, Madame. C'est encore la nuit noire, il faut patienter.

Patienter. Attendre. Il est trop tard pour m'y mettre. Je n'en ai jamais été capable. Adélaïde se dirige vers la commode et en tire une cassette. Le couvercle cède. Je tourne la tête comme elle m'ordonnait de le faire, enfant, lorsqu'elle s'apprêtait à déposer une pastille au miel sur ma langue.

Une pièce de cinq shillings glisse entre mes doigts. La paume frémit au contact du métal. Je serre le poing. Mes yeux s'ouvrent.

— Cinq shillings, dit Éva, après une quinte de toux qui l'a fait pâlir. C'est tout ce que Trestler a laissé à chacune de ses filles. Catherine ne le lui a jamais pardonné.

3

Les mots mentent. Parler ne sert à rien.

Tandis qu'Adélaïde bat les oreillers et secoue les draps, je m'approche du lit à quenouilles dont je gravis les marches. Mon cœur bat. Je palpe les bords du sommier, touche le crin dur couvert du matelas de plumes. Au centre, j'aperçois un creux énorme où je souhaiterais deux cavités séparées par un renflement bien marqué. Mais il n'y en a qu'un, toujours le même, au bord duquel je renifle une odeur âcre qui m'attire et me répugne.

Je ne sais lequel de mes parents a glissé le premier dans cet enfoncement et y a entraîné l'autre. Je ne saurai pas non plus pourquoi des filles sont sorties du premier lit, et des garçons du second. Adélaïde évite mes questions. Silencieuse, elle tape le matelas, en rabat les boursouflures, replace les draps et les couvertures, puis tire la lourde catalogne et l'épais couvre-pieds. Ses gestes sont sûrs. Je m'écarte. Nous pensons la même chose.

Dans la soirée, la femme de père portera une bassinoire fumante à la chambre, et ses jupes dégageront une odeur de roussi. « Éloignez-vous », dira-t-elle comme pour conjurer un désastre. Le lendemain, je retrouverai le trou inquiétant et imaginerai le pire. Père et mère soudés l'un à l'autre. Père et mère coulés dans un sommeil de plomb. Sommeil des justes. Force des tout-puissants.

Adélaïde lisse nonchalamment les fronces des courtines. « De la serge de Caen », insiste-t-elle, comme si cette explication pouvait me satisfaire. Je déteste la serge de Caen. Je déteste ce lit, ses rideaux, son mystère. Je le fuis, courant d'une chambre à l'autre, ne trouvant nulle part ce que je cherche. Partout, les bruits sont plats, inutiles ou dangereux. Pour me rassurer, j'invente des voix et des visages à qui parler.

Le temps passe malgré tout. Et la mémoire. Certaines nuits s'ouvrent à moi comme un ventre dans lequel je m'engouffre. Yeux fermés, je glisse dans le néant, et le mal ne m'atteint plus. Plus tard, une fois devenue femme, il y aura des moments où le corps se souviendra. Il y aura un instant entre la jouissance et le réveil, où je toucherai l'homme endormi à mes côtés pour rétablir la continuité de l'amour.

Le premier novembre, père exige une promesse. Nous irons à l'église, et il nous fera visiter le caveau Trestler si nous promettons de rester calmes, ma sœur et moi. Nous y sommes. Le curé prend les devants, une bougie à la main. Il nous entraîne dans la crypte où nous contournons, dos courbé, une galerie humide et basse. Il s'est arrêté. Il hésite. Il se signe.

« C'est ici », chuchote-t-il, comme s'il craignait d'éveiller les morts. Nous piétinons un carré de terre friable. Le sacré est noir, l'au-delà invisible. Soudain, des mots apparaissent sur une inscription éclairée par la flamme de la bougie. Je déchiffre une première phrase. *Marguerite Noël, épouse de J.J. Trestler, décédée le 25 octobre 1793.*

Requiescat in pace. Et puis une seconde, moins nette. *Marguerite-Marie et Josephte, filles de J.J. Trestler, décédées les 26 février et 5 mars 1794. Requiescant in pace.*

Deux fois *pace*, et c'est tout. Ni voix, ni corps ni visage. Ma mère est une phrase. Mes sœurs, une répétition. Pour apaiser ma faim de tendresse, on m'offre des mots gravés dans la pierre. Je devrai inventer moi-même les bras, le regard et le souffle absents.

Madeleine me regarde, et le temps se fige au bord de nos yeux. Nous sanglotons. Cela fait du bruit. L'épouse de père nous pousse vers la sortie.

— Vous n'auriez pas dû les amener ici.

Cette femme tue Marguerite Noël pour la centième fois. Je retire brusquement ma main de la sienne. J'ai l'âge de la haine. Mille coups durcissent mon poignet.

Dehors, le soleil me blesse. Hurler ferait du bien. Mais ce jeu est mortel, je le réserve pour la nuit.

« Madame se sent plus mal ? »

Je cherche mon souffle. Cette nuit est interminable. Adélaïde s'approche, inquiète. Elle place sa chandelle à la hauteur de mes yeux.

— Vous avez crié si fort.

— Encore ces cauchemars. Ça ne finit pas.

— Il faut dormir, madame.

Adélaïde se penche vers moi, retourne les oreillers. Le tissu frais glisse derrière mon dos, déplaçant la brûlure vers les reins. Elle couvre le lit d'un regard de vieille bête fidèle, puis elle s'éloigne, ménageant son corps usé. Allongée dans la berceuse, elle remue les lèvres, interrompant de temps à autre son oraison pour jeter une bûche dans la cheminée. Le lac s'est calmé. Je n'entends plus les vagues. Cette femme me protège. Elle l'a toujours fait. Je pourrai me souvenir. Cela raccourcira ma nuit.

C'est l'été. Ma sœur et moi pénétrons dans la chambre. Nous tirons une chaise sous la fenêtre et ouvrons les volets. J'allonge un bras dans l'air parfumé de clou de girofle. Des points de lumière tremblent sous mes cils. Je ne vois pas la cour, mais j'imagine, en bas, l'herbe tiédie, les fleurs refermées, les chats endormis.

Madeleine est heureuse. Je partage son silence, son sourire, la complicité des mains étalées sur ses genoux. Il n'y a plus rien à souhaiter. En ce moment, les yeux suffisent. Le monde s'ouvre à nous, immense, magique. Nous pourrions le toucher, nous couler dans sa lenteur, sa beauté, et ne plus vouloir revenir dans cette pièce. Ma sœur comprend la tentation, l'énormité d'un tel désir. Elle dit : « C'est inimaginable. »

Et cependant, j'ai déjà tout imaginé. L'impossible présence, la grande brûlure du corps et de l'esprit. Ici se brise notre connivence. Je vais au plus fort du besoin, dans le vif de la dévoration. Ma sœur reste en deçà. Elle n'emprunte que les chemins doux, sachant feindre l'absence pour sauver sa tranquillité. Nous ne nous ressemblons que dans cette capacité d'ajuster nos rêves à la couleur du jour.

Le soleil se rétrécit déjà. Le fond de la baie tourne au vert, puis au gris. Une minute de plus, et les arbres glissent dans l'eau du lac. Le ciel et la terre ne forment plus qu'une seule tache sous le regard. Le monde se resserre. C'est fini. Nous fermons la fenêtre, lasses, les yeux brûlés.

En revenant au lit, à la chambre sombre, je me sens vaciller. Les chauves-souris sont revenues. Elles volent en rasant les poutres. « Dors, dit ma sœur, elles ne nous veulent aucun mal. » Mais je vois les tournoiements sinistres mêlés au déplacement des ombres. Cette fois encore, je devrai affronter seule ma terreur. Les parents n'y sont pour rien. Ni pour personne. Ils dorment, aveugles, souverains.

Un jour, ils apprennent que les chauves-souris se multiplient, que le grenier en est infesté. « Il faudra les déloger », dit Marie-Anne Curtius qui en a vu une, ce matin, au-dessus de sa tête. Alors père a cette idée. À la nuit tombante, il s'enfonce dans la forêt avec Hector et en rapporte un hibou qu'il dépose, pieds liés, sur la table de la cuisine. Mes frères accourent. Dos rond, panachures rabattues, l'animal se renfrogne, tourne de côté son front couvert d'aigrettes, ses joues cerclées de brun. Après quelques gloussements, un sifflement chuintant suivi d'un hou-hou sinistre, il prend son élan et fonce vers le plafond.

La chasse commence. Père gardera le hibou, et les nuits me deviendront encore plus odieuses. Au petit matin, mes frères comptent les chauves-souris abattues et les portent dans une fosse creusée au jardin. Nous voyons défiler les bêtes sous le regard imperturbable de père qui ne pense pas, un seul instant, à nous en masquer la vue.

Pour échapper à ce climat, j'apprends à me tenir au-delà du mal. Je feins l'indifférence, le détachement. Ils se plaignent : « Elle n'a pas de cœur. » À douze ans, l'évasion est ma planche de salut. J'avance en âge, une épine en travers de la langue. Mais j'ai appris l'art de me ménager des refuges.

Après le déjeuner, je quitte la maison par la porte de service avant qu'ils ne m'astreignent à d'ennuyeuses occupations. Libre, je cours en bordure du chenal, puis je m'enfonce dans les herbes mouillées et pénètre dans le sous-bois où je retrouve un bien-être familier. Un vent léger me caresse le visage. Autour de moi, le silence est trop vaste pour être absorbé d'un seul coup. La tête me tourne. De temps à autre, je m'immobilise, scrutant l'amas de tiges, de feuilles et de mouches qui s'agitent devant mes yeux. Je m'accorde le temps de saisir la rondeur des choses, l'épaisseur de l'instant, puis je reprends ma course et, lorsque j'ai épuisé mes forces, je m'étends à plat ventre, jambes écartées, une oreille collée au sol.

J'entends aussitôt battre le pouls du monde. Un battement égal, continu, qui englobe l'Amérique, continent découvert par hasard le huitième jour de la semaine sur la route de l'encens, des soieries et des épices. Je sais. Je n'ai rien vu de tout cela, mais j'ai beaucoup récité par cœur. Cette terre, la seule que je connaisse, je l'élargis chaque jour au-dedans de moi. Je biffe leurs restrictions. « Une fille bien ne parle pas de danse quand c'est défendu par l'évêque. Ma pauvre enfant, tu ne sais rien faire de tes dix doigts, comment crois-tu trouver mari, fainéante comme tu es ! »

Un mari, je n'en cherche pas encore. En ce moment, autre chose m'accapare. Reins plats, tête renversée, je prends un bain végétal, offerte au soleil qui me ravage la peau. La chaleur ramollit mon ventre et mes cuisses, et j'éprouve des sensations fortes. Des joies puissantes. Une coulée d'instinct remplit les creux du corps. Je me retiens de bouger. J'apprends à désirer par simple contact. J'apprends à aimer dans la suspension du geste.

La maison Trestler est loin. Je peux en reconstituer

les cloisons, les portes et les couloirs sans m'y blesser. Me voilà devenue raisonnable, capable d'admettre que joie et douleur puissent occuper un même point de chair. Mes narines aspirent l'arôme épicé des touffes d'anis que je mordille. Mes doigts pressent les tiges de pousses juteuses d'où s'écoule une eau verte. La vie me rejoint de tous côtés. Plus tard, lorsque je me lève, le regard brouillé, imprégnée de sèves et de parfums d'humus, le bonheur me paraît aisé.

Marie-Anne Curtius me voit venir, décoiffée, les bras chargés de bouquets. Elle fronce les sourcils. Tant de désordre l'indispose.

— Mais où es-tu encore allée courir ? Va vite te peigner avant que ton père arrive.

Je file à la cuisine rejoindre Adélaïde. Il y flotte une bonne odeur de pain, de ragoût, de soupe bouillante. Madeleine est là. Je détourne la tête. Son regard triste me reproche d'être disparue sans elle. Complice oublieuse, fille égoïste, je suis tout cela. Mais console-toi, ma sœur, demain nous nous raconterons nos rêves. Ton promis sera blond et tendre, il aura des mains fines et des gestes lents. Le mien sera brun, plutôt vif, et cela m'est égal qu'il porte ou non la moustache et se taille ou non les favoris.

Au fil des jours, nous corrigeons les traits, rajoutant un détail, précisant un souhait. Nous avançons parfois des noms, mais nous nous rendons rarement jusqu'au mariage, préférant nous attarder aux présentations, aux rencontres, ces galanteries qui nourrissent nos entretiens sans en presser le dénouement.

Mais le temps s'accélère. Nos corps mûrissent. Chaque mois, un sang abondant et épais coule entre mes cuisses. Celui de ma sœur est rare, transparent. Nous comparons. Elle s'efface, se désintéressant de sa poitrine, hésitant au bord de l'adolescence. Mère l'a prévenue. « Toutes les femmes doivent passer par là. » Ce *là* lui paraît redoutable. Elle en imagine les atrocités lorsqu'elle entend les femmes échanger des confidences sur leurs couches, leurs relevailles, leurs activités nocturnes.

Sur la page, le flou de la mémoire. Au-delà, un paysage où le regard invente mille issues possibles. La vieille maison grise de la route de Gaspé se confond souvent avec la maison Trestler. À la fin, je ne sais plus qui parle, qui a parlé. Je ne sais plus qui raconte ses rêves et ses peurs. Qui succombe à l'attrait du plaisir et à l'horreur du sang. Qui, de Catherine ou moi, tire la fiction du réel, ou soude le réel à l'imaginaire.

Des mois passent. L'étage des chambres se rétrécit. Un jour, il y a la voix du père, et cet étonnement, proche de la stupéfaction, sur le visage de l'aînée.

« Les tissus d'Irlande sont arrivés. Hector, vous aviserez les autorités du port qu'il nous faut un dédouanement rapide.

— Bien, monsieur. »

Marie-Anne Curtius soupire. Une corvée l'attend. J.J. Trestler a décidé d'habiller ses filles en prévision du thé qu'ils prendront, à l'occasion du dix-septième anniversaire de Madeleine, chez le seigneur de Lotbinière et sa dame. N'ayant encore reçu aucune demande en mariage acceptable des bourgeois attendus, il croit pouvoir bénéficier de l'influence de son débiteur pour caser son aînée. L'essentiel de l'affaire est réglé. Il a fixé le montant de la dot qu'il ajustera, le moment venu, aux titres et aux mérites du prétendant.

Le trousseau est déjà terminé : une garde-robe complète, du linge de corps et de maison initialé, brodé, ajouré. Il ne reste plus qu'à délurer cette adolescente timide, suffisamment jolie, dit-on, mais inconsciente de ses charmes et de l'effet qu'ils peuvent produire sur le cœur d'un homme. Marie-Anne Curtius, qui m'a toujours prêché la modestie et la retenue, s'y prend différemment avec Madeleine, l'incitant à parler haut, à lever la tête et à regarder les gens en face. Il lui reste une semaine pour accomplir le miracle souhaité : rendre cette fille présentable, développer chez elle l'aisance du langage et du maintien qui donnerait à ses maladresses l'apparence de la vertu.

Grand-mère Curtius, qui habite la maison depuis son veuvage, l'assiste dans cette besogne.

— Répète. Je suis heureuse, monsieur, de faire votre connaissance. Mon père m'a souvent parlé de vous.

Madeleine bafouille. On l'entend mal.

— Répète encore.

— Je suis heureuse, monsieur…

— Plus fort, et ouvre un peu plus la bouche.

Mère s'occupe du maintien, le point fort de sa personne.

— Avance. Non, tu n'as pas la manière. Sors les reins et rentre le ventre.

Madeleine fait demi-tour, le buste étroit, les reins plats. Je l'aime ainsi, mais ces femmes sont persuadées qu'aucun garçon ne voudra d'elle.

— Le port de tête, voyons, surveille le port de tête. Et bombe la poitrine, sinon on te prendra pour une communiante.

Elle me regarde, chavirée. Quand nous rêvions de prétendants, nous ne prévoyions pas ces répétitions ridicules, ni cette abominable mise en marché. Nous souhaitions être aimées pour nous-mêmes, hors la richesse et les fausses manières. Nous espérions que cela se déroulerait sans affectation ni artifice. Mais voilà qu'ils ont décidé de transformer Madeleine en femme du monde. Une femme élégante, raffinée, capable d'allumer le désir des hommes et de les inciter à engager leur fortune et leur destin sur d'enviables attraits.

De moi, on attend peu. J'emploierai ma discrétion à faire ressortir la beauté de ma sœur, affichant ainsi ma position de cadette par rapport à la fille à marier. Cheveux noués sur la tête comme on les porte, paraît-il, au bal du gouverneur, nous paradons devant la couturière qui achève d'ajuster nos corsages. On a choisi pour Madeleine une robe en soie verte, assortie d'une cape de même ton qui ravivera l'éclat de ses yeux et de ses cheveux. Pour moi, un ocre terne, soleil imbibé d'eau dans lequel je me noie, couverte d'un manteau de serge marron. On réveille le teint pâle de ma sœur. On accentue le brunissement de ma peau, la noirceur de ma tignasse.

— Tournez. C'est ça. Plus lentement.

Je pivote. Madeleine se retourne. Nos regards se croisent. Nous sommes raides, désaccordées. Mère triomphe. Elle croit son œuvre achevée, mais grand-mère lui souffle à l'oreille : « C'est sa mère toute crachée. Avec une poitrine aussi plate, une croupe aussi mince, personne ne la croira capable de faire des enfants. Et l'autre, solide et carrée comme son père, elle paraît presque trop forte.

Cette couleur jure ! » Marie-Anne Curtius hausse les épaules. Elle pousse ses deux filles au mariage. Elle se lave les mains du reste.

Plus l'échéance approche, et plus ma sœur se sent impuissante à combler leurs vœux. Elle craint de contrarier grand-mère, d'irriter Marie-Anne Curtius, de décevoir père. Sa pâleur s'accentue. Elle est convaincue qu'elle échouera à se faire remarquer. Je la persuade du contraire, soulignant l'ovale de son visage, la perfection de ses yeux, de ses mains, de ses gestes. Elle sous-estime ses charmes. On lui a toujours donné mère comme modèle de féminité, sa carrure de femme forte, son avidité besogneuse.

La veille, elle est fiévreuse. Elle a les traits plombés. Elle se lamente, osant confesser qu'elle refusera d'aller à ce thé. Je fais miroiter sa robe. Je passe à son cou la chaîne en or achetée par père chez un grand bijoutier de Montréal. Je lui dis qu'elle étincelle, que tous les hommes présents chez le seigneur de Lotbinière s'agenouilleront à ses pieds pour lui proposer le mariage. Elle répond : « Tu es bête, ça se passera autrement. »

Dans le salon du seigneur de Vaudreuil, les lustres tuent le soleil de cinq heures. Assise près de la fenêtre, je regarde le jardin. Un massif de rosiers longe la propriété. Plus près, une plate-bande de chrysanthèmes et de zinnias s'égrène sur la pelouse fanée. Nous sommes à la fin d'octobre. Le jardinier repique des plants de géraniums dans des pots de grès qu'il transporte sous la véranda pour les protéger du gel. Les mots fondent dans la bouche au lieu d'être prononcés. Je suis rivée à mon fauteuil, niaise, rigide. Il reste encore trop de lumière dans cette pièce que la tombée du jour obscurcit pourtant.

Ne pouvant m'évader plus longtemps à l'extérieur sans blesser les convenances, je rabats les yeux sur la table et le piano. Marie-Anne Curtius, qui déteste mes bouquets, complimente Mme de Lotbinière pour ses arrangements floraux. Ici, les fleurs n'ont plus d'odeur. Plus de vitalité. Elles servent à meubler la conversation.

L'hôtesse, élégante, parfaite, porte une robe de soie marron au col montant et aux manches bouffantes. J'examine ses traits fins, son front haut, ses lèvres bien tracées. S'agit-il d'une beauté naturelle, ou d'apprêts tenant aux crèmes et aux fards achetés à grand prix chez un parfumeur de la capitale ? Mme de Lotbinière va deux ou trois fois l'an à Québec où elle se vante de fréquenter une élite plus raffinée qu'à Montréal. Cette femme, qui a la réputation d'être hautaine et de préférer les gens des professions libérales aux commerçants, s'acquitte admirablement de ses devoirs d'hôtesse. Elle cause affaires avec père qui l'entretient de la hausse récente du prix des fourrures. Il se souvient sans doute qu'elle arborait l'an dernier un manteau de loutre dont les peaux avaient été achetées chez lui.

Le seigneur de Lotbinière paraît plus effacé. Il parle lentement, comme si chaque phrase lui demandait un effort.

— Vous êtes au courant de la déclaration des Tories parue dans le *Montreal Gazette* ? demande-t-il enfin.

Père se raidit. Son opinion est faite depuis longtemps.

— Les Tories perdent leur temps à acheter les seigneurs qui voudraient se faire élire de leur côté. C'est toujours le parti canadien qui mène.

— Vous savez que le juge de Bonne a tenté de me faire approcher par ses partisans en vue des prochaines élections ?

— Vous, siéger comme Tory ?

— Je puis vous assurer qu'ils ont été mal reçus. Ils veulent se gagner les seigneurs pour mieux dominer le Bas-Canada, mais ils ont déjà le gouverneur, les fonctionnaires, les marchands anglais. Cela suffit.

— Les seigneurs perdent la tête, dit père comme s'il ne s'adressait pas à l'un d'eux.

— Ils l'ont depuis longtemps perdue, rétorque M. de Lotbinière en inclinant la sienne. Chacun sait qu'à l'Assemblée, ce sont maintenant nos avocats, nos médecins, nos marchands et même des gens du commun qui siègent et font du bruit.

Père ne relève pas l'allusion. Certains jours, il prédit la chute des seigneurs dont il envie le prestige. Il croit que l'avenir du peuple canadien repose sur l'armée, qu'il estime insuffisante, et sur les marchands dont il déplore l'esprit de boutiquier et le peu de représentants à la Chambre. Il craint, pour sa part, que le prochain gouvernement ne favorise des orateurs qui se targuent de connaître le grec et le latin sans rien comprendre aux affaires. À les entendre, je crois comprendre que l'argent occupe au parlement la place du sexe dans les ménages. Plus il s'y ménage un rôle, et plus il doit rester caché.

— Monsieur de Lotbinière, vous pensez vraiment qu'il y a de l'avenir, en politique, pour ceux de notre génération ?

Accaparée par la conversation, fascinée par Mme de Lotbinière et le luxe de sa toilette, de sa maison, de ses meubles, j'ai à peine remarqué les trois jeunes gens qui tentent de s'introduire dans le débat. Père réprime un mouvement d'impatience. Des gens de professions libérales, il en souhaite pour fils ou pour gendre, mais il ne cédera pas sa place à ces jeunes blancs-becs qui savent à peine différencier une peau de lapin d'une peau de castor. L'ancien colporteur se souvient d'avoir arpenté les rues de Vaudreuil en portant des ballots de tissus, de fil, de lacets et de passementerie sous le bras. Il reproche à cette génération d'accepter l'aisance comme allant de soi. Mépriser l'élite intellectuelle dont il paie les services le console de ne pas en être.

Lorsque M. de Valois, M. de Galt et M. de Chiasson nous ont été présentés, ils se sont inclinés longuement devant ma sœur, placée à droite de l'hôtesse, qui était en droit d'attendre leurs honneurs. Or, elle n'a jamais paru aussi morne et effacée. Elle se tient le dos détaché du fauteuil, comme on le lui a enseigné, ses mains mollement étalées sur les accoudoirs, mais je la sais dévorée par une somnolence inquiète. Elle répond à peine aux questions posées, paraissant trouver la présence de ces jeunes gens insupportable. Je déteste pour ma part leurs cheveux laqués, leurs doigts fins, leurs gestes étriqués. De toute leur vie, ils n'ont probablement jamais palpé l'écorce d'un bouleau, la peau d'un animal, le grain d'un bois. Se tenant constamment à la surface d'eux-mêmes, ils saisissent dans les propos du seigneur et de sa dame de quoi nourrir leur ambition. Le reste les indiffère.

M. de Valois respire la banalité. Il surveille constamment son maintien, dégage le pli de son pantalon chaque fois qu'il croise la jambe. M. de Galt, le plus intéressant des trois et sans doute le moins fat, a la voix grave et assurée des hommes de la trentaine. Ce célibat prolongé trahit, il me semble, un besoin d'indépendance et de tranquillité peu compatible avec le mariage. Je ne voudrais pas d'un homme qui m'impose silence dans ma maison et m'oblige, en raison d'une trop grande différence d'âge, à lui obéir comme une enfant. M. de Chiasson, enfin, paraît avoir gardé souvenir de sa formation d'officier. La sévérité de sa tenue et la brusquerie de ses manières révèlent un tempérament peu enclin aux délicatesses et aux frivolités. S'autorisant d'intentions à demi avouées, il va au plus pressé.

— Ainsi donc, vous voilà en âge d'être mariée, dit-il en dévisageant Madeleine.

Elle rougit, ne s'attendant pas à être apostrophée de la sorte. Elle porte une main pudique à l'échancrure de son corsage. L'éventualité d'un mariage, dont le choix et les modalités pourraient être fixés ici même, dans ce salon, avec un parfait étranger, la terrifie. Elle se fige. Père intervient. Il est le premier intéressé.

— Elle a dix-sept ans aujourd'hui, monsieur. À cet âge, les filles moins sérieuses ne rougissent plus quand on leur parle mariage ou enfants.

Père brûle les étapes. Il conduit l'affaire à la façon d'un négociant qui veut retenir son client. « Je vois », dit M. de Chiasson qui déshabille ma sœur d'un œil sévère. Père se ravise. Après tout, il se peut que cet officier de carrière soit plus sensible aux plaisirs du lit qu'au désir de paternité.

— Il faut se méfier des eaux dormantes, dit-il. Depuis que nos filles savent lire, elles n'ouvrent pas que le missel.

Cette visite m'apprend beaucoup. Père, dur en affaires, froid et réservé avec la famille, devient léger en visite. L'hôtesse, occupée à servir le thé sur le lourd plateau d'argent couvrant la table demi-lune longeant son fauteuil, a levé la tête.

— Vraiment. Et quels livres lisez-vous ?

Ma sœur baisse les yeux. Marie-Anne Curtius aurait mieux fait de renoncer à ce chignon qui laisse à découvert le visage de sa belle-fille. Cette coiffure dévoile une pudeur et une timidité qui pourraient être un atout si des épaules fermes et une gorge charnue garantissaient la robustesse de la constitution et la solidité du tempérament augurant de la stabilité conjugale. Engoncée dans sa robe de serge grise, mère paraît se demander où elle a trouvé la patience d'élever une enfant aussi peu réjouissante.

— Madame, comprenez…

Madeleine avouera-t-elle que la lecture est interdite à la maison Trestler, que les seuls livres permis sont les manuels de grammaire, d'histoire, et les livres de prières ? Père me jette un regard embarrassé, craignant de me voir dénoncer sa rigueur, car sa position est, sur ce point, conforme à celle de l'évêque. Pourquoi faut-il que des principes d'éducation, auxquels il n'entend pas déroger, se trouvent subitement remis en question par une femme influente ?

— Et vous ? La lecture vous plaît aussi ?

— L'histoire de ce pays m'intéresse. J'aime en connaître les faits et les péripéties.

Père respire d'aise. Moins docile que Madeleine, mais plus habile et déterminée, il se pourrait que je lui apporte finalement plus de consolation et sache mettre à contribution l'indépendance d'esprit qu'il me reproche. Les trois jeunes gens me dévisagent, étonnés qu'une fille de négociant, inapte de par son sexe à s'adonner au commerce ou à la vie militaire, puisse s'intéresser à l'histoire. Ils réduisent probablement celle-ci à ses batailles et à ses traités de paix. Et ils n'accordent sans doute d'intérêt à la femme instruite que dans la mesure où elle sert leurs ambitions.

M. de Galt se plaint que son siège est menacé au parlement à cause des récriminations de la milice locale, insatisfaite du peu de crédit qu'on lui accorde, qui exige des autorités un meilleur traitement, tout au moins une reconnaissance plus nette.

Père en profite pour rappeler des souvenirs de sa vie de garnison. Il a toujours le verbe rude et l'argument massif, mais il se montre jovial et plein d'esprit. Si j'avais ce père tous les jours, cela me serait facile de l'aimer. Après notre départ, l'épouse du seigneur de Vaudreuil dira : « Il est moins lourd qu'il ne le paraît. » De mère, à qui elle n'a pas adressé la parole depuis notre arrivée, il ne sera pas fait mention. Celle-ci ne s'en formalise nullement. Ici comme ailleurs, elle soutient son homme d'une présence discrète dont elle connaît le ressort : ce désir de triompher dans sa chair, ce besoin d'éloigner au plus tôt ces deux filles par un mariage, et de partager seule, avec ses fils, le cœur et la fortune de J.J. Trestler.

— Nous souhaiterions voir madame au piano, dit soudain M. de Valois qui cherche à s'attirer les bonnes grâces de l'hôtesse.

— Mais demandez plutôt à ces jeunes filles. À leur âge, elles ont certainement plus de temps que moi à consacrer à la musique.

Madeleine et moi ébauchons un vague signe de tête qui peut tenir lieu de remerciement poli. Père doit convenir que notre éducation nous a bien mal préparées à briller en société. L'épouse du seigneur de Vaudreuil me fixe avec insistance. Madame, à la maison Trestler les touches du piano, comme l'or des coffres et l'argent, restent sous clef. Nos réserves sont intactes. Nos vertus et nos talents sont cachés. Depuis toujours, nos désirs et nos besoins nous sont dictés par les clans Curtius et Trestler. Ne nous demandez donc pas d'exprimer un élan du cœur ou une disposition d'esprit qui échappe à l'usage domestique. Les seuls chants que je connaisse, à part ceux de l'office dominical, sont les lieds que grand-mère chante à Pâques en martelant vigoureusement le clavier du piano-forte extorqué d'un débiteur en faillite.

Et cependant père dit aimer la musique. Et cependant, à Noël, il répète de vieux refrains allemands. Madame, la seule musique que je connais est le sifflement du vent dans les arbres, le chant des oiseaux, le grésillement des insectes, le pianotement de la pluie sur le toit. Je ne vous parlerai pas des cris du hibou ni du vol des chauves-souris.

— Vraiment ? insiste-t-elle.

— Vraiment.

M. de Valois tire le tabouret et ouvre une partition comme s'il était un habitué de ce salon. Mme de Lotbinière s'assoit, ferme un instant les yeux, et place ses doigts sur le clavier. Après quelques secondes de silence, une musique s'élève, liquide, des touches moirées dont les variations d'intensité m'envoûtent. La mélodie se répand en coulées soyeuses qui réveillent en moi des souvenirs de bonheur. Je pense à la fontaine du rocher bleu, au boisé bordant le chenal, à son odeur de sève, à ses bruissements discrets. Je pense à mes vagabondages le long du lac, ces courses folles qui s'espacent depuis l'automne.

La musique se déplace, passant du sombre au lumineux. Je ne saurais dire jusqu'où je rêve la vie. Jusqu'où je rêve ces accords, ces emportements, cette folie dévoilée. Il me manque vingt ans pour connaître les élans de cette femme qui ne consulte pas les pages de la partition que l'on tourne. Paupières baissées, elle regarde au-dedans d'elle, rendant avec tout son corps le mouvement de la musique. Il n'y a plus d'été finissant, plus de bourgeois en visite, plus de filles à marier et de prétendants à séduire. Il y a une mélodie qui tire ses sons de mes veines.

Les mains frappent les touches, et le monde s'ouvre dans un beau désordre, morts et vivants confondus. Des neiges déferlent sur l'ivoire des paumes, ruissellement magique qui ravive la résonance des cordes sur les tempes. L'émoi grandit. Des milliers de vies passent dans le corps de l'interprète dont le torse et les reins devancent les accords. Par elle, des milliers de femmes racontent leurs naissances, leurs deuils, leurs courses sous le soleil, leurs montées de lait et de sang. Les soirs tristes aussi, dans le noir des chambres, à côté d'hommes repus qui ont déjà été de bons partis.

Cette femme improvise-t-elle ou répète-t-elle ces accents de mémoire en pensant aux êtres et aux choses qui l'ont connue, émue, habitée ? Est-elle fidèle au seigneur de Lotbinière, ou le trompe-t-elle avec un homme de ses relations, ou même avec l'un de ces jeunes ambitieux qui fréquentent sa maison ? Une telle passion déborde les limites de ce salon. Je me demande comment un être aussi ardent peut se satisfaire d'un train de vie où l'artifice semble régner.

Son jeu se tempère. Elle modère maintenant le rythme, enfonçant profondément les touches. Je la suis dans l'univers secret où elle avance, le corps fiévreux, le visage transfiguré. Le seigneur de Lotbinière la regarde distraitement comme si elle accomplissait une formalité sans importance. Peut-être le trompe-t-elle seulement avec l'instrument avec lequel elle s'accouple, se contentant de marteler l'ivoire sec, frémissant, de la bête à musique.

Elle se redresse. M. de Valois ferme la partition inutilisée tandis que les deux autres invités se lèvent et s'inclinent. Père s'approche et lui baise la main. Elle sourit, puis retourne à son fauteuil, parfaitement calme, parfaitement détachée de l'émotion qui la bouleversait, ou paraissait la bouleverser, quelques secondes plus tôt. Je dois faire la part du luxe, oublier le faste des porcelaines, la taille du piano à queue, l'apparat des tableaux, des étains, des velours. Je dois faire la part des choses, apprendre à distinguer le naturel du simulacre.

Je lis l'effarement sur le visage de ma sœur. Elle s'efforce de faire bonne figure, mais je la sens ramassée sous ses paupières, piégée par l'illusion maintenue. Il eût mieux valu lui permettre d'avoir ses dix-sept ans en paix, seule, derrière nos murs. Ces jeunes gens sont ennuyeux, et aucun d'eux n'a l'intention de la prendre pour épouse. Ils connaissent trop les usages pour se satisfaire d'une fille qui rougit pour un rien.

— Vous devriez leur faire donner des leçons de piano, insiste Mme de Lotbinière. Je pourrais vous recommander un maître de musique qui fait des merveilles.

— Je vous en suis d'avance reconnaissant, répond père, qui n'en fera probablement rien.

L'épouse du seigneur de Vaudreuil se verse une dernière tasse de thé. L'événement est consommé. Nous prenons congé. Pour moi, l'imprévisible a eu lieu. Pour ma sœur, la rencontre espérée ne s'est pas produite. Les jeunes gens s'effacent derrière leurs hôtes. Je regarde le jardin une dernière fois. Il est noir, dévoré par la forêt. La nuit tombe plus tôt ici qu'à la maison Trestler.

Sur le seuil, Mme de Lotbinière me retient.

— Quel âge avez-vous ?

— Bientôt seize ans, madame.

Elle pose sur moi un regard étrange, n'ajoutant rien. Une fois dans la berline, père note que cette marque d'attention aurait dû aller à Madeleine. Marie-Anne Curtius lui rappelle que l'anniversaire de sa fille aînée, connu de tous, avait été le prétexte de ce déplacement. « Cette femme est trop frivole », tranche-t-il. Mère se tait, heureuse de revenir à sa maison, à ses meubles, à son univers simple et solide.

Père se renfrogne dans un silence bourru, évitant de nous regarder, ma sœur et moi. Au cours de cette réception, il nous a gratifiées de plus de civilités et de mots aimables que pendant une année entière à la maison Trestler. La voiture contourne la baie et remonte le chemin Trestler. La vie normale reprend son cours. Adélaïde ouvre la porte avec précipitation et nous accueille en faisant grand tapage. Derrière elle se trouve grand-mère.

— Et alors ?

— Elles se sont bien tenues, répond simplement sa fille.

Les jours suivants, la maison me paraît triste. Mais père fait des efforts. Aux repas, il nous adresse quelques observations, une façon d'encourager les progrès que nous sommes censées faire dans le raffermissement du maintien et l'aisance des manières. Sans aller jusqu'à souhaiter nous voir copier Mme de Lotbinière, il mise sur plus d'assurance, peut-être même sur quelque apparence d'insouciance et de frivolité, si cela devait favoriser son dessein.

Sans doute se persuade-t-il que cette nouvelle génération d'hommes ne se contente pas de la règle *Kinder*, *Kirche*, *Küche* qui résumait, dans le clan Curtius, les attributs de l'épouse idéale. Il doit également se dire que ces Canadiens français, de mœurs libres en dépit de leurs dévotions qui n'ont d'égal, croit-il, que leurs beuveries et leurs sauteries, manifestent dans les questions amoureuses des exigences bien particulières. Pour une fille légère, il leur arrive de compromettre leur fortune ou de risquer leur situation. C'est du moins ce qu'il laisse parfois entendre, à mots couverts, dans des conversations ambiguës.

Pendant quelque temps, nos frères sont relégués au second plan. Marie-Anne Curtius relâche son emprise. Grand-mère se montre plus tolérante. Cette accalmie est bonne. Nous vivons plus librement, ayant même le devoir de nous découvrir des talents. Le maître de musique vient deux fois la semaine nous donner des leçons de piano. Il dit que Madeleine a des aptitudes et connaît l'art des nuances, mais il se plaint de mon manque de patience. Je voudrais tout de suite la musique entière, parfaite, comme celle que j'ai entendue dans le salon des Lotbinière. Les gammes et les exercices m'exaspèrent. Je leur préfère les excursions en forêt, même si je dois maintenant les espacer pour laisser croire que je me range et consens à devenir une jeune fille convenable. Une fille mariable, aussitôt l'avenir de sa sœur assuré.

Même si Madeleine et moi ne devions jamais maîtriser ces sérénades auxquelles mère préfère les lugubres *De profundis* et *Kyrie eleison* des offices religieux, nous profitons de ces leçons. Après le déjeuner, nous quittons la salle à manger et pénétrons dans la grand-salle dont nous ouvrons les volets afin d'en chasser les odeurs rances. Silencieuses, nous contemplons le lac qui borde la pièce sur deux côtés. Certains jours, il est couvert de brouillard. Je quitte alors la fenêtre pour le piano, laissant mes doigts toucher les notes au hasard, me contentant d'improviser un bruit de fond couvert par les exercices réguliers de ma sœur. Dans ces moments, je me plais à imaginer que je suis courtisée, qu'un homme me fait des déclarations et va jusqu'à demander ma main. Yeux fermés, je m'abandonne à la mélodie comme le faisait Mme de Lotbinière le jour de sa réception. Mais les cinq notes que je connais supportent une bien courte passion. Rien en moi ne s'apparente au charme éclatant, raffiné, de cette femme.

En décembre, Madeleine peut jouer des airs de Noël en partition abrégée. Elle a perdu un peu de sa retenue et de sa timidité. J'ai reçu mon premier bijou, une chaîne en or offerte par père. Puisqu'il a deux filles à marier, autant les revêtir toutes deux des marques d'opulence susceptibles d'attirer des prétendants bien nantis.

Trois mois passent. À la mi-carême, ni M. de Valois, ni M. de Galt, ni M. de Chiasson ne se sont manifestés, et aucun d'eux n'a exprimé le désir d'être reçu sous notre toit. Père reconnaît avoir eu tort de miser sur M. et Mme de Lotbinière. « En affaires, on ne peut se fier aux gens du monde », a-t-il l'habitude de répéter à Hector qui partage cet avis.

Un matin, nous trouvons le piano-forte sous clef. Le maître de musique a été congédié. Père trouvera lui-même ses gendres. Mme de Lotbinière m'honore encore pendant quelques semaines d'un sourire complice. Mais bientôt, à la façon dont elle nous salue sous le portique de l'église en englobant d'un seul regard le clan Trestler, je comprends que je n'existe plus pour elle.

Des volets claquent dans la chambre du rez-de-chaussée. Une odeur de café monte de la cuisine. Mon regard glisse sur le mur afin de rompre avec des images que la lumière matinale blanchit. Il neige encore. Le vent siffle toujours à la fenêtre, mais il a dû tourner au sud. Je n'entends plus les grincements du crochet de fer dans l'attache du châssis. Le silence de cette chambre humide a goût de solitude. Je pèle une orange afin de m'attarder dans la tiédeur des draps.

Un rêve, traversé par des voix, des cris, l'adagio d'une musique douce et le bruit d'une machine à écrire, m'a éveillée. Par terre, j'aperçois mon bloc-notes rempli aux trois quarts d'une écriture enchevêtrée, quasi illisible. Ces derniers temps, j'ai trop lu d'histoires qui roulent comme sur des rails. Mais comment raconter une romance sans romancer ? Catherine Trestler a vécu, aimé, et je dois me porter garante de cet amour et de cette vie que je connais encore bien peu.

Je relis les questions à poser à Éva. Hier, elle m'a dit : « C'est comme ça que je travaille. Je me couche toujours avec un crayon à portée de la main pour noter les choses importantes à faire le lendemain. » Malgré tout, je crains de ne pouvoir reprendre le fil de l'histoire où je l'ai laissé. Les rêves font leur besogne. Ils dévoilent des faits, des visages, des passions pour lesquelles il faut trouver un début et une fin. Dans ces agencements imprévisibles, c'est souvent la fin ou le commencement qui manque.

Tailler un crayon aiderait peut-être à secouer la léthargie du réveil. Faire un geste briserait l'opacité comateuse qui, au-dedans comme au-dehors, décompose les formes et les ramène au néant. Je cherche un souvenir dans une chambre qui me plaque du passé plein les bras. Et cependant, ma méfiance à l'égard de la mémoire me retient de trancher. Je sais jusqu'où une sensation ténue peut altérer la réminiscence. Il est difficile de parcourir le temps dans les deux sens sans se laisser abuser par la nécessité d'en finir avec le hasard.

Puisqu'il faut bouger, j'enfile mes pantoufles de polyamide, gracieuseté de la compagnie Alitalia, Rome, Ancône, Florence, Sienne en février. Là-bas, j'ai tout su de Raphaël, de Catherine de Sienne, de Michel-Ange offert aux journalistes avec caméra en bandoulière. — « *All of you do speak English ?* » — Mais ici, derrière les rideaux tirés sur une lumière rare, il y a ce paysage nu, cette blancheur de limbes qui empêche la venue des signes et le repérage des lieux. Le lac s'est effacé. Aucune rumeur ne monte de Dorion. Je ne vois rien du domaine Trestler masqué par l'avancée de la fenêtre mesurant plus d'un demi-mètre d'épaisseur. Je touche du bois sans éprouver d'autre certitude que la conscience d'une effarante myopie pour tout ce qui me touche de près.

Ainsi, dans cette chambre, le plancher, qui m'avait d'abord paru marron, est parfaitement vert. Le gros secrétaire de postier sur lequel Benjamin a déjà travaillé remplit la même fonction que ce fauteuil Empire couvert de vêtements, ces lits jumeaux dont un seul est ouvert, cette table et sa douzaine d'épingles oubliées au fond du tiroir.

Tous ces meubles et ces objets posent la même question. Pourquoi joue-t-on à rêver le réel, à le reconstituer, à le justifier ?

Pourquoi ai-je moi-même souhaité percer le mystère de Catherine Trestler, celui de son père, d'Éva, de Benjamin, de Monsieur B ? Le mystère n'existe que d'être imaginé. Un roman de trois cents pages m'apprendra peut-être que nous sommes les visages d'une seule et même personne. Un être sans âge qui endosse, dans sa traversée de l'espace et du temps, un ensemble de vies et de morts cumulant la plénitude d'existence qu'une seule vie et une seule mort ne sauraient satisfaire.

L'ombre de Catherine qui rôde dans cette pièce est plus que l'ombre de Catherine. Et cette cheminée de pierre renvoie à d'autres feux, d'autres pierres, d'autres refuges, d'autres maisons. Cette nuit, j'entendais tousser Éva à travers mon sommeil, et j'avais la certitude que Benjamin n'était pas rentré, que Catherine avait déjà souffert d'une maladie respiratoire dans des circonstances analogues, et que ma santé s'en trouvait affectée. Je tâte ma gorge. Des ganglions roulent sous mes doigts. À mon retour, Stefan dira que je commence la dixième grippe de la saison.

« Vous avez bien dormi ? »

Éva est habillée, coiffée. Elle a déjà déjeuné, mais elle verse le café dans deux bols et apporte le pain chaud, les œufs, le miel. Son teint est brouillé. Des cernes creusent ses yeux.

Le téléphone sonne sans arrêt au bureau, à la cuisine, dans le hall. On veut fixer la date d'une exposition, d'un concert, d'une séance de travail. On souhaite obtenir des renseignements sur la maison, la visiter, confirmer un rendez-vous, ou l'on a simplement composé le numéro par erreur. Éva se lève, répond : « Ici la maison Trestler. » Ou bien elle reste assise, continuant de causer comme si la sonnerie s'était arrêtée.

— Vous ne sauriez croire combien de pas je fais dans une journée, seulement pour le téléphone.

Les rides naissantes d'Éva, sa réserve et sa discrétion — ni fard, ni bagues, ni breloques —, m'en apprennent autant sur Catherine Trestler et la vie de cette maison que les papiers notariés du père.

Son corps tranquille, ravagé par la bronchite et les insomnies, dénonce l'imposture du spectaculaire. Elle sait que la banalité est le premier refuge de l'essentiel, et c'est le partage de cette évidence qui me la rend proche. Le bureau de poste, le courrier, la cuisine, la table, le lit. Je connais cette géographie intime des femmes. Cet envers de l'histoire officielle où s'affichent des dates, des guerres, des trafics de territoire, la prétention de régir le monde, l'incapacité d'en prévoir le déclin ou la chute.

Dans un autre ordre d'idées, Monsieur B a la réputation d'être un fin gourmet. Il lui arrive de faire lui-même la cuisine. À Dorion, il pourra s'en donner à cœur joie, s'il trouve le temps de s'adonner à son passe-temps. L'immense cuisine a su garder son cachet rustique tout en abritant les appareils électroniques les plus modernes.

À l'ère des communications, la presse a tous les pouvoirs. Même celui d'obliger les chefs d'État à se coudre un bouton ou à se cuire un œuf lors d'un séjour à l'étranger.

— Ferme ou coulant ?

— Coulant.

Éva éclate de rire. Elle fut pourtant vexée d'apprendre que le dîner d'accueil offert au dignitaire étranger dans sa maison, un dîner intime, avait-on déclaré, serait préparé dans les cuisines du Ritz et servi par les élèves de l'École nationale d'hôtellerie. Avec Benjamin, elle dormit chez des amis et réintégra son domicile le lendemain, à neuf heures, pour servir le café au lait à monsieur, le thé mi-feuilles mi-sachet à madame, *bacon and eggs*, croissants, *muffins*, gâteaux et confitures du pays. Un petit déjeuner moitié français, moitié anglais. L'art du compromis poussé jusque dans l'assiette. Un progrès par rapport au clan Goncourt qui avait, quelques années plus tôt, imposé à Montréal le protocole d'outre-mer et le chef cuisinier de chez Drouant.

Éva se rappelait avoir vu madame, parée, maquillée, prédire devant la toile d'un peintre sexagénaire de réputation internationale : « Il a de l'avenir, ce jeune homme. » Elle l'avait vue traverser le salon et demander que le repas lui soit servi sur la terrasse, comme dans les stations de ski. Elle avait noté son extrême gentillesse : voix menue, pas mesurés, le charme étudié des grandes bourgeoises affamées d'étiquette. Une discrétion concertée mise au service du politicien bedonnant qui, lui, mangeait à l'intérieur sans arrogance ni affectation.

L'œil velouté, les gestes ronds, il avait, du Taureau, la pointe de cheveux caractéristique sur le front — car le journal avait aussi révélé sa date de naissance. En d'autres circonstances, Éva aurait pu aimer cet homme affable qui tartinait copieusement de miel ses *muffins*. Elle détaillait sa bouche, son double menton, ses mains potelées, se sentant surtout attirée par le regard vif et les francs éclats de rire qui découvraient de belles dents. Contrairement à leur Premier ministre, agité, nerveux, prototype de ces enfants malingres et surdoués qui n'ont jamais eu leur avenir derrière eux, il respirait le calme et l'opulence. Un gavage d'optimisme et de foie gras, osait-elle penser.

Le communiqué de presse avait spécifié : *Un digni-taire simple. Un homme affable, aux goûts éclectiques, qui préfère la vie de famille et les réunions entre amis aux brillantes réceptions mondaines.* Alors pourquoi cette distance entre eux, et non la proximité parentale exa-cerbée par les promesses et les aveux publics ? Un jour cet homme mourrait, comme Benjamin, comme elle. Tous les trois, ils vieilliraient. Tous les trois, ils connaîtraient le désert du cœur. Ces mots dont on se gargarisait pour immortaliser les corps, les gestes, n'avaient jamais em-brassé personne. Or, à cet instant précis, Éva avait be-soin d'être embrassée par un homme qui partageait son désir.

Confondue par l'impudeur de son audace, elle baissa les yeux. Lorsqu'elle ramena vers lui son regard, elle ne vit plus manger le Premier ministre de France, mais aperçut la mort attablée. Cette vision la fit frémir. Malgré tout, poussée par sa folle exigence, elle s'appro-cha de la table.

Ai-je vu Monsieur B se verser une seconde tasse de café, ou a-t-elle elle-même fait le geste ? Je ne sais trop. Plus tard, elle m'apparut, immobile, fixant le jardin où s'accumulait une neige légère. Je pensais qu'elle allait dire « le froid va bientôt céder », ou « encore un mois et ce sera la fin de l'hiver », mais je n'entendis rien. Le repas s'achevait. Elle n'ouvrit plus la bouche.

Dans l'album-souvenir de la maison Trestler, des photos commémoratives prolongent l'événement. En première page, Benjamin, profil héraldique, tend la main au dignitaire corpulent qui pénètre sous son toit. Plus loin, un peu à l'écart et sans doute plus tard, Éva, habillée d'un tailleur noir de coupe Chanel, paraît interroger la dame blonde aux paupières laminées qui enlève ses gants, vêtue d'un tailleur framboise Chanel, un vrai Chanel, défiguré par des pompons excentriques.

Plus tard encore — le photographe a eu amplement le temps de se déplacer —, dans le Palais des glaces du musée de Québec, on voit Éva, cheveux noués sur la tête, portant un fourreau de velours noir, sourire à la dame blonde ficelée dans un brocart rutilant, qui la salue de sa table d'honneur. Autour de cette dame, des châles blancs et or, des incrustations de nacre, des flamboiements moirés.

— On dirait des provinciales endimanchées.

— Vous êtes trop critique, dit Éva.

Enfin cette dernière séquence. Dans le hall, le dignitaire endosse son paletot et coiffe un bonnet d'astrakan tandis que sa dame enfile ses longs gants fourrés. Large sourire, gestes bienveillants. Le maître de maison fait bonne figure. On secoue la tête. Oh rien, mais non, rien, ce fut un plaisir. Inoubliable, croyez-nous. Pourtant, dit-elle, ce sera encore plus froid dans la capitale ?

Et bla, et blabla. Il n'y a pas de raison, vraiment, revenez quand ça vous plaira, notre porte vous reste ouverte. — Oui ? Trop aimable. — Mais si, allez, les voyages forment la jeunesse, on y gagne toujours quelque chose. Et bla. Et blabla. Comme avec la parenté des États qui s'éternisait, aux grandes vacances, avec sa boîte de chocolats. Cadeau d'ouverture. L'oncle Jos, millionnaire, avait fait fortune dans l'assurance-vie et me rabâchait les charmes de la poupée parlante, grandeur nature, qu'il m'offrirait un jour. Je ne la vis jamais. Il mourut d'une cirrhose du foie, seul, sans testament, et personne n'eut à se remémorer ses bienfaits.

Mon père, qui cherchait hors de sa ferme le monde infini suggéré par ses lectures, l'avait précédé de deux ans. Une fois couverts les frais de succession, treize orphelins se partagèrent les restes par rang d'âge. Au neuvième tour, la roulette me décrocha cent quatre-vingt-neuf dollars. De quoi acheter un vieux piano table, long comme un corbillard, où j'écorchai allégrement Beethoven et Mozart avant que l'instrument n'allât aboutir à l'Auberge du Portage, vendu par ma mère au double du prix coûtant après mon départ pour la capitale. C'était l'année du Blue Tango. On aimait le son de casserole à l'accord.

Éva en avait fait son deuil. Nous resterions la branche bâtarde d'Amérique. Des provinciaux équipés de grosses voitures, pourvus de grands espaces, de grandes forêts, qui différenciaient à peine le dernier cru d'une fine champagne.

Une neige fine couvre les carreaux de la porte-fenêtre de la cuisine. La lumière oblique du matin déplace le jardin vers l'est. Derrière la table, le grès de Potsdam étincelle, ravivant les reflets rouges des tuiles du parquet. Éva achève son café. Le silence est bon. J'aime cette lenteur des gestes dans la journée commençante.

— Vous êtes déçue ?

— En un sens. On souhaitait des échanges, une vraie rencontre, mais le protocole l'a emporté.

— Vous recommenceriez l'expérience ?

— Sûrement pas.

Elle ajoutait : « Mais il faut admettre que cette visite a donné à la maison une notoriété qu'elle n'avait pas. » Exactement comme pour le cri du général. Et la leçon de catéchisme, autrefois, dans la chambre des garçons chauffée par la cheminée de briques roses. Au commencement la terre était vide, et puis Dieu créa le monde par sa parole, et le jour et la nuit, et les poissons et les oiseaux. Au septième jour, il créa l'homme, et l'histoire commença. « Et la neige ? » — « La neige aussi ! » tranchait ma sœur en jurant sur le catéchisme illustré où les orteils de Judas trouaient la nappe du banquet de la dernière Cène.

Perdu dans l'infiniment grand et l'infiniment petit des temps immémoriaux, le huitième jour d'Amérique ne figurait pas au calendrier romain. Sur cette terre abandonnée, l'insolite était l'ultime compensation.

— Du vin de bleuets comme apéritif, imaginez.

— Vous exagérez.

— Comme sirop pour la toux, on ne fait pas mieux.

— Vous avez dû mal comprendre. On parle ici avec un fort accent.

Monsieur B réprimait un mouvement d'impatience. On lui parlait apéro, savane, bleuets, quand, de l'extrême forêt boréale jusqu'au fleuve, s'étalait un univers colossal balisé de pylônes de haute tension. Il en était sûr. Leur salut viendrait par l'électricité, pétrole blanc dont regorgeait l'Arctique. Habiter près du pôle Nord avait ses bons côtés. La baie James en était un.

Maintenant, il enlevait sa veste, dénouait sa ceinture et s'écroulait sur le lit, heureux de se délester de son carcan d'homme public. Ailleurs, les rapports avec ses hôtes auraient été neutres, dégagés de toute affectivité. Ici, on l'accablait d'amour, s'attendant à lui voir assumer l'archaïque fonction parentale. Parfois, l'œil d'un notable, fixé à son plastron, paraissait y chercher les mamelles de la mère patrie. Mais l'histoire de l'Occident, patriarcale, trahissait l'attente. Pressé par les liens du sang, il les interpellait avec chaleur, forcé de les renvoyer ensuite à l'anonymat des parentés lointaines avec lesquelles on ressuscite la fête sans partager les privilèges successoraux.

Il regarda sa montre et soupira d'aise. À Paris, le Quai d'Orsay s'éveillait. Mais grâce au décalage horaire qui donnait à l'Amérique six heures de retard sur l'Europe, il pouvait enfin commencer sa nuit. Enfin sombrer dans le nirvana des politiciens, se reposer des querelles et des malentendus suscités par son passage. Car on s'arrachait ses discours, commentant la plus infime parole, prêtant une signification démesurée au moindre geste, au plus léger lapsus.

Le calme de cette chambre paysanne agissait. Bientôt il n'entendit plus siffler le vent derrière les volets. Il somnolait, lorsqu'un bruit le fit sursauter. Sa femme achevait sa toilette. Il geignit, maudissant Dior, Lancôme, Orlane, et tous ces fabricants d'illusion qui empruntaient à ses nuits de quoi tromper les caméras. Il se leva, et ses pieds heurtèrent un meuble. Un vertige le fit se recourber. En se redressant, il aperçut, dans la psyché lui faisant face, un homme obèse qui enfilait son pyjama.

Ici comme sur la place publique, il avait l'impression de marcher sur des œufs. Ignorant la cause de ce malaise, il se reprochait d'avoir parcouru trop hâtivement l'histoire coloniale avant d'entreprendre ce voyage qui commençait à lui peser. « Vous avez vu ce hachoir à tabac d'un style très particulier ? » avait presque imploré son hôte dans l'après-midi. Il avait soupesé l'instrument, prenant garde d'y risquer un doigt. Qu'aurait-il pu répondre ? L'absence de style, qui tourmentait l'Amérique autant que sa quête d'identité, rendait singuliers les objets les plus communs et les agencements les plus hétéroclites.

Éva me fait traverser un étroit boudoir dont les tons de bleu virent au mauve dans la demi-obscurité. J'y vois une table servant d'écritoire, une chaise, des livres, un fauteuil Récamier. « Mon coin de lecture », dit-elle, en passant rapidement.

Elle ouvre une porte. Nous sommes dans la chambre des maîtres, pièce spacieuse qui semble chevaucher le corps du bâtiment et une ancienne pièce de l'aile construite par Trestler du côté est. Une planche du parquet, plus étroite et enfoncée que les autres, laisse croire qu'une cloison a pu déjà séparer cette pièce aux deux tiers. Éva en déduit que nous nous trouvons dans l'ancienne chambre des parents où trônait le lit à quenouilles mentionné dans le premier inventaire.

Je regarde les rideaux blancs, leurs embrasses lisérées de bleu, la large couche formée des lits jumeaux réunis, et ma pensée se fige, impuissante à reconstituer l'image des Trestler ou celle de leurs filles. Je devrai gagner du temps, me laisser distraire par le lustre à huit branches, le crépi des murs, la proximité du jardin. Ou encore, compter les brins de neige pour oublier que de la naissance à la mort l'essentiel se déroule dans un lit. Me souvenir même, le cas échéant, de la dernière nuit d'amour. En cas de légitime défense, tous les jeux sont permis.

L'austérité de cette pièce me rejoint.

Sur la route de Gaspé, au fond d'une chambre mansardée, une enfant répète en silence les rituels de survivance. Le petit Jésus est mort le Vendredi saint, Christophe Colomb a découvert l'Amérique en 1492, mon père est né à Lowell, ma mère à Saint-Pascal, j'habite le deuxième rang d'une terre ingrate d'où je veux m'enfuir pour émigrer en ville où j'aurai des lits chauffés, des robes claires, des après-midi libres. Je veux prendre ma place au soleil. Je veux être l'enfant des livres, une chercheuse de mots.

L'homme né à Lowell est pauvre. Il lit trois quotidiens par jour. Le reste du temps, il parle de politique au village et reçoit des étrangers dans sa maison. Quand on me demande d'apporter une allumette pour la pipe du député, j'en offre trois. L'élégance est la première des générosités. En hiver, lorsque le givre couvre les fenêtres de la cuisine et que des champignons de gel envahissent les chambres, je trace des *a* et des *i* sur les carnets d'allumettes épargnés. On ne m'oblige pas à écrire. Je crois que mon salut viendra par l'alphabet.

Mon père aime parler anglais avec les touristes américains. En été, ils ralentissent, puis s'incrustent. Après avoir parqué leur caravane dans la cour, ils font des photos. Les petites filles blondes accroupies dans les champs de fraises et les garçons maigres juchés sur des charrettes de foin les fascinent. « *What's your name, darling ?* » Je m'appelle Rachel, Madeleine, Solange ou Anne-Marie, peu importe, tous ces prénoms résonnent de la même manière à vos oreilles. Mes frères s'approchent et reniflent le convoi. Quand ils seront grands, ils iront aux États et se pavaneront dans des Cadillac et des Oldsmobile aussi pétaradantes.

Moi, je me fiche des caravanes et des États. Je voudrais seulement voir les photos promises. Mais elles n'arrivent jamais.

« Naturellement, il a fallu distancer les lits de six pouces, comme demandé. Voyez les volets qu'on a dû placer pour leur sécurité. »

Dix centimètres de pin aux fenêtres. Un flottement de quinze centimètres entre le corps de Monsieur et le corps de Madame : une affaire d'État. J'essaie d'imaginer ce qu'ont éprouvé Éva et Benjamin, le lendemain soir, lorsqu'ils se sont glissés sous l'édredon après avoir replacé côte à côte les deux matelas du lit conjugal. Des retrouvailles incestueuses ? La volupté de cousinages clandestins, ou une fatigue accablante qui se cherche encore un nom ?

Éva n'y était pas allée de main morte. Trois semaines de travail pour biffer leurs traces, effacer leurs odeurs, masquer leurs habitudes. Elle avait nettoyé la chambre, parfumé les tiroirs de lavande, déplié les draps de percale, vidé les penderies et les placards de leurs effets personnels. Rien ne devait transpirer de leur vie intime. Rien ne devait enlever à l'événement qui viendrait s'y dérouler son caractère historique et solennel.

Ensuite, ils s'étaient sentis en trop dans leur propre maison. En trop dans leurs gestes et leurs mots. Sur ce continent, le fait français ne peut séjourner qu'en visite. *It is a matter of fact.*

— Deux générations plus tôt, dit Éva, le père de Benjamin a reçu le premier ministre d'Angleterre et il est resté dans ses meubles, et il leur a fait les honneurs de sa maison.

Je sais. La mère patrie exige qu'on la borde, qu'on lui chauffe ses draps, qu'on lui ferme ses rideaux. Elle a la pudeur de ses intérêts. Mais la France ou l'Angleterre, Éva, c'est finalement pareil. Que l'une ou l'autre s'installe chez toi, chausse tes mules, utilise tes tabourets, ne change rien à l'histoire. Les deux se disputent des restes. On ne choisit pas ses fins de siècle.

Éva s'approche de la porte-fenêtre et gratte du bout de l'ongle la vitre placée à la hauteur de ses yeux. La blancheur du jardin fait une tache claire sur mon bloc-notes. Il neige toujours. Et il neigera encore ce soir, si l'on en croit la météo. J'ai le sentiment qu'il neige depuis le commencement des temps.

Une femme tousse. Elle suit, au bout de son regard, le mouvement des formes qui retournent au néant.

— On ne peut compter sur personne.

— C'est vrai. Sur personne.

J'écris *il était une fois*, et mon sang fonce vers le futur. S'arrêter au milieu d'une phrase porte malheur. J'évite de déposer le stylo.

4

Du côté est, la sonnerie du téléphone retentit. Du côté ouest, on frappe à la porte du bureau. Éva court d'une pièce à l'autre. Voix égale. Calme parfait. Je l'entends parler de riz et de canard à l'orange.

— C'était Oxfam. Ils demandaient le menu de demain afin de choisir le bon vin.

— Les missionnaires du Tiers-Monde ont la bouche fine.

— Que voulez-vous, la vie moderne est remplie de contradictions.

Elle repart au téléphone, me laissant une liasse de documents. Celui qui m'intéresse, le contrat d'embauche du futur époux de Catherine Trestler, n'y figure pas. Je devrai me contenter de cet autre, probablement similaire, signé avec un jeune teneur de livres quelques années plus tôt.

Éva est revenue.

— Encore Oxfam. Ils s'informaient de l'entrée et du dessert. Ils apporteront trois vins.

Éléazar Hayst, jeune écrivain de Vaudreuil, prend place sur la chaise indiquée par le négociant Trestler. Il regarde le notaire ajuster son monocle, tremper sa plume d'oie dans l'encrier et articuler d'une voix chevrotante les conditions fixées.

S'est volontairement engagé et s'engage sur les présentes au Sieur J.J. Trestler demeurant au même lieu, à commencer à travailler le cinq du présent mois et à continuer sans interruption jusqu'à pareil jour de l'an prochain au service dudit Trestler, en qualité de commis et teneur des livres de comptes. Il devra travailler fidèlement pour son bourgeois, faire son profit, éviter son dommage et l'en avertir si tout autre venait à sa connaissance.

Éléazar Hayst accepte d'avance les clauses du contrat, trop heureux de trouver du travail quand des jeunes de son âge courent les fermes et les chantiers pour y vendre leurs services. Du lever au coucher du soleil, son temps appartiendra au bourgeois dont il soutient le regard dans ce bureau où filtrent à peine quelques points de lumière. La voix se déroule, monocorde, comme un ordre répété.

Ledit commis se rendra tous les jours à la maison dudit Sieur Trestler et y restera pendant toute la journée

124

depuis huit heures du matin jusqu'à cinq heures du soir
en hiver. Au printemps jusqu'en automne, depuis sept heu-
res du matin jusqu'à sept heures du soir, pendant lequel
temps ledit Sieur Trestler sera tenu, ainsi qu'il promet et
s'oblige, de lui fournir son dîner pour chaque jour à sa
table ordinaire et de lui payer ses gages et salaires.

On lui concède un repas à la table de famille, honneur qu'il sera seul à partager avec Hector, le plus ancien
des employés. Le lendemain, lorsque le nouveau teneur de
livres, vingt-deux ans, fait son apparition dans la salle à
manger Trestler, quelque chose se modifie dans l'atmosphère. Un air léger, mêlé de gêne, circule entre les visages. Catherine respire mieux.

Auparavant, elle a jeté un coup d'œil au miroir, et
une fille quelconque, aux épaules saillantes et aux yeux
inquiets, l'a dévisagée. Adélaïde a annoncé : « Madame
est servie. » Elle s'est précipitée, et il était là. Il y est
encore. Elle détaille à la dérobée sa chevelure sombre, ses
mains fines, son cou délié. Cet homme aux traits mobiles
et au visage irrégulier, elle croit le connaître depuis toujours. Et pourtant, elle ne l'a jamais rencontré.

Elle-même se sent observée, mise à nu par le regard
de l'autre. Elle rompt le pain, et il fait le même geste. Elle
avale une gorgée de thé, et il porte la tasse à ses lèvres.
Entre eux déjà, une connivence étrange s'établit. Voilà
quelqu'un avec qui elle pourra se taire pendant ces longs
repas. Mais elle prend garde de ne rien laisser transparaître du trouble qui la remplit. S'ils savaient, ils empêcheraient la chose de s'accomplir.

Aujourd'hui, le négociant Trestler est rentré de Montréal de fort mauvaise humeur. Il est passé directement à la salle à manger, négligeant d'adresser la parole à ses fils avant le bénédicité. Il s'est signé, puis s'est assis en jetant *Le Canadien* devant son couvert.

— Vous connaissez la nouvelle ?

Hector sait qu'elle est mauvaise puisqu'on se donne la peine de la lui apprendre. Mais, au moins, si elle vient du journal, elle ne le concerne pas directement. Il croit prudent de rester sur ses gardes.

— Je n'ai rien entendu dire, monsieur.

— Le gouverneur a dépassé les bornes.

— Ce n'est pas la première fois.

— Figurez-vous que la clique du Château concède depuis longtemps des terres neuves à des Anglais qui les revendent ensuite à des Américains frais débarqués.

Hector lève des yeux béats. Il sait que la clique du Château désigne le gouverneur et ses amis, des Anglais pour la plupart, de qui on ne peut attendre rien de bon. Marie-Anne Curtius a commencé à distribuer le ragoût de pattes de porc, souhaitant accélérer le déroulement d'un repas qui s'éternisera, elle le pressent.

— Vous pouvez me dire combien on compte maintenant de ces Américains ?

Hector répugne à passer ce genre d'examens. Il ne sait ni lire ni écrire. Il hésite, puis lance finalement :

— Peut-être une centaine.

— Une centaine ! Ils sont maintenant plus de cinq mille. On les encourage à s'installer, à faire des enfants, et on les pousse à l'Assemblée pour contrecarrer les Canadiens.

— Est-ce qu'il y aura la guerre ? demande Joseph-Amable, surexcité.

— La traîtrise est pire que la guerre, répond J.J. Trestler en frappant la table du plat de sa main. Les Tories vont maintenant chercher des Américains pour peupler le Haut-Canada. C'est le comble.

— C'est honteux, monsieur, convient Hector.

La politique n'intéresse pas Hector. Il se souvient que son bourgeois a traversé l'océan à la fin du siècle dernier pour venir se battre contre les Américains. Quant au reste, il sait que *Le Canadien*, récemment fondé par les francophones, s'oppose au *Quebec Mercury* et au *Montreal Gazette* publiés par les Anglais. Au-delà de ces faits fréquemment soulignés par son maître, il n'est sûr de rien. Il souhaite seulement ne jamais avoir à souffrir de la guerre ou de la famine. La rareté des ressources, la rigueur du climat et la querelle permanente qui met aux prises le Bas et le Haut-Canada suffisent à gâcher sa vie.

Marie-Anne Curtius resserre son châle. Cette mauvaise nouvelle affecte sa tranquillité. Elle craint que son époux ne reste acariâtre le reste de la journée. « Vide plutôt ton assiette », lance-t-elle à son fils aîné, comme si le fait d'assécher d'une bouchée de pain le filet de sauce abandonné sous la fourchette suffisait à éloigner les Américains et le débat qui s'y rapporte.

Le fils regarde le père avec insistance. Il aime l'entendre raconter ses souvenirs de garnison, le lever matinal, les vêtements défaits, la glace fendue au couteau dans le broc des officiers. Il pourrait lui-même évoquer la traîtrise de l'humidité, les épidémies de dysenterie qui ravageaient les troupes, la faim qui tenaillait l'estomac les jours où l'approvisionnement manquait. Mais il préfère laisser au père la narration de l'épopée militaire allongée, chaque fois, de nouveaux épisodes.

L'enfant sait déjà que la France et l'Angleterre se

sont pendant longtemps disputé l'Amérique du Nord. Il voudrait aujourd'hui savoir pourquoi les Américains envahirent le pays peu de temps avant l'arrivée de J.J. Trestler.

— Voilà, dit le père en se raclant la gorge. Je t'ai déjà dit qu'on avait ici les plus beaux lacs, les plus grandes forêts et les plus riches fourrures au monde.

— Oui. Et alors ?

— Pour eux, la tentation était trop forte. En 1775, ils décidèrent de nous envahir.

Assise au grenier de la vieille maison bordant la route de Gaspé, je croyais apercevoir les toits fumants ramassés autour du Mont-Royal, convoités par le général Montgomery qui avait exigé, par lettre, la reddition de la ville. Je voyais avancer quatre notables, grossièrement habillés, qui demandaient à parler à l'occupant. Celui-ci levait la tête dans leur direction. C'est bien ainsi qu'il les avait imaginés : débraillés, fourbes, indisciplinés.

— Alors vous avez reçu ma lettre et vous venez m'apprendre que le gouverneur a décidé de se rendre.

— Non, mon général. Le gouverneur en a décidé autrement.

— *All right.* Et qu'a-t-il décidé ?

Embarrassés, les quatre hommes se consultaient du regard. Ils ne pouvaient avouer que leur gouverneur, un Britannique, Dieu ne les épargnait guère, avait renvoyé les miliciens, fait enclouer les canons de la citadelle, et avait fui vers la capitale avec les munitions, après avoir souhaité mettre le feu aux casernes et à la ville entière.

— *Well, well.* Le gouverneur Carleton a eu peur du général Montgomery, et il a filé à l'anglaise, je comprends.

J.J. Trestler riait et se versait un second verre de vin. Pendant ce temps, le général Montgomery s'installait au château Ramezay, demandait un baquet d'eau pour se laver avant de prendre un bon souper, regrettant que les puritains de son pays n'aient su développer leur cuisine à l'égal de leur commerce.

À minuit, des délégués locaux vinrent gâcher son plaisir. Le général connaissait les vertus du rhum. Il leur en servit de copieuses rasades et rédigea lui-même l'acte de reddition. Le lendemain, 13 novembre, Montréal devenait ville américaine.

Mais ce triomphe le laissait insatisfait. Il avait escompté soumettre le pays entier en quelques semaines. Or, près de trois mois s'étaient écoulés depuis son départ de Crown Point, et la ville de Québec résistait toujours. L'hiver commençait. Il devait habiller ses troupes, augmenter leur ration de vivres, leur assurer de toute urgence le réconfort des services religieux. Puisqu'un soldat n'acceptait de se battre qu'après avoir reçu l'absolution, il verrait ce père Floquet que ses agents lui avaient désigné comme collaborateur.

— Un peu de rhum, father ?

— Je ne saurais l'accepter, mon général, sans enfreindre notre règle.

— Se contenter d'eau claire serait porter préjudice à la réputation de raffinement qui vous est faite.

— L'ascèse est le raffinement par excellence, mon général.

— En ce cas, je vous offre un simple verre de rouge.

Father vida le verre d'un trait, comme il l'eût fait pour un vin de messe. Ses yeux pétillaient. Le général américain voyait les jambes du clerc s'agiter sous la longue jupe noire, et il le sentait prêt à détaler pour une bonne cause.

— Vous avez sans doute appris que le clergé montréalais refuse l'absolution à mes soldats et à tout partisan de la liberté.

— Hélas.

— La crainte de l'enfer est un bien dur tourment pour un combattant dont les jours sont comptés.

— Je sais, mon général, et croyez que cela m'afflige. On ne peut refuser de porter secours aux âmes sans trahir la mission de l'Église.

— Vous me redonnez espoir, father. Accepteriez-vous de recevoir des Bostoniens en confession si je mettais un local à votre disposition ?

— Je ne ferais que mon devoir, mon général.

Six heures plus tard, l'aile gauche de la maison des jésuites était cédée au père Fouquet qui y installait son confessionnal et son bureau.

À l'aube du dernier jour de décembre, une tempête s'est abattue sur la capitale. Les soldats américains avancent, poussés par le général Montgomery qui leur a exposé son plan d'attaque. Après avoir occupé la basse ville, ils pénétreront dans l'enceinte de la haute ville avec le secours d'alliés et abattront la forteresse, obligeant le gouverneur à se rendre. Après cette campagne, ils traverseront la frontière et retourneront dans leur famille où ils pourront célébrer le premier de l'an, manger, boire et dormir tout leur saoul.

Certains mercenaires, dont le contrat se termine le lendemain, souhaiteraient accélérer leur marche. Mais les rafales de neige qui les fouettent de plein front freinent leur avancée. Ils peuvent à peine se mouvoir dans cette terreur aveuglante où ciel et terre se confondent. Leurs pieds et leurs mains brûlent. Leur visage est couvert d'une croûte givrée. Ils ne trouveront jamais cette route, située entre le fleuve et le promontoire, qui conduit à la ville.

Plus tard, le général Arnold, venu leur prêter main forte, est fait prisonnier. Montgomery tente de regrouper ses hommes, fantômes blanchis par la tempête, que rien ne distingue plus de l'ennemi. Postés sur les remparts, les canonniers locaux ouvrent le feu sans trop savoir où portent les coups. Une voix, qui est peut-être celle du fils Trestler, éclate en même temps qu'une salve d'artillerie.

— Montgomery est mort ! Les Américains s'enfuient !

Rendu à ce point stratégique du récit, le manuel d'histoire tiré des vieilles malles du grenier brossait un tableau saisissant de l'armée en déroute. *Pris de panique, les assaillants font demi-tour et s'enfuient à toutes jambes par la route d'où ils sont venus.*

Je m'approchais de la lucarne et regardais la route

poudreuse, étonnée que l'historien ait pu subitement faire courir des hommes que la tempête immobilisait quelques minutes plus tôt. Cela me paraissait aussi irréel que ce tableau de Trumbull, reproduit à la fin du récit, où Montgomery mourait comme l'on meurt au théâtre, le visage tourné vers le ciel, entouré de soldats portant drapeaux, baïonnettes et habits de parade. Suspendre ma lecture aurait anéanti l'histoire. Les choses ne concordaient que par ces effets de style qui les rendaient plausibles. Je poursuivais donc le jeu de la fiction créée de connivence avec mes yeux avides. Ainsi la guerre se laissait regarder comme une gravure d'époque ou une photographie. On s'y trouvait pour la pose, conforme à l'image que l'on souhaitait léguer à la postérité.

Ensuite, je sautai des pages. À la fin de l'hiver, lorsqu'on exhuma de la neige le corps des soldats morts au combat, rien ne les distinguait, à première vue, du fiancé de ma sœur trouvé gelé sur la route de Gaspé au lendemain d'une tempête de neige. Même raideur, même regard traqué, même bouche noircie. La différence tenait à quelques signes. Sur les casques des soldats américains, on pouvait lire *Liberty or Death*. Dans la pochette intérieure de l'anorak du fiancé, la photo de passeport d'une jeune femme blonde, au regard bleu, touchait, intacte, le cœur immobile.

Je dépose le livre, rejointe par le mal. Dans mon corps, ou dans celui de Catherine, une douleur aiguë s'éveille, sans nom, sans âge, aussi proche de l'enfantement que de la mort. Ces hommes qui vont mourir aujourd'hui, demain, plus tard, ceux qui sont déjà disparus dans la violence des conflits armés sont mes fils, mes frères, mes amants.

Que faire pour empêcher que cela continue ? Quelle intelligence et quelle tendresse peut-on déployer pour suspendre cette avidité à tuer, cette fascination de la mort qui contamine nos archives ? Je rêve d'une histoire qui échapperait au désir d'anéantissement. Une chronique de la vie quotidienne, peut-être, d'une extrême simplicité, qui célébrerait la tendresse et la volonté de création.

À mes oreilles retentit le rire gras de J.J. Trestler.

— Montgomery s'était juré de prendre son dîner du jour de l'An à Québec.

Il rit comme si le projet eût été insensé. Je le regarde essuyer ses lèvres gourmandes d'un mouvement qui raffermit son double menton. Ses yeux voilés de nostalgie se portent sur ses fils, puis sur la table dégarnie. J'essaie d'imaginer cet homme plus tôt, dans ses années naïves, avant son départ pour l'Amérique.

À Mannheim, en Allemagne, l'hiver tire à sa fin. Un garçon de dix-huit ans arpente fébrilement la place du marché. Ce matin, contrairement à son habitude, il se désintéresse des ballots de drap et des cageots de poissons répandus sur les étals. Ses cheveux blonds font une tache claire sur sa pèlerine. Large d'épaules et de forte carrure, il attire le regard des filles assemblées autour du lavoir de Mme Grundler situé derrière l'étalage des maraîchers.

L'une d'elles prononce son nom, mais il ne paraît pas l'entendre. Il attend son ami, Conrad Müller, qui lui apprendra si le baron et major général Von Reidesel consent à le prendre comme mercenaire dans le corps d'armée anglais, levé par le duc de Brunswick, qui prendra bientôt la mer en direction de l'Amérique. L'Europe est vieille, l'Allemagne l'ennuie. Sa vie commencera de l'autre côté de l'Atlantique, sur cette terre lointaine où il découvrira la vie.

— Johan-Joseph !

Le visage de son ami est dévoré d'un feu intérieur. Les nouvelles sont donc bonnes.

— On part quand ?

— Dans dix jours. Les vaisseaux nous attendent en Grande-Bretagne. L'embarquement se fera à Portsmouth.

— On est combien ?

— Un gros contingent. On parle de trois à quatre mille.

— Dragon ou grenadier ?

— Ne t'en fais pas, on aura de quoi s'occuper. Ça comprend aussi un bataillon de fusiliers et un régiment d'infanterie.

Johan-Joseph pousse un cri de joie et étreint son ami. L'idée de prendre le large sur l'un de ces gigantesques vaisseaux l'enfièvre. Ils passent le reste de la journée à trinquer dans un pub. Plongés dans l'ivresse qui leur ouvre des paradis vertigineux, ils succombent à l'illusion, imaginant la traversée, l'abordage, le champ de bataille. Ils se sentent déjà des héros.

Enfin, ils sont en mer. Deux mois de navigation houleuse émoussent leurs rêves, ravivant des souvenirs de solitude et d'abandon. Mais, peu à peu, la nostalgie fait place à un sentiment d'égarement et de rupture. La griserie du dépaysement les plonge dans une sorte d'exaltation qui les incite à souhaiter aller toujours plus loin, au-delà des deux segments d'écume, découpés par la proue du navire, qui paraissent conduire au bout du monde. Et cependant, la vie est souvent difficile. Ils connaissent la frayeur des tempêtes, l'explosion de la masse marine qui leur fait craindre le pire lorsque l'océan se déchaîne. Et puis, un soir, aux confins de toute surface discernable, il y a cette entrée dans une mer calme. Aussitôt, ils se mettent à épier la surface de l'eau. Quelque chose se prépare, ils en sont sûrs. Ils font le guet, attentifs au surgissement d'une ligne sombre indicatrice de rivage, mais leur espoir est déçu.

Au lendemain de cette nuit sans sommeil où ils ont pressenti la modification du paysage, ils longent finalement une côte couverte de végétation. L'espace qui se révèle à eux est si vaste que le temps paraît s'être arrêté. Ils ne voient aucun Indien, rien de ce qu'ils avaient imaginé, mais le monde sauvage et secret qui s'offre à eux les remplit d'appréhension. Ils redoutent soudain l'avenir que ce continent, désormais visible, leur réserve.

L'abordage se fait le premier juin, au pied d'un promontoire cuirassé de soleil, alors qu'ils ont perdu toute notion du temps. Le débarquement s'effectue lentement. Vaguement inquiets, étonnés d'entendre résonner la terre ferme sous leurs pieds, ils entrent dans Québec, déçus de découvrir une ville assoupie que l'on disait en guerre. Ils ne voient aucun bataillon dans les rues, aucun poste de défense en action. Sur les remparts, les canons sont muets, et pendant la nuit leur sommeil sera à peine troublé par le tir intermittent des mousquets.

À l'aube, on leur apprend que le siège de Québec est levé depuis trois semaines, et que le commandant en chef de l'armée d'occupation est mort de petite vérole pendant la nuit. Ils sont arrivés trop tard. Ils tiendront simplement garnison. La flotte anglaise qui les a précédés de peu a mis fin aux combats. Le fusil neuf qu'ils portent à l'épaule ne servira peut-être jamais.

Au bout de la table, J.J. Trestler pouffe de rire. Il étale sa serviette sur sa poitrine et se sert une dernière portion de ragoût.

— Le major général américain n'a jamais mangé le bon repas que lui avait préparé son quartier général.

Son rire se répercute dans la salle à manger silencieuse. Marie-Anne Curtius s'y montre insensible. Le passé de son époux l'ennuie, comme tout ce qui est étranger à la gestion de sa table et à la tenue de sa maison. Mais en entendant narrer ces péripéties militaires, elle tremble pour ses fils dont elle souhaite qu'ils lui fassent honneur à la ville plutôt qu'à la guerre.

Entre les pages moitié manuscrites et moitié dactylographiées remises par Éva, un fragment de mémoire se réveille. Ce soir d'été, par exemple, où mon frère aîné fut appelé par la conscription qui expédiait les garçons de vingt ans vers l'Europe en guerre. Les enfants, nous étions tous assis par rang d'âge autour de la longue table de cuisine, frappés par la gravité de l'événement, bouleversés par l'air soucieux des parents.

Mon frère partit prendre le train de nuit, seul, endimanché, et un silence accablant se répandit dans la maison. Une tension sourde couvrait la cour secouée par les hurlements du chien. Le lendemain, je m'éveillai tôt. Je nous savais menacés par la guerre, une autre guerre s'ajoutant à celles, déjà nombreuses, dont j'avais lu ou entendu prononcer le nom : la guerre de Trente ans, la guerre de Sept ans, des Cent jours, les guerres napoléoniennes, Waterloo, la campagne de Russie, la guerre des Boers, la guerre de Succession d'Espagne, celle de 1914-1918, et d'autres encore. À répéter cette liste, je finissais par croire que la guerre était le sort normal de l'humanité.

Un désastre permanent qui sévissait de pays en pays et de continent en continent, entrecoupé de périodes d'accalmie, ces trêves obtenues par les prières des femmes, des vieillards et des enfants.

Mettant tout en œuvre pour conjurer le mal, nous faisions brûler des lampions, récitions des neuvaines et des invocations, promettant mille sacrifices et bonnes actions pour le salut du jeune soldat. Nos vœux furent exaucés. Deux jours plus tard, mon frère revint sain et sauf. À l'examen médical, on lui avait découvert des pieds plats. Nous suspendîmes aussitôt nos prières, la guerre occupant par la suite dans nos intercessions la même place que la grêle, le choléra, la peste ou les nuées de sauterelles dont nous demandions à être protégés. Ce fléau était redevenu l'un des périls probables énumérés dans la formule pieuse fixée à la cheminée de la cuisine.

« Lors du siège de Montréal en 1775, les Américains n'ont pas poussé jusqu'à Vaudreuil ? »

— Pas vraiment, dit Éva. Mais ils ont essuyé une défaite aux Cèdres, pas très loin.

— Pourquoi les Cèdres ?

— C'était un des avant-postes du Haut Saint-Laurent qui protégeait la route des fourrures.

— Ensuite ?

— Pas grand-chose. Une attaque de Trois-Rivières qui a tourné en déconfiture comme celle de Québec. Il semblerait que des troupes allemandes aient été envoyées là-bas.

Après la fonte des neiges, je me rends à Trois-Rivières où je cherche Trestler dans une ville de 63 000 habitants qui ne se souvient pas d'avoir vu défiler des soldats allemands ou américains dans ses rues. On me récite des généalogies de notables, on aligne des noms d'évêques, on a gardé un très vif souvenir de l'incendie du début du siècle, mais on a oublié cette bataille qui aurait pu avoir été livrée à des Bostoniens au cours d'un été torride, cent ans plus tôt. On se méfie avant tout des Anglais. La parenté des États a gardé un visage sympathique. Elle trimbale encore ses souliers blancs et ses boîtes de chocolats dans des voitures huit cylindres qui éveillent la soif d'exotisme. Les dollars du Sud affichent toujours *In God we trust*. Le mal ne peut venir de ce côté.

« La cuisine française est imbattable », dit J.J. Trestler en réprimant un rot.

Joseph-Amable connaît la gourmandise de son père. Il craint de le voir suspendre son récit.

— Ensuite ?

— C'est assez pour aujourd'hui. Je raconterai la suite une autre fois.

Malgré tout, le père ne peut résister à la tentation de poursuivre. Après avoir attaqué son dessert, une tarte à la farlouche qui fait la gloire de Marie-Anne Curtius, il blâme la France d'avoir favorisé la naissance des États-Unis d'Amérique et crache sur La Fayette qui proposa à Washington une nouvelle occupation de la vallée du Saint-Laurent. Pour finir, il maudit le traité de Versailles qui le rendit à la vie civile et fit perdre au Canada les postes de traite de la région des Grands Lacs.

— Erreur capitale, dit-il en mesurant d'un geste l'ampleur de ses pertes, le Canada avait là les meilleurs postes de traite au monde.

Hector le console. Puisque ces postes étaient les meilleurs du monde, les Américains s'en seraient emparés tôt ou tard. Les fils Trestler se mouchent, pressentant la chute du récit.

— Et voilà, conclut à regret l'ancien mercenaire.

Le père prononce *foilà* à la façon allemande. Épuisé comme un soldat qui rentre de campagne, il déroule d'un geste las la copie de son acte de démobilisation. Son fils aîné en fait la lecture. *Liste de tous ceux qui ont été congédiés du Corps de chasseurs de Hesse Hanau depuis l'année 1777 jusqu'à présent. Québec, le quatrième jour d'août 1783 : Chrétien Fisher, Frederick Dorffer, Guillaume Mullen, Conrad Reichenback, Conrad Müller...*

Des mouches volent au plafond tandis que les soldats défilent, lavés, rasés, l'uniforme impeccable. Ils ont oublié la fumée des canons. Ils ont désappris la mort. Ils respirent l'odeur des cèdres et des lilas. Ce bonheur d'été les transfigure. Quelque part, une fille amoureuse les attend, épanouie dans la chaleur du jour, recroquevillée dans l'ombre d'un portique ou la moiteur d'une chambre.

Michel-Joseph raffermit sa voix. Aussitôt son nom prononcé, J.J. Trestler interrompt l'énumération. Il reprend le document et le replace dans la cassette de métal conservée dans le coffre-fort de la salle à manger. Mais un silence lourd s'est installé. Et ce vacarme d'images. J'entends des claquements de bottes sur les pavés, la détonation des fusillades, le tintement des gobelets de fer sur la table des casernes. Je m'approche de la radio dont j'amplifie le volume. On annonce 2000 morts à Beyrouth et 500 à Damas au cours d'une seule semaine.

Le père soupire. Il sait à quoi pensent ses fils. La mort au combat le fascinait aussi par sa violence héroïque. Pourtant, il souhaiterait se survivre en eux. Mais il repousse à peine cette faiblesse mêlée d'orgueil. Il ne sait pas que son sang passera à l'Amérique par ses filles.

Une goutte tombe de la carafe de vin et forme une tache rouge sur la nappe de chanvre. Assis à la même table que son patron, Éléazar Hayst boit son thé, le regard absent. Il prête une oreille distraite à la conversation. Sa réserve, la fierté de son maintien indiquent qu'il a vendu ses services mais non son âme à J.J. Trestler.

Il regarde Catherine, et elle rougit. Leurs mains se touchent presque tant elles sont proches. Leur corps s'émeut du désir qui les brûle et ne peut s'exprimer sans modifier des gestes, oser une imprudence qui pourrait les trahir.

Gagnée par la somnolence de la maison, Catherine fait l'effort de porter ses yeux vers la fenêtre où des feuilles balaient la vitre d'une ombre douce. Puis elle revient à la table.

Elle voudrait user d'un langage net, précis, qui dirait le fond de sa pensée. Son père vient de faire craquer une allumette. Il fume trop. Un chancre lui brûle la gorge malgré la propriété de Rigaud échangée, l'an dernier, contre la recette de guérison gardée secrète.

Elle est décidée. Elle osera parler.

— Je voudrais savoir…

Il pose sur elle un regard incrédule. Aux repas, les filles n'ouvrent la bouche que pour se nourrir.

— Savoir ? Qu'est-ce que tu voudrais savoir ? Tout ce que je viens de raconter ne t'a pas suffi ?

Elle pense : traverser ce regard une fois pour toutes, m'y perdre et rejoindre l'homme derrière le masque de réprobation qui glace les mots. Elle presse un mouchoir contre sa bouche. Comment pourrait-elle expliquer le saccage dont elle est témoin chaque fois qu'il raconte le passé ? Elle voit des corps méconnaissables criblés de balles sous les mouches, dans la canicule, dans la puanteur du sang séché. Elle voudrait dire qu'elle vomit l'odeur de chair à canon. Mais la honte lui ravage le front. Elle bafouille.

— Excusez-moi. J'ai oublié ce que je voulais dire.

L'aïeule lui jette un regard inquiet. Pourquoi cette enfant s'immisce-t-elle dans la conversation ? Discuter de guerre et de politique appartient aux hommes. Aux femmes, il suffit de régner à la cuisine. « N'oublie jamais, ma petite fille, dit-elle parfois, qu'un mari se gagne par le ventre et se garde par la vertu. » Catherine se fait une autre opinion des hommes. Elle cultive un optimisme têtu, rigoureux, qui l'aide à rétablir la distance entre ses désirs et leurs mots. Elle échappera à la fatalité du sexe, à cet engourdissement besogneux qui lie les femmes à la voracité des corps.

Le bruit des fourchettes et des soucoupes s'amortit. Le repas est terminé. Adélaïde replace le pain, le lait et le sirop d'érable dans l'armoire. Une odeur rance se répand

142

dans la salle à manger. Jeu de clefs. Ici, les murs regorgent d'antres où s'accumulent des réserves aussi indispensables que le pain. Ici, rien ne se perd. Ces bouts de chandelles et de savon entassés dans des pots, ces rognures de tissu rapportées des entrepôts, ces miettes apprêtées en hachis, en soupes et en ragoûts. Aucun geste en trop. Aucun reste sur l'assiette. Une fortune se construit sou par sou. Il s'en faut de peu que cette parcimonie ne revête les marques grossières de l'avarice.

Monsieur et Madame Trestler, retournez à vos occupations, il y a dans cette pièce un homme qui met votre fille en appétit de bonheur. Mes vœux sont entendus. Père se lève, passe le seuil et se dirige vers les écuries. Mère entraîne les garçons dans la grand-salle pour la leçon de catéchisme. Madeleine et Adélaïde disparaissent à la cuisine. Me voilà seule, agitée par une incontrôlable impatience, hantée par une image : le visage d'Éléazar, plus fier que les autres, occupé à fouiller les replis de mes paupières, appliqué à détailler mes traits. De l'audace sous une apparente tranquillité, mais pas un mot, pas un geste déplacé. Rien qui puisse éveiller leur méfiance ou leurs soupçons.

La porte de la salle des comptes a tourné sur ses gonds. Derrière la cloison, quelqu'un a tiré une chaise, ouvert un cahier, trempé une plume d'oie dans l'encrier. Je voudrais voir les mots tracés. Je voudrais toucher la main qui noircit le grain lisse du papier. Il me faut rencontrer cet homme. Il me faut lui parler, l'entendre, l'approcher.

Mes doigts frôlent la porte du bureau qui paraît

s'ouvrir d'elle-même. J'avance vers lui, lucide, insensée. Il me voit venir, et aucun muscle de son visage ne bouge. Son regard vrille. Je respire à peine en regardant les papiers éparpillés sur la table, l'encrier de verre, les colonnes de chiffres. J'examine les doigts étalés sur le papier buvard. Pendant combien de temps allons-nous ainsi retenir notre souffle ? Jusqu'à quand serons-nous trahis par nos bouches immobiles, pourtant si proches, si avides de dire je vous connais depuis toujours ?

— Je vous en prie, asseyez-vous, dit-il enfin.

Il a parlé le premier. Incapable d'articuler une syllabe, je m'éloigne de lui et m'approche de la fenêtre. Je distille ma gêne consciencieusement, feignant d'ignorer pourquoi je suis venue, sachant que je pourrais repartir sans avoir prononcé une seule parole.

Allons-nous nous contenter d'échanger des propos de convention et ne rien livrer d'essentiel quand un aveu brûle nos lèvres ? Le silence se prolonge. Et cette horreur, soudain, que j'aperçois au mur, cette tête de chevreuil qui me fixe de ses yeux vitreux. Pauvre bête dont le sang m'atteint. Dans cette maison, où que l'on aille, la vie est partout traquée, empaillée, muselée.

— Je sais à quoi vous pensez.

— À quoi ?

— Vous vous dites qu'on a eu tort d'abattre ce chevreuil.

Il est si près de moi que je pourrais le toucher. Oserai-je atteindre les tempes couvertes de cheveux, ou son front découvert ? S'il devine mes pensées, qu'attend-il pour me révéler les siennes ? Maladroite, je ne peux que formuler une protestation.

— Je déteste la mort.

— Je sais.

144

— Je déteste les murs, les barrières, les clefs, les clôtures.

— Je sais aussi que vous détestez cette maison.

— Adélaïde vous a parlé ?

— Elle ne m'a pas adressé la parole depuis mon arrivée.

— Mère alors, ou mes frères ?

— Vous oubliez que j'ai signé le contrat avec monsieur votre père.

— Et vous entendez ne penser, ne bouger et n'agir que pour monsieur mon père ?

— J'entends respecter mes engagements. Auriez-vous l'intention de vous y opposer ?

Il me dévisage d'un air moqueur. Plus âgé que moi, connaissant mieux la vie, il me prend sans doute pour une enfant. Sait-il que je veux fuir l'âge amer et pur où l'on me garde contre mon gré ? Au risque de me compromettre, je trouve le courage d'ajouter :

— Je ne suis pas celle que vous croyez.

— Je vous ai observée pendant que monsieur votre père racontait ses souvenirs de guerre. Vous n'y prêtiez pas une bien grande attention.

— Je vous ai observé aussi. Vous en étiez à cent lieues.

Il rit. Les mots viennent plus facilement. Nous commençons à nous livrer. Mais les mains, que je croise et décroise sous le tablier, sont glacées. Entre les mots prononcés, il y a ces sensations que je devine, ces élans dont je ne sais encore rien sinon qu'ils me feront quitter l'enfance et peut-être plus encore. Je lève la tête. Mes yeux rencontrent les siens où toute ironie a disparu. Il dit :

— Les vrais hommes savent se tenir debout sans

fusil. Il faut avant tout combattre la pauvreté et l'ignorance. Le peuple saura ensuite trouver son bien.

— Il me semble que vous n'êtes pas tout à fait du peuple.

— Je crois en être moins éloigné que vous.

— Le commerce de mon père ne m'est rien. Je n'ai aucune prétention à la fortune.

— Et sur quoi donc portent vos prétentions ?

La pudeur me retient d'oser un aveu. À cet instant précis je me trouve laide, déplacée. Ce visage, entraîné à dissimuler sa peur et son plaisir, est celui que dévisage Éléazar Hayst.

— Vous n'avez pas répondu à ma question.

— Je n'ai qu'une seule prétention. Vivre comme il me plaît.

La hardiesse de ma réponse ne semble pas le choquer. Il fronce cependant les sourcils, comme pour chasser un mauvais souvenir. Pendant un bref instant, son visage se ferme. Je lis sur ses traits le mépris de la résignation et beaucoup d'orgueil. C'est peut-être d'abord là que nous nous rejoignons. Il reprend ma phrase où je l'ai laissée.

— Pour vivre comme il me plaît, il vous faudra beaucoup de courage. Ce qui nous tient à cœur va souvent à l'encontre des désirs d'autrui.

— Et vous, je puis savoir ce qui vous tient à cœur ?

— Je vous le dirai plus tard si vous y attachez encore de l'importance. Mais je crois que nous avons assez bavardé pour aujourd'hui.

— Vous craignez de vous compromettre ?

— Je vous en prie, partez. Je dois terminer cette révision de comptes pour le retour de monsieur votre père.

— Ne me parlez pas de monsieur mon père. Cet

146

homme ne vit que pour son commerce et le profit qu'il en tire.

Il hausse les épaules, laissant entendre qu'il n'y peut rien ou qu'il trouve ma sévérité excessive. Sait-il qu'un homme blesse ma mémoire depuis le début ? Depuis la chambre à l'odeur d'eau et de sang dont je ne vous ai encore jamais entretenu. Mais je dois oublier tout ceci. Le temps est venu d'aimer cet homme qui, appuyé à la fenêtre, regarde au-dehors, perdu dans sa rêverie. Je souhaiterais qu'il se retourne et m'appelle par mon prénom. Il dit simplement :

— Plus tard, vous comprendrez. Mais à présent, soyez raisonnable. Laissez-moi seul et ne revenez plus ici.

— Je vous fais peur ?

— Vous prenez des libertés trop grandes. Vous pourriez en souffrir si quelqu'un l'apprenait.

— Et si cela arrivait, en souffririez-vous ?

— Mademoiselle.

— Ne vous embarrassez pas de formules. Je m'appelle Catherine.

— Mademoiselle Catherine.

— Soyez tranquille. Je vous laisse. Vous pourrez travailler en paix.

Longtemps je me représentai le front que je n'avais pas osé toucher, les narines frémissantes, la bouche qui avait articulé ces paroles de sagesse et de prudence : « Mademoiselle Catherine, plus tard vous comprendrez. » Et le reste : « ce qui vous tient à cœur », « vous prenez des libertés trop grandes ». Ces mots formaient une mélodie puissante.

Une certitude qui annulait leur prédiction : « Personne ne voudra de toi, ma pauvre fille, têtue comme une mule et dépenaillée comme une fille d'habitant. »

Mademoiselle Catherine, c'est moi, un corps ardent qui a la forme de l'été. Chaque matin, je plonge dans le jour commençant, fébrile, remplie d'audace. Le bonheur me transforme. Forcée par ce mûrissement, je m'arrondis de l'intérieur, mais le temps que je passe seule s'écoule trop lentement. Pour retrouver plus vite Éléazar, je voudrais accélérer les battements du pouls, précipiter l'heure au cadran de l'horloge. Pourquoi faut-il continuer de vivre au ralenti alors qu'une telle urgence me presse ?

La maison, ancrée dans ses habitudes, résiste à tout changement. Il y a ces avant-midi lents où j'entends résonner son pas dans la salle des comptes sans pouvoir franchir sa porte. Et ces midis ternes autour de la table familiale, quand je voudrais toucher ses mains séparées des miennes par l'espace de trois couverts. Orchestrant nos silences, la voix de père domine le calme plat des femmes, mère et grand-mère gouvernant leur couvée du fond de leur gravité rigoureuse et tatillonne. Dans ce concert de gestes mesurés, utiles, Éléazar et moi jetons des notes discordantes, grands accords muets qui finiront par éclater à leurs oreilles et les scandaliser. Car nous ne pourrons plus nous contenter de passer nos jours et nos nuits à nous rêver l'un l'autre, à nous imaginer.

Parfois, avant de me mettre au lit, je me regarde dans le miroir et je touche le front qu'il vient d'embrasser, comme pour saisir les marques d'une évidence qui me distinguerait à leurs yeux. Cette flamme, peut-être, qui dévorait madame de Lotbinière le jour où elle joua du piano. Mais ils ne voient rien. Ils n'entendent rien hors ces propos traitant des choses pratiques, activités précises menées de l'avant par leur ambition mercantile : acheter, vendre, donner des ordres, s'imaginer commander le monde en imposant son train de vie.

Un matin, pourtant, Catherine s'interroge. Un bonheur si subit, elle ne croyait pas que cela fût possible. Quelques semaines plus tôt, elle croupissait dans l'ennui. Le front collé à la fenêtre pendant de longues minutes, elle fermait les yeux et reniflait le vide à travers la vitre. Or voilà qu'à présent tout s'anime. Tout se transforme et s'éclaircit. Un cri, venu de l'extérieur, grimpe vers l'aigu. Elle l'entend sans broncher.

— Catherine ! Mais Seigneur Dieu, où est-elle encore passée ?

Cette voix ne l'atteint pas. Du moins pas encore. Autrefois, elle feignait de céder à leur volonté. Ces gestes ambigus, ces regards esquivés. Ils n'avaient d'attention que pour ses frères, d'intérêt que pour leurs prouesses et leurs progrès. Alors elle récitait des salutations, des remerciements, des excuses. Elle leur refilait les formules apprises. Elle se couvrait de leurs phrases, et ils croyaient s'entendre. Ils ne voyaient pas ce regard critique qu'elle portait sur eux.

Le cri continue. Il s'amplifie. Cela la ramène en arrière, vers la solitude de l'enfant qui attendait que l'on vienne à elle. C'était un après-midi, elle s'en souvient. Elle était allongée sur le lit et regardait la pluie couvrir les carreaux de la fenêtre. Elle devait avoir trois ou quatre ans, peut-être moins.

Dans la lumière fade, elle comptait les toiles d'araignées suspendues au plafond, suivait les rainures du bois sur les murs et repérait les taches de doigts sur l'encadrement des portes. Elle oubliait d'avoir faim ou sommeil. Une question la tracassait. Pourquoi ne lui avait-on jamais dit d'où venaient les enfants ? Parfois, intriguée par les odeurs qu'exhalait le lit des parents, elle aurait voulu comprendre ce mystère. Mais ils la tenaient à l'écart de cette part intime de leur vie.

Cet après-midi-là, elle avait fui au-dehors. Il pleuvait. Trempée, les cheveux dégoulinants, elle avait crié et appelé dans le silence qui se refermait sur elle. Il fallait que la vérité éclate. Les gens d'en face étaient absents, occupés. Ils ignoraient ce qui se tramait dans sa tête. Elle n'était même pas sûre qu'ils entendaient la pluie tomber.

« Catherine ! »

Ils l'appellent encore. La voix insiste en vain. Elle n'y est pour personne. Elle s'accorde le droit d'exister pour elle seule. Cet instant lui appartient comme son bien propre, une plénitude à laquelle elle ne saurait renoncer sans trahir son exigence de bonheur.

Hier, elle a regardé les initiales brodées sur chaque pièce du trousseau qui la confirme dans son statut de fille à marier. À troquer contre un bon parti : 3 chemises de nuit — 3 jupes de basin et de serge — 1 douzaine de mouchoirs — 1 écharpe de taffetas — 3 paires de bas de fil — 1 peignoir à dentelles — 1 robe de chambre — 5 tabliers taillés droit fil — 4 paires de draps et de taies d'oreiller — 2 tours de lit — 1 courtepointe indienne piquée point contre point — 1 courtepointe de satin doublée de toile d'Allemagne — 3 catalognes à chaîne de fil de lin — une demi-douzaine de serviettes — 3 nappes de toile de chanvre — 1 douzaine de serviettes de grosse toile — 2 rideaux de fil — 2 tapis d'étoffe du pays — 3 rechanges de linge de corps.

Le tout soigneusement numéroté et consigné dans l'inventaire, conservé dans un coffre de cèdre, un de ces meubles immenses comme en possèdent toutes les grandes familles. Ces étoffes et ces tissus sont marqués du sceau de la patience. Lorsqu'elle enfilera l'une de ces chemises, elle portera sur ses épaules cinq générations Curtius et deux générations Trestler dont on lui imposera la vertu, la rigueur. Elle sait, pour l'avoir entendu dire à mots couverts, quel poids de renoncement et de soumission de femme s'affaisse le soir entre les draps, avant d'aboutir au confessionnal. Le surplis du vicaire craque de blancheur. Dentelles de dame sur un corps d'homme. Vous réciterez trois Pater et dix Ave, promettez-moi de ne plus pécher.

Catherine palpe les toiles rugueuses et pense au teneur de livres. Plus tard, il posera ses mains sur elle. Il la touchera, et son cœur battra plus vite. Il l'aimera. Ils feront couple. Déjà, en elle, s'intensifie le réveil du corps, la puissance du désir. Elle ne pensait pas que cela pût être aussi fort.

Derrière la voix qui se modifie, les sons roulent au bord du lit comme un long gémissement. Car le cri a changé. Il est devenu sourd, étouffé, obligeant à remonter encore plus haut dans les souvenirs. Une plainte se déroule, lancinante, interrompue par des gestes pressés. On devine plutôt que l'on n'entend. Et suit l'attente insupportable, un sursis qui la glace d'effroi.

Ensuite il y a des chuchotements, des remuements de bassines, l'étalement de linges avant qu'elle n'ait le temps de se réfugier à l'autre extrémité de la pièce. Témoin de cette précipitation inquiète, elle reste figée dans sa peur. Assise par terre, dos au mur, les genoux repliés sous le menton, elle attend la fin des opérations.

Le cœur lui fait mal. Elle devrait fuir, mais son corps s'y refuse. La porte de la chambre s'entrouvre pendant quelques secondes. Sur le lit à colonnes, une femme gémit. L'enfant voit le désordre de la pièce, les draps tachés de sang. Il fait froid. L'horreur tue. Elle ne peut saisir ce qu'on lui dissimule d'irrémédiable.

Demain, elle verra une spirale rouge creuser la neige près du mur de la laiterie, et elle saura que tout s'est joué dans cette échappée liquide venue du corps béant. Mais aujourd'hui, recroquevillée, elle guette les pas, épie les mouvements de l'autre côté du mur. Elle ne peut rien empêcher, rien précipiter. Mais elle voudrait approcher la femme souffrante, toucher ses lèvres, sentir sa respiration.

Finalement, une agitation plus forte se dessine derrière la cloison. Ses mains sont mouillées. Elle a du vinaigre plein la bouche. Elle n'a rien vu, mais elle sait. Plus tard, sa sœur dira avoir retenu des mots.

— C'est une fille, monsieur.

J.J. Trestler a déjà quatre filles : Marie-Marguerite,

Marie-Josephte, Madeleine, Catherine. Quatre, cela suffit. Cet embryon, qui ne possède ni nom ni visage, n'est pas de lui. Marguerite Noël, fille de Marguerite Dassilva dite la Portugaise, ne sait pas faire de garçons. C'était sa dernière chance. Il voulait un héritier.

Il dit : « C'est la fatalité. » Il pense : c'est inutile. Et il détourne la tête du paquet ficelé qu'on lui présente. Il ne s'approchera pas de la femme en douleur. Elle restera seule sur le haut lit à baigner dans ses odeurs d'accouchée. Répudiant l'épouse qui contrecarre ses desseins, il se reproche d'avoir préféré le sang étranger à du sang allemand. Son sang. Sa fierté perdue. Voilà son erreur.

L'enfant croit avoir vu le père s'appuyer à la table de la cuisine, la tête renversée en arrière, la bouche aspirant le goulot d'une bouteille tirée de l'armoire de la grand-salle. Elle a saisi seulement ce geste. Pas un mot. Pas un cri. Il mettait sa colère en réserve.

Plus tard, elle le regarde par-delà sa mort souhaitée, et il ne comprend pas pourquoi elle le fixe avec tant d'acharnement. Il ne s'explique pas cette expression de refus qui l'oblige à sévir. Dans la famille, Catherine est la seule à soutenir son regard. Il voudrait briser cette force inacceptable chez une fille. À chaque affrontement, il l'écrase de sa colère, mais elle bat à peine des cils.

Dans la tête de l'enfant, des souvenirs persistent. Ou peut-être les invente-t-elle après coup et confond-elle sa naissance avec l'autre qui a suivi. Elle croit pourtant avoir entendu les paroles de la tante qui jouait le rôle de sage-femme, avoir même noté ses intonations, et ces maniements d'ustensiles, de ciseaux, ces remuements hâtifs suivis de frôlements de tissus.

La porte s'ouvrait. On lui faisait signe d'entrer. Elle hésitait, ne sachant si elle devait avancer ou reculer. Elle avait peur de ce qu'elle apprendrait. La femme allongée sur le lit respirait à peine. Elle était blanche comme de la craie. Elle avait échoué à donner un fils à J.J. Trestler. Elle venait de signer son arrêt de mort.

À un moment, cette femme, j'en suis sûre, a levé sur moi un regard insistant. Mais étais-je bien là ? Je confonds les décennies et les siècles. Le temps, que je ne saurai jamais, pèse sous ma langue malgré la précision des gestes et des voix. Au-dehors, un pas traverse le soleil de cinq heures, et un rire mince éclate dans la cuisine. La voix est fragile, un peu enrouée. Éva souffre encore de la bronchite. « Il ne faudrait pas en conclure que ça s'est passé de cette façon », hasarde-t-elle.

Bien sûr que non. Je confonds peut-être le fœtus Trestler avec cet enfant mort-né, un garçon celui-là, paré de dentelles, allongé sur la table victorienne placée contre le lit de ma mère en larmes. Les oncles, les tantes, les cousines défilaient en égrenant de bonnes paroles. Ils agitaient les mains, alignaient des phrases sous la lampe au globe enfumé. Si jeune, qui aurait pu prévoir, et vous l'aimiez déjà, mais la famille est déjà assez nombreuse comme ça.

— C'était l'année de la typhoïde ou de la grippe espagnole ?

— L'année de la grippe espagnole.

Des filles vêtues de noir descendaient un long escalier en retenant leurs pas. Après l'enterrement de l'enfant, elles s'affaisseraient dans un profond sommeil. L'une d'elles, ma mère, resterait une jeune fille triste.

Dans la chambre à courtines, le soleil tombe plus tôt que dans les autres chambres. Madeleine ne pleure pas. Elle se tient droite, comme absente, occupée à regarder l'invisible.

— Deux jours plus tard, on la portait en terre.

— Tais-toi. Je ne veux plus rien entendre.

La douleur a ses limites. Catherine se lève, ferme les volets, revient peu à peu à la conscience des choses qui l'entourent. Au-dehors, elle a entendu le piaillement des oiseaux, senti la moiteur du jardin. Madeleine regrette d'avoir parlé.

— Tu ne dois pas en vouloir à père.

— Pourquoi prends-tu sa défense ?

— Parce que c'est ainsi qu'il faut agir.

On a souvent dit : c'est impossible, elle était trop jeune pour se souvenir. J'ai choisi l'oubli, mais cette femme m'habite toujours. Maintenant que me voilà amoureuse, je lui rendrai son dû.

— Pour Éléazar, tu es au courant ?

— J'ai tout deviné.

— Alors, garde le secret.

Éva a lu par-dessus mon épaule. Elle sourit, hochant la tête.

— Catherine avait un an et demi quand sa mère est morte ?

— À peu près ça, oui.

— Alors cette femme est morte en couches. Ça correspond à l'espacement des autres naissances.

— Vous avez beaucoup d'imagination. Mais c'est possible. Il faudrait trouver un document qui éclaircirait tout ça.

Comme romancière, cette exigence me paraît superflue. Il faut avant tout rendre la fiction cohérente, faire en sorte que l'histoire inventée englobe l'histoire vécue. Nombre d'historiens et de chroniqueurs ne s'y prennent pas autrement, et on les croit sur parole.

5

La maison Trestler n'a ni chien ni chat. Les restes du canard à l'orange tombent dans le sac à ordures Glad avec un bruit sec. Il y a quelques jours, j'ai lu dans le *New York Times* que les poubelles d'Amérique du Nord suffiraient à nourrir le Tiers-Monde.

Deux adolescentes sont venues prêter main-forte à Éva. Elles me tiennent compagnie pendant que celle-ci s'absente pour assister à une conférence avec Benjamin. J'aurais dû rencontrer ces filles plus tôt. Roxane, volontaire, passionnée, est tout le portrait de Catherine. Lise, effacée, brumeuse, ressemble plutôt à Madeleine. Elles connaissent peu la saga Trestler, et à peine les faits saillants de l'histoire.

— L'histoire d'ici, on connaît pas, ça n'a jamais été enseigné.

Cette génération est née dans la gestalt. Vivre ici, maintenant, quelque part autour du nombril indiqué par les jeunes gourous qui vendent de l'affect comme d'autres écoulent de la pâte dentifrice ou des Life Savers.

Roxane ajoute : « Moi je vis pour l'art, c'est ce qui crée un lien entre les peuples, entre les époques. Le reste, c'est des grains de sable dans le désert. »

Lise soupire.

— Dommage, j'aurais bien aimé connaître Nicolas.

159

Quand il est passé à Montréal, on ne lui a présenté que des enfants de ministre.

— Nicolas ?

— Le fils des B. Le soir où ses parents étaient ici, le gouvernement lui a offert un souper dans un restaurant indien du Vieux Montréal. Des brochettes de bison chez Geronimo. Ils ont fêté toute la nuit.

J'avais oublié. Éva m'avait pourtant dit : c'est le seul de la famille qui m'a vraiment touchée, un bel adolescent rentré aux petites heures du matin alors que ses parents se faisaient du mauvais sang et craignaient d'être en retard à l'église. Des représentants d'outre-mer reçus dans une paroisse de six mille habitants ne pouvaient, au risque de se disqualifier, refuser les hommages de nos prélats alignés diacre, sous-diacre, six officiants psalmodiant l'office dans la nef écrasée par des arcades de fleurs. Tout un spectacle. Vous voyez ça d'ici.

Je regardais la photo dans l'album resté sur la table. Ce beau garçon habillé de drap fin me rappelait les cousins riches qui débarquaient chez nous à la canicule pour se prélasser sur les charrettes de foin, belles manières, peau de lait, voix de touristes m'as-tu-vu qui résonnèrent à nos oreilles jusqu'au jour où l'on put se payer, comme eux, des voyages à Miami en Boeing 747.

Étais-je injuste envers le fils de Monsieur B ? Les enfants de cette génération étaient nés dans la ouate et avaient bénéficié des bons conseils du Docteur Spock. Celui-ci paraissait avoir gardé son innocence. Pourquoi devrais-je lui tenir rigueur de n'avoir pas su discerner la veille, sous les lampadaires de la rue Saint-Paul, la graine de bâtard semée ici par les gouverneurs, les intendants et les soldats français ?

Roxane veut faire carrière dans la musique. Elle exécute un prélude de Bach sur le piano à queue, attaque ensuite une fugue, introduisant une première voix suivie d'une deuxième, puis d'une troisième et d'une quatrième qui se fondent en une seule coulée. Bientôt, l'écart entre l'alto, la basse et le soprano ne s'entend plus. Je glisse dans cette durée sans faille, sans drame, qui m'autorise à vivre l'histoire avec lenteur. Un jour, j'en suis sûre, la patience de l'art aura raison de la bêtise humaine.

— Moi, ce qui me fait rêver, c'est pas Nicolas, Trestler ou la tour Eiffel.

— C'est quoi ?

— Si je partais pour l'Europe, j'irais tout de suite voir le pays de Goethe et de Wagner.

Heureusement, Stefan ne l'entend pas. Les Allemands lui tombent sur le cœur, même au cinéma. À dix-sept ans, il émigrait à Hamilton, demandant « parlez-vous français ? » à des gens qui ne pouvaient répondre ni oui ni non. Auparavant, il avait traîné sous tutelle nazie le bacille de Koch dans les Ardennes françaises, et rampé sous les obus de la mafia yankee visant San José et la villa du cousin Teodoro, social démocrate président d'une république de bananes à peine plus grande que l'île de Montréal.

L'Amérique est le continent de l'adolescence. Mon père avait aussi dix-sept ans lorsqu'il quitta Lowell pour la vallée du Saint-Laurent. Et quand Johan-Joseph Trestler, à peine plus âgé, débarqua à Québec, deux cents ans plus tôt, portant fusil et ignorant peut-être l'existence de Goethe ou de Wagner, il ne comprenait sans doute pas pourquoi, dans une colonie anglaise, tout le monde parlait français. Ces trois adolescents avaient fait souche en ce pays au hasard des guerres et des immigrations, et je m'étais attachée à eux, mais les canons continuaient de tonner. La mort contaminait les archives et pourrissait l'imaginaire. Ce qu'on appelait pompeusement l'histoire, la culture, n'en était souvent que la caricature. Les nazis avaient chauffé les fours crématoires en se délectant des préludes et fugues de Bach.

À dix heures du soir, Lise et Roxane me quittent pour retourner préparer des examens, revoir des textes, passer des coups de fil à des amies. Avant de me laisser, elles s'inquiètent.

— Vous n'aurez pas peur de rester seule ?

— De quoi voulez-vous que j'aie peur ?

— Oh rien, mais cette grande maison, et toutes les histoires qui circulent.

Je crâne. Je dis mais les histoires n'ont jamais mangé personne, et j'en écris moi-même, alors vous pensez bien. Cette réponse les satisfait. Vingt ans de plus me donnent une sérieuse avance. Elles ne savent pas que l'on écrit pour se protéger du réel.

Lise s'approche.

— Vous aimez les histoires ? Alors écoutez, je vais vous en raconter une. Vous voyez la maison au toit rouge derrière le jardin ?

Je colle mon front à la fenêtre. Derrière la vitre, tout est couleur d'encre. Après quelques secondes, dans cette absence de formes et de contours, une lumière jaune commence à vaciller au fond de ma rétine.

— Là où est la lumière ?

— Exactement. Cette maison est habitée par un homme seul qui ne sort jamais. On prétend qu'il a un vrai Rembrandt dans son salon et qu'il le regarde chaque soir pendant des heures.

— Ça m'étonnerait. Les vrais Rembrandt ne courent pas les rues.

Après coup, cette protestation me paraît suspecte. Pourquoi serait-ce absurde de trouver un vrai Rembrandt là plutôt qu'au Louvre ? Et pourquoi la présence d'un tableau de maître dans une maison solitaire devrait-elle étonner davantage qu'un bas-relief d'Assurbanipal au British Museum, des tessons de bouteille de Coca-Cola à Chichen Itza, ou des réfrigérateurs à Fort Chimo ?

La porte se referme. Je fais glisser le verrou de sécurité. Me voilà seule dans la maison Trestler avec pour tout voisin un homme qui veille Rembrandt. Je regarde au-dehors. La baie se resserre comme un étau autour du domaine. La noirceur rampe, finissant par m'atteindre. J'aurais dû éclairer le hall et le salon avant leur départ. J'aurais dû garder à vue ces gerbes de fleurs qui me rattachaient à la clarté du jour et empêcheraient les esprits de s'éveiller et d'enfoncer leurs grandes bouches d'ombre dans des cauchemars encore jamais faits.

Un homme extravagant qui a déjà visité la maison m'a dit un soir où nous dînions ensemble : « Dans cette maison, il y a eu un drame, un assassinat, et je suis sûr que la malle de fer de la grand-salle n'y est pas indifférente. » Il me voyait, les yeux exorbités, et continuait : « L'endroit où ça s'est passé ? La porte arrière conduisant à la cave. » Il insistait : « Mais voyons, pensez-y. Trestler, c'est le commerce, la fourrure, l'argent. Il est impulsif, bon vivant, il aime la bonne chère et les femmes, alors un geste est vite fait. »

Assise face à lui, je scrutais la photographie du reportage que j'avais tenu à lui montrer, mais cette porte n'y figurait pas. Rien de ce que je redoutais n'en transpirait. La panique a une autre forme. La sentant poindre dans mon regard, il s'est finalement esquivé dans un éclat de rire : « Excusez-moi de vous avoir troublée. Si j'écrivais ce roman, ça serait très arsenic et dentelle. »

Le sol paraît bouger derrière la porte-fenêtre de la cuisine. Je me trouve au-dessus du caveau mystérieux qui fascinait Hector. La mémoire bascule du côté sombre de l'imaginaire, retrouvant cette terreur qui me glaçait, enfant, mains moites, jambes paralysées, malgré le désir de fuite. Y a-t-il un mot, des gestes pour arrêter l'effroi ? Je m'accroche aux objets cernés par la lampe. D'abord cette table basse et ces chaises de pin. Puis ces armoires en bois blond, cette surface de travail recouverte de terre cuite, les livres de recettes dont aucun ne me dit : personne ne te veut de mal, ferme le dossier Trestler, les morts ont aussi besoin de repos.

La peur est un orchestre qui ne s'entend bien que la nuit. Je me précipite dans le hall et m'engouffre dans l'escalier Tudor. Elle m'a vue venir, le regard sombre, les traits plombés. Portait-elle cette robe sinistre lorsque je l'aperçus pour la première fois ? Collée à la rampe, je m'éloigne du mur où elle a suspendu la tête d'Holopherne qu'elle vient d'égorger. Du sang, toujours du sang. Judith du Prado, n'aurais-tu pu utiliser tes bras à meilleur escient ? N'aurais-tu pu t'y prendre autrement pour libérer les tiens ? Je sais, oui, toutes nous portons la mort dans nos ventres, même lorsque nous accouchons. Et cependant nous repoussons sa force d'anéantissement. Mais la peur nous met en état de légitime défense.

Au lendemain de ces frayeurs, j'ai toujours été tentée

par d'innombrables meurtres. Il ne fallait d'ailleurs pas s'en priver. Ils nous en racontaient à pleine bouche. L'année de la conscription, dans les journaux, sur la place publique, ils parlaient de la guerre comme d'une chose naturelle. Ils peignaient des fresques grandioses, et les fiancées se bousculaient sur le quai des gares, étreignant l'homme aimé qui partait pour le front tandis que les marraines de guerre commençaient à tricoter des gants et des chaussettes pour les valeureux soldats. Sur les estrades, on dressait des arcs de triomphe à grand renfort de gestes. Mais jamais nous n'entendions parler de viol, de massacre, de carnage.

On n'exhibait que du propre. La sueur, les cris, les excréments des blessés n'entachaient pas non plus les manuels d'histoire qui encombraient le grenier. Dans ces livres à reliure d'or, on racontait aux enfants sages comment le camp ennemi avait été passé au fil de l'épée. Ni couteaux ni ciseaux, mais du fil. Un point par-ci, un point par-là, et l'anecdote progressait comme une innocente et glorieuse broderie.

En réalité, je croyais assez peu à ce déploiement de cuirasses et de cuissardes, de casques à mentonnière, de cottes fabriquées comme nos foulards d'hiver, un rang à l'endroit, un rang à l'envers, et continuez tout droit. Mais ce théâtre d'ombres était d'abord un théâtre de mots. Je succombais à la fascination. Morts et vivants concordaient grâce aux effets de style qui nous les présentaient également dignes d'estime et d'admiration.

Plus tard, dans le noir des chambres, je palpais les draps parfumés d'herbe qui avaient blanchi dans la cour au grand soleil, et j'essayais d'imaginer les femmes qui préparaient le repos des guerriers. On ne nous livrait rien de leur vie. Employaient-elles tout leur talent à lessiver le linge, à cuire les repas, à tisser la catalogne, ou prenaient-elles le temps de lire, de parfumer leurs cheveux et de contempler leur corps dans ces miroirs au tain passé comme il s'en trouvait un sur l'étroite cheminée de la chambre des garçons, seule pièce de la maison convenablement chauffée, à part la cuisine, où je prenais le bain du vendredi quand ils étaient dehors.

Ce soir, dans la chambre à courtines de la maison Trestler, j'épuise le silence. Allongée en travers du lit, je m'agrippe à toute pensée qui pourrait m'empêcher de glisser dans l'espace d'ombre où je refuse d'aller. Je crains cette peur dont la cause me demeure cachée.

Pour comprendre ce qui m'arrive, il faudrait pouvoir avancer des dates, citer des faits. Mais dans cet enfer d'ombres où s'entassent les âges successifs d'une frayeur trop ancienne pour être nommée, il n'y a pas d'issue mais des étapes à parcourir.

Je promène mon regard sur le papier peint des murs, scrutant l'enchevêtrement des rosaces superposées aux lignes verticales formant un léger relief, comme si tout mon équilibre et toute ma sécurité tenaient à la qualité et à la densité de l'observation. J'adhère à ce papier comme aux pages d'un livre, feignant de croire ce que l'on me donne à lire, des guirlandes, des arabesques, des feuillages dont la calme ordonnance atténue ma terreur grâce à une répétition obsessive. J'ai gagné. Mes craintes diminuent. Le cœur recommence à battre plus lentement. J'entends de nouveau les ronflements du système de chauffage. L'illusion aide à s'épargner un plus grand mal.

« Vous savez que c'est ici qu'a dormi Nicolas », avait tenu à souligner Éva. Elle aurait dû se taire. Quand je couche à l'hôtel, je préfère ignorer qui m'a précédée. Les gens souillent les draps sans laisser de traces suggérant leur passage. Aussitôt seule, je m'approche des lits jumeaux pour en vérifier la fraîcheur. Les oreillers sont impeccables, mais l'un des deux matelas paraît creusé au centre. C'est là qu'il a dû dormir. Je choisirai l'autre.

J'ouvre ensuite le cahier noir à tranche rouge posé sur le bureau. Une suite de phrases élogieuses, tracées dans des calligraphies plutôt banales, adressent aux hôtes les louanges et les remerciements d'usage. Je cherche la date honorifique. Rien du bel adolescent, pas même ses initiales.

Bientôt, un chat ronfle dans mon sommeil. Des bruits confus montent de la grand-salle. Je me retourne, cherchant à esquiver la bourrasque qui déplace la maison plus au nord. De temps en temps, j'entrouvre les yeux et j'interroge les pierres. Un feu a déjà brûlé dans cet âtre, dépouillé de son pare-étincelles, qui paraît n'avoir pas servi depuis longtemps. Que s'est-il passé dans cette chambre qui ait un rapport avec ce qui s'est passé dans une autre chambre, différente et cependant semblable, au bas de laquelle défilaient les caravanes en provenance des États ?

Mon père venait de mourir, emporté par le cancer. Trop d'idées troubles avaient germé dans sa tête. Trop d'objets *made in USA* lui étaient passés entre les mains. Ma mère brûla ses vêtements et déposa dans une urne la poignée de cendres qui restait de l'incinération. Puis elle vendit la propriété, douze vaches maigres et trente arpents de terre cédés pour une bouchée de pain.

Nous émigrions en ville. Les garçons entraient au

collège. Une deuxième maison, blanche, accrochée à une pente abrupte, surplombait le Saint-Laurent où glissaient des dauphins et des paquebots. Cette habitation ne comptait ni cave ni grenier. Je quittais de belles extases, un long cauchemar. Entre mes heures de travail, j'écrivais des poèmes et je dévorais des livres. La passion des mots me brûlait plus que jamais.

C'était l'été de mes seize ans. Dans la véranda, un garçon qui venait d'étudier *L'Être et le néant* m'expliquait l'existentialisme français. Je l'écoutais béatement. Le zen n'avait pas encore contaminé l'Occident, mais les filles avaient des seins, des lèvres, des cuisses qui donnaient des idées. Soudain, entre deux phrases compliquées, il s'approcha et m'embrassa. Il avait mauvaise haleine. Je rougis et reculai d'un pas, comprenant soudain que les mots pouvaient être le plus court chemin pour arriver au sexe.

Son corps n'avait pas participé à l'assaut. Le mien fit demi-tour et disparut derrière la porte à moustiquaire. Deux minutes plus tard, je m'écroulais sur mon lit, dégoûtée des garçons, de la philosophie, de l'existentialisme.

Rien ne garantit la vraisemblance des faits pressentis, mais je suis sûre que Catherine a dormi dans cette chambre. Sûre que ses pieds ont glissé sur ce plancher gondolé où je pose les miens. Elle s'est approchée du miroir, un certain soir, et elle a dénoué ses cheveux. Brune, la taille bien prise, elle se trouvait ordinaire, ou même plutôt laide. Mais Éléazar est entré. Il s'est approché, le regard fiévreux, et elle a repris confiance.

Sans hésiter, il la soulève, la dépose sur le lit et délie les lacets de ses bottines. Il a pour elle les gestes tendres qu'elle attend depuis toujours. Elle le laisse défaire son corsage. Elle consent à le voir caresser et mordiller ses seins. Une bonne chaleur remplit son ventre. Elle l'attire à elle.

— Venez.

— Catherine, je ferais n'importe quoi pour vous garder dans mes bras.

— Alors évitez de faire du bruit. Si mon père vous entendait, nous serions perdus.

À mon tour, je me dévêts, trop blanche, trop décente. J'enfile la longue chemise de nuit et m'allonge entre les draps glacés. Le vent du nord faiblit. Je ferme les yeux. Un peu de chaleur me vient. J'attends l'homme qui me délivrera de mes seize ans.

Le souffle d'Éléazar se répand sur mes joues. Nous nous rapprochons, osant à peine nous regarder. Un léger tremblement agite ses paupières. Je voudrais toucher ses yeux, palper ses cheveux, en suivre le fol éparpillement sur le cou et les oreilles. J'ai depuis trop longtemps rêvé de cet instant.

Chaque nuit, mon imagination flambe autour du même visage. Un homme me parle. Sa voix me trouble. Il caresse mes chairs, prend ma bouche, et une complicité nous lie aussitôt. Mais je vais trop vite. Cela n'a pas dû se passer ainsi. Catherine n'a probablement jamais reçu son amant dans cette chambre. Dans ce lit ou un autre semblable, elle s'est sans doute beaucoup ennuyée. Elle y a rêvé de choses impossibles. Elle y a maudit son père pour sa froideur, pour la fausse douceur et la fausse pudeur imposées.

Au réveil, elle oublie ces pensées monstrueuses, sachant qu'un homme l'attend. Ce garçon gagne six cents shillings par an, et il ne sera jamais médecin, avocat ou seigneur, mais ses épaules dépassent celles de J.J. Trestler. Ses bras forment une ceinture chaude autour des reins de Catherine lorsqu'ils se donnent rendez-vous derrière le chenal, à l'entrée du sous-bois. Le reste du temps, ils échangent des messages dans les écuries, derrière la laiterie ou le hangar à potasse. Adélaïde est parfaite. Elle feint de ne rien voir. Elle ne pose aucune question.

Encore ce matin, le ventre de Catherine est en fête. Intact, mais gonflé comme un fruit chaud. Elle se met à courir, inquiète, les sens contrariés. Plus tard, dans l'après-midi, elle perd vingt longues minutes à attendre Éléazar, et les instants qu'ils passent ensemble sont comptés. Il apparaît enfin, vif, le pas léger.

— Que vous est-il arrivé ? J'avais peur qu'on ne nous ait découverts.

— Impatiente Catherine, pourquoi vous tracassez-vous toujours pour rien ? Vous savez bien que je vous aime.

Ses mots portent loin. Il a presque crié. Nous faisons trop de bruit, on nous entendra. À voix basse, je le supplie.

— Répétez-moi ces mots.

— Catherine, je vous aime plus que tout au monde.

Je me jette dans ses bras, et il pose ses lèvres sur mon front. Ses mains pressent mes épaules. C'est la première fois que nous sommes si près. Tant de fois j'ai

170

désiré cet instant, nos corps s'aimant et se touchant sans prudence ni retenue. Il se détache légèrement, tendant vers moi ses lèvres chaudes. Je m'écarte, effrayée. On ne cède pas tout si facilement lorsqu'on est une Trestler.

Il me scrute, inquiet. Ses yeux me supplient d'abord en silence. Puis il dit : « Vous avez complètement changé ma vie. Je vous aime. Je ne peux renoncer à vous. » Je retiens chacun de ses mots. La voix lente et grave, l'hésitation, et les quelques minutes de silence qui suivent. Tout cela pourrait arriver ici même, si j'y consentais. En moi naît le besoin de provoquer l'événement, peut-être même le scandale.

— Pourquoi avez-vous tant tardé à venir ? Je craignais de ne pas vous trouver.

— Mais je suis là. Vous savez bien que pour vous je ferais l'impossible.

— Très bien, vous aurez justement l'occasion de le prouver. Éléazar, ça ne peut plus durer. Il vous faudra parler à père d'ici huit jours.

— Vous tenez vraiment à ce que ce soit si tôt ?

— Il le faut.

— Alors je lui parlerai. Je vous aime. Je vous ai aimée dès le premier jour où je vous ai vue.

Je m'installe dans ses mots comme dans une fièvre. Je vois tout son visage en mouvement, et ce désordre me plaît. À force d'être dites, les choses prennent forme. Je l'oblige à continuer ses déclarations. Il proteste.

— Avec vous, il faut être prudent. Vous prenez tout à contre-pied.

— C'est que, par la faveur du premier négociant de Vaudreuil, j'ai toujours été fort bien chaussée.

— Je n'aime pas quand vous parlez de votre père sur ce ton.

— Je parle de père sur le ton qui me convient.

— Il est un homme de valeur qui mérite estime et considération. Le fait que vous soyez sa fille ne devrait pas vous aveugler.

— S'il avait moins de fortune, le regarderiez-vous du même œil ?

Nos regards s'affrontent. Un silence accablant nous sépare. Il pourrait me railler. Il choisit d'être grave.

— Que voulez-vous dire ?

— Je préférerais être née pauvre. Je serais alors sûre d'être aimée pour moi-même.

— Catherine, oseriez-vous douter de mes sentiments ? La fortune de votre père n'y est pour rien. Il faut me croire.

L'échéance est fixée. Elle le restera. Je ne reviendrai pas sur ma décision. Ensemble nous quitterons la maison Trestler, son ordre, sa rigueur. Ensemble nous mettrons un terme à ce qui fut mon passé. Éléazar a huit jours pour trouver les mots justes.

En silence, j'affûte les miens. Monsieur mon père, la plus belle union du comté se fera sous votre toit. L'épousée sera blanche comme neige. Voyez, son front est pur, son flanc vierge même si, à votre insu, elle a déjoué vos calculs avant que vous ne l'accabliez d'un refus ou ne la contraigniez à une alliance malheureuse. Bientôt, elle sera hors de vos exigences. Hors de votre colère, de vos prétentions. Car j'irai jusqu'au bout de mon désir, quelle que soit votre décision. À moins que vous ne daigniez enfin me considérer comme votre fille et estimer, à ce titre, que je possède quelque droit au bonheur.

J'invente d'autres déclarations aussi solennelles et insensées. Je me les répète, modifiant les arguments, variant les intonations, accentuant les temps forts et les chutes. Je joue mon avenir sur une phrase, mais chaque minute accroît mon angoisse. Mes nerfs s'effritent. Je sursaute au moindre bruit. L'appétit m'a quittée. Je dors à peine, passant des heures, la nuit, à respirer les bouquets de fleurs posés à mon chevet. La chambre est remplie de pollen. Dehors, les chrysalides se déchirent et les papillons naissent. Dans la cour, les chats se poursuivent. Mais à l'intérieur, le temps croupit. Cette folie m'épuise.

« Pourquoi es-tu si agitée ? »

Je fuis ma sœur, craignant de trop dire. J'évite aussi Adélaïde. Ce matin, elle arrosait ses fleurs, une capeline épinglée sur les cheveux, et elle m'a souri à distance. J'ai pressé le pas. Elle m'aurait entraînée dans la cuisine où elle m'aurait servi un bol de lait après m'avoir regardée de ses yeux lents. J'aurais flanché. Ma tête aurait basculé contre son épaule sentant la terre, les germinations, et j'aurais tout avoué. Or, je dois préserver mon secret.

À l'extrémité du jardin, devant le hangar à potasse, Marie-Anne Curtius a allumé un grand feu sous le chaudron de plein air. Elle surveille la cuisson du savon de castille dont on vient de lui donner la recette. Couverte de fumée, elle ignore ce qui se trame derrière son dos. Je suis tranquille de ce côté. Mais je vois de moins en moins Éléazar, occupé à dresser les arrêtés de compte de la saison. Chacun des prêts, des soldes et des arriérés accumulés renforce l'interdit que nous devrons briser. Mon avenir repose sur l'avoir des débiteurs, leurs troupeaux de bêtes à cornes, leurs chevaux de trait, leurs récoltes, leur sueur, leur misère. Mon bonheur est lié aux lingots d'or, aux traites et aux créances gonflant les coffres du maître de maison.

La fortune de père tient à sa conception du travail et de la justice. Au Parlement, il défend les marchands et appuie l'évêque qui condamne les sorties et les sauteries auxquelles s'adonne la population pour se distraire. Redresseur de torts, il estime qu'un peuple ne doit s'adonner qu'à des occupations profitables. Le travail et le gain sont ses deux seules orgies.

Hier, il triomphait. À la demande des marchands britanniques, l'évêque a aboli un certain nombre de fêtes religieuses. « On ne peut passer son temps dans ces charivaris », a-t-il dit à mes frères dans un but d'édification. Il a enchaîné en brossant un sombre tableau de Montréal. Ces cris montant des tavernes, ces attelages figés aux portes des débits de boisson, cette déchéance des filles de joie agglutinées aux fenêtres des maisons closes.

J'ai tressailli en entendant le mot joie, me demandant par quelle erreur l'on associait le péché à la joie et la vertu à la tristesse. J'imaginais des femmes maquillées passant leurs journées à séduire les hommes au fond de chambres sordides où elles se livraient avec dégoût à des pratiques qui les rendaient malades ou enceintes, et l'expression femme de peine me paraissait plus conforme à leur situation. J'ai eu envie de dire : « Père, vous ne savez pas de quoi vous parlez, ces femmes sont tristes à mourir, la fille de joie habite sous votre toit, regardez-la bien, je suis amoureuse et j'en suis fière. »

Éléazar m'a regardée, et j'ai ravalé mes paroles. Cette maladresse aurait pu nous perdre. Que m'importent, après tout, les doléances de père et son mépris du plaisir. Que m'importe son dédain de la bière, de la fête, sa préférence pour le bordeaux et le whisky servis aux repas des seigneurs et des bourgeois qui l'honorent de leur accueil. Quand j'habiterai ma propre maison, je supprimerai ces fastes. Nous mangerons comme des gens simples.

Encore deux jours, et je serai débarrassée d'un mensonge, délivrée du silence et de l'ennui. Mais le temps avance, et ma volonté faiblit. J'entends déjà les menaces, les accusations. On tentera d'intimider Éléazar, de l'humilier. On voudra le congédier. On lui rappellera qu'il n'est qu'un modeste employé à la merci de son bourgeois.

Inquiète, je cherche des indices rassurants. Un rayon de soleil filtrant par les lucarnes, un souvenir heureux qui me tranquilliserait pendant quelques minutes, une vibration de l'air, plus douce, qui tempérerait ma fièvre. Mais aucun signe, aucun bruit venu des chambres que j'explore ne m'apporte l'apaisement attendu. Rien ne vibre. Les choses se ferment, ravivant un déchirement ancien. Cette maison m'aura été hostile jusqu'au dernier moment.

J'ai pourtant une idée. Une fois redescendue au rez-de-chaussée, j'entrouvre la porte interdite, cette pièce jouxtant la grand-salle, où père se retire chaque soir depuis son élection à la Chambre. Les querelles du *Canadien* et du *Quebec Mercury*, dont il nous entretient à table, s'y trouvent affichées. Certaines découpures de journaux sont jaunies, d'autres sentent l'encre d'imprimerie. Sur l'une d'elles, père a inscrit au crayon gras le mot *Bastard !* La voix des Canadiens est soulignée de bleu, celle des Anglais, de rouge. Je devine, à la disposition des articles et à la vigueur des coups de crayon qui les raturent, les moqueries, les mises en garde et les insultes échangées. Deux peuples restent unis par cela même qui les divise : la peur des Américains.

Derrière ce débat politique persiste un mystère. Le côté caché de père, sa fuite dans le travail, la vigueur de ses principes. Sa violence précédant l'instant de tendresse qu'il m'accorde parfois à la dérobée, craignant de trop se

176

livrer. Et lorsqu'il pense avoir dépassé les bornes, sa bouche amère, et sa voix lasse appuyée d'un geste esquissé dans le vide. Le souvenir de ce geste, voilà tout ce qu'il me reste de ces années de cohabitation, même si, avant Éléazar, il fut mon seul guide, ma seule passion.

Car l'idée que je me fais de Dieu, du monde, de la guerre, m'a été inspirée par ses attitudes. Dans cette pièce imprégnée d'une forte odeur de tabac, je sens ses exigences, son refus d'accepter que les marchands qui siègent au Parlement soient considérés par le gouverneur comme de vulgaires boutiquiers. Lorsqu'il reproche à la nouvelle administration de n'estimer que les médecins, les apothicaires, les avocats et les notaires formant l'élite montante, il dit avec mépris, comme on dirait d'une mère pour ses enfants : « Elle les fait manger dans sa main. »

Belle caricature de la vie politique où la part des femmes est tenue pour nulle. Ils ne savent pas que moi, et beaucoup d'autres femmes, brûlons d'un feu qui pourrait couvrir plusieurs chapitres de leurs livres. Père n'a d'estime que pour le grandiose et le spectaculaire. Regardez cette maison qu'il croit indestructible. Eh bien, je vous prédis que son règne s'achève. Ses pierres éclatent, ses murs se lézardent, son toit se fissure. Demain, dans ma chambre, je déjouerai le partage de la loi et du sang.

Je n'ai plus rien à faire dans cette pièce. L'histoire qu'on y raconte ne me concerne pas. Je dois rejoindre Éléazar et le convaincre de faire vite. Je cours vers le bureau des comptes. Toute prudence m'a quittée.

— Éléazar, traversons la frontière et allons nous épouser là-bas.

— Mais vous êtes folle. Nous nous placerions dans l'illégalité, et votre père nous aurait tout de suite rejoints.

— Pensez moins à lui et davantage à nous. On dit

que beaucoup de couples le font pour éviter de payer la dispense.

— Catherine, réfléchissez un peu. Dans notre cas, ce n'est pas une question de dispense.

— Dans notre cas, il s'agit de forcer son consentement. Vous connaissez sa générosité avec l'Église. Il peut amener l'évêque à fermer les yeux s'il le désire.

— Je ne vois rien, dans notre situation, qui concerne l'évêque.

— Rien qui concerne l'évêque, mais tout qui blesse l'orgueil de père et lèse ses intérêts. Vous savez fort bien que vous n'êtes pas le gendre attendu.

Éléazar recule d'un pas. Ses yeux flambent. Dans cet éloignement, face à lui, je redeviens une demoiselle Trestler. Une héritière promise aux plus hautes alliances, et aux plus austères vertus, devant honorer la tradition bourgeoise.

— Je n'ai pas oublié ma position, dit-il. Je sais fort bien que je n'ai ni titre ni fortune à vous offrir.

— Je vous en prie, Éléazar, ne le prenez pas sur ce ton. Je vous aime, le reste est sans importance.

— Je saurai vous prouver que la vaillance et la fierté sont un atout que notre société a tendance à négliger. Si vous m'épousez, Catherine, je vous jure que vous n'aurez jamais à rougir de notre situation.

— Je ne regretterai rien, je vous assure. Tenez, si vous doutez de ma parole, prenez-moi ici maintenant.

Je me suis rapprochée de lui. Je vois, par l'échancrure de son col, battre les muscles de son cou. Son souffle brûlant est sur mon front, mais il ne fait aucun geste. Je ne rougirai pas. Il me regarde, les yeux avides. J'insiste.

— Prenez-moi.

— Catherine, baissez la voix. Imaginez le scandale si on nous entendait.

— Vous avez peur ?

— J'ai peur des ennuis que vous vous attireriez si je compromettais votre honneur.

— Mon honneur ? Vous appelez un honneur être enfermée ici sous la garde d'une étrangère à qui mon existence a toujours pesé.

— Catherine, vous m'effrayez. Je ne sais plus si c'est par amour ou par révolte que vous souhaitez quitter cette maison.

— Rassurez-vous, ma révolte compte moins que mon amour. Mais vous-même, Éléazar, répétez-moi que vous m'aimez.

— Je vous aime, Catherine. Je vous aime comme personne n'a encore jamais aimé.

— Alors si vous m'aimez, vous ferez ce que je vous demande. Ce soir, père rentrera tard de Montréal. Je m'arrangerai pour que Madeleine quitte la chambre. Quand vous verrez la pointe d'un mouchoir blanc sous ma porte, cela signifiera que vous pourrez entrer.

Il me dévisage, incrédule, mesurant l'extravagance de ma proposition. Le silence grandit. Mes mains sont trempées. Je redoute son refus autant que mon audace. Mais il est trop tard pour renoncer à cette folie qui court, superbe, du ventre à la bouche.

— Catherine, vous prenez de bien grands risques pour un homme qui ne vous égale en rien.

— Ne discutons plus. Ce serait peine perdue, père resterait sourd à nos arguments.

— J'aurais tant souhaité vous offrir un avenir à la hauteur de votre rang.

J'avance avec lui vers la fenêtre et lui montre du

doigt les deux branches d'érable qui s'entrecroisent derrière la vitre. Le bonheur est possible. Il suffit d'y croire, de le retenir. Éléazar sourit. Il se penche et m'embrasse.

— Folle Catherine. Votre violence m'attire autant que votre douceur. Aidez-moi à croire que nous ne rêvons pas.

Ce n'était pas un rêve. Aussitôt la noirceur tombée, Éléazar a entendu le pas de Madeleine à l'étage et il s'est glissé dans le couloir où il a vu la pointe du mouchoir sous la porte. Il a ouvert doucement et s'est avancé vers le lit. Je l'attendais, vêtue d'une chemise de nuit blanche comme les épousées. Mon cœur battait. Je ne connaissais rien aux réalités de l'amour, mais j'étais prête, offerte au désir, au scandale qui suivrait.

Un rai de lumière échappée de la lucarne tombait sur mes épaules. Il baissa la tête dans cette lueur en prononçant mon nom. Il me pressa contre lui, me garda ainsi longtemps sans bouger, puis défit lentement mes tresses. J'enlevai la chemise. Il glissa la main derrière mon dos et encercla mes reins. Il préparait l'étreinte, éveillant mon corps à des sensations que nos baisers furtifs avaient mûries sans jamais les satisfaire.

Attentif, il entreprenait la lente exploration que je n'osais risquer sur son propre corps. Il me renversait, atteignait l'ouverture qui incitait à aller plus loin. Bientôt, nous respirions au même rythme. Une ceinture de feu entourait mon ventre. Il me traversait, élargissant l'anneau de chair enfoui dans la douceur des tissus qui nous liaient l'un à l'autre, confondus dans cette douleur qui touchait le bas-ventre.

J'étais fière de la déchirure qui ouvrait mon sexe. Je sentais dans l'amour le goût d'achèvement et de recommencement. Nous abolissions les frontières du corps. Je fermais les yeux. Était-ce l'extase, ou l'effort de tendresse dans la maladresse de l'échange ? Je n'aurais su dire. Lorsque je me soulevai, des gouttes de sang tachaient le drap. J'étais devenue femme.

Éléazar essuyait la semence collée à mes cuisses, et l'odeur liquide qui imprégnait le lit renforçait notre pacte. Trempée de sueur, je relevais mes cheveux. Il les rabattait sur l'oreiller, les lissait puis les déroulait de chaque côté de mon visage. À peine détaché de moi, il me ramenait à lui, m'étreignant comme s'il craignait de me perdre, comme s'il m'avait perdue, déjà, et tentait de me saisir avant que je ne lui échappe pour toujours.

Une clameur sourde montait du lac. Peut-être avions-nous dépassé l'heure. Le temps se précipitait. Éléazar était à nouveau sur moi. Il me nommait et me rassemblait sans fin. Collée à lui, je buvais son odeur, souffle suspendu, gestes arrêtés. Je recevais ses caresses, les rendant à peine. J'ignorais encore le bonheur du don.

— Catherine, dites-moi que je ne rêve pas. Dites-moi que je ne vous perdrai jamais.

Je répétais son nom, chassant le nom Trestler de ma mémoire et de ma bouche. Désormais, je m'appellerais Catherine Hayst. J'étais sûre de m'appeler Catherine Hayst. Les syllabes collaient à ma langue, roulaient sous le palais, et Éléazar suivait l'appel. Nous obéissions à l'impulsion du corps. Nous glissions dans un vertige éclatant, bras et cheveux mêlés, longue chute entrecoupée de mouvements blanchis par l'émiettement de la lune sur le lit. L'heure galopait. Une dernière vague mouillait mon sexe. Éléazar s'effondrait.

Je ne sais pendant combien de temps nous nous sommes ainsi appelés, perdus, retrouvés. Ni combien de fois j'ai senti la douleur et le plaisir me traverser avec une égale violence. Nous avions laissé notre signature sur le drap. Ils la remarqueraient.

Voilà les cris. Cela résonne. Cela frappe. L'heure est venue de faire les comptes.

— Vous avez osé faire une chose pareille sous mon toit. Déshonorer ma fille comme si j'étais un paysan ou un vulgaire coureur de bois.

— Je demande à monsieur de bien considérer que je veux épouser sa fille et lui donner mon nom.

— Un nom ! Quel nom ? Un petit commis qui gagne six cents livres par année ose lever les yeux sur ma fille et prétendre vouloir l'épouser ? Vous avez complètement perdu la tête. Avez-vous oublié que vous vous adressez au plus riche négociant de Vaudreuil, citoyen et député à la Chambre ?

— Je n'ai rien oublié du tout. Je prie seulement monsieur de croire que j'aime sa fille et qu'elle me le rend bien.

— Un va-nu-pieds que je fais manger à ma table veut épouser une des meilleures dots du comté ? Pour comble, il me parle d'amour comme s'il s'agissait d'une fille de joie. Dans cette maison, on n'a jamais fait passer l'amour avant le devoir et la raison.

Oui, je sais. Travailler, peiner, accumuler des biens. Feindre et ruser pour imposer aux autres l'excellence de sa condition. Je connais ce refrain. On me le répète depuis toujours.

— Vous dites vrai, père. L'amour et la joie ont toujours tenu peu de place dans cette maison.

— Tais-toi, fille ingrate. Elle peut prétendre aux meilleurs partis et qu'est-ce qu'elle demande ? Épouser le commis de son père ! Je ne te le permettrai pas. Jamais tu n'épouseras ce garçon, tu entends ?

— Dans ce cas, père, je crains bien que nous devions nous passer de votre consentement.

— Vous passer de mon consentement ? Tu oublies que tu es mineure et que je peux en appeler de la loi pour empêcher ce mariage.

— Comme bon vous semble. Mais Éléazar m'a déjà connue. Vous risquez un scandale plus grand. Votre honneur souffrira bien davantage si vous devez donner le nom Trestler à un bâtard.

Il sursaute. Le rouge lui monte au front, et ses mains se crispent. Il pâlit. Je ne l'ai encore jamais vu dans cet état. Soudain, je veux en finir, renoncer. Mais il se charge de renforcer ma détermination.

— Tu as prononcé le mot bâtard, et je ne t'ai pas encore frappée. Je t'enfermerai dans un couvent pour le reste de tes jours.

— Ce serait peine perdue. Je m'en échapperais. J'aime Éléazar. Je le retrouverai quoi qu'il arrive.

— Éléazar Hayst n'est plus à mon service à compter de cette minute.

Les yeux injectés de sang, père ouvre le coffre-fort de la grand-salle, en tire un papier qu'il déchire et piétine avec rage. Le travail d'Éléazar, ses appointements, les conditions de son servage sont annulées avec ce contrat d'embauche. Il croit nous avoir réduits, mais son commis lève fièrement la tête.

— Je ferai remarquer à monsieur que je suis jeune, rempli de courage, et que je trouverai ailleurs un travail pouvant satisfaire ma compétence et mes ambitions.

— Voilà bien de quoi il s'agit. Avec plus de compétence et moins d'ambition, vous n'auriez jamais eu l'arrogance de séduire ma fille. Je vous ferai poursuivre en justice pour détournement de mineure.

— Inutile, père, je me suis donnée à Éléazar de mon plein gré. Et c'est en toute liberté que j'unirai ma vie à la sienne.

— Je te déshériterai.

— C'est déjà fait. Vous m'avez refusé votre amour et vous avez pris soin, aidé en cela par votre épouse, de me cacher celui de ma véritable mère, Marguerite Noël.

— Fille sans cœur. Je n'ai pas cessé de me préoccuper de ton avenir, de celui de ta sœur et de tes frères.

— Vous avez mis tant de soin à préparer cet avenir que vous avez oublié le présent. C'est maintenant que je veux vivre, père, et uniquement pour moi. Dans cette affaire, je me soucie aussi peu de votre honneur, et de votre orgueil, que vous ne vous êtes préoccupé de mon bonheur.

Suffocant, il s'appuie à la table, cherchant sa respiration. Cette rage contenue m'effraie plus que ses hurlements. Je suis vengée. Sa honte me console des douleurs anciennes. Mais j'aurais préféré lui épargner cette souffrance. En faisant ce geste, je n'ai pas voulu tout ce mal.

Un rapprochement est peut-être possible dans ce qui nous sépare depuis toujours.

— Père.

— Pas un mot de plus, ou je te frappe. Il ne te suffit pas de me déshonorer, il faut que tu m'accables de tes insultes et de ton insolence.

— Je voulais seulement dire…

— Disparais de ma vue. Tu épouseras ce garçon puisque le mal est fait, mais ensuite ne remets plus jamais les pieds dans cette maison. Et ne viens surtout pas mendier à ma porte après ce mariage.

Il fixa lui-même la date. Le dix-neuf mars, pendant la période prohibée de l'Avent, puisqu'il me croyait enceinte. Une dispense de trois bans fut accordée par l'évêque, empêchant sa disgrâce d'être proclamée du haut de la chaire. Ni lui ni Marie-Anne Curtius n'assisteraient au mariage. Elle se porterait malade. Il se ferait remplacer par un voisin.

Par le seul pouvoir de son amour et de sa détermination, Catherine Trestler, seize ans, prend pour époux Éléazar Hayst, vingt-deux ans, désormais sans profession. La nef est nue, sans fleurs ni tapis rouge. Pour tout cortège, il y a Madeleine, Adélaïde, les deux témoins sollicités pour la corvée. On m'a habillée d'une bure de serge brune, jupe droite, col montant sous la gorge, comme si j'entrais au couvent.

Un mariage de troisième classe est célébré à la sauvette à une heure matinale dans une église glacée. Ce sacrement nous est administré d'urgence avant l'ensevelissement et la répudiation. Trop exténuée pour souhaiter briser la rigueur qui me condamne au silence, je regarde le profil d'Éléazar, peau mate, front altier, qui flambe comme un chant d'orgue. Oui, je prends pour époux l'homme à

185

qui je me suis déjà livrée. Ce cérémonial arrive trop tard, nos noces ont déjà eu lieu.

— Pour le meilleur et le pire, conclut l'abbé.

Le pire, c'est déjà fait. Indifférence et abandon. Le meilleur, nous nous l'accordons, ce droit au bonheur que je revendique tandis que nous franchissons, tête haute, le portique de l'église. Quelques curieux sont agglutinés au bas des marches. Ils déshabillent du regard la fille indigne qui a osé faire ce qu'ils ne se permettent jamais sans confession. Quand j'accoucherai, leurs femmes compteront les mois à rebours pour dénoncer mon impudeur. Ce mariage les réjouit. Ni invités ni repas. Ils n'auront pas à envier les plats et les festivités d'une noce bourgeoise.

Madeleine m'embrasse, les yeux humides, le teint défait. Notre attachement refait surface. Je revois nos jeux, nos attentes, nos silences. Nos rires, parfois. Elle prend mon visage dans ses mains et le regarde longuement comme pour fixer chacun de mes traits. Elle risque des souhaits, une promesse.

— Sois heureuse. Ne m'oublie pas. Venez à l'église le vendredi, et je vous apporterai des nouvelles.

Nous prenons place dans le traîneau. Un coup de fouet, et la route s'ouvre devant nous. Le Chemin du Roy est lisse, parfaitement blanc. Gens et bêtes paraissent dormir. Nous sommes seuls à nous mouvoir. Seuls aussi ardemment présents à ce début de jour. J'enfonce ma main dans celle d'Éléazar. Serrés l'un contre l'autre, nous nous taisons, attentifs à la douceur de l'air, au glissement des formes à la surface du paysage. Bientôt, nous quittons Vaudreuil. La maison Trestler s'efface. Me voilà délivrée du passé.

La route luit comme du cristal, nous renvoyant l'absence de tout écho humain. La terre paraît inhabitée.

Autour de nous, aucune voix. Seulement le trot du cheval, et la forêt au bout du regard. Un espace aussi vaste m'effraierait si j'étais seule à le découvrir. Enfermée entre quatre murs depuis l'enfance, me déplaçant rarement et toujours en compagnie de mes parents, je ne savais pas que l'air libre pût être aussi enivrant. Éléazar regarde au loin. Sa main domine la plaine : « Tout cela nous appartient. »

Nous entrons à Saint-Michel de Vaudreuil. Des toits apparaissent entre des touffes de conifères. Nous habiterons un village tranquille formé d'habitations clairsemées. Je devrai m'habituer aux entrées de cour encombrées de neige, aux rideaux tirés sur des fenêtres étroites. Le traîneau ralentit, puis s'immobilise. Éléazar me prend dans ses bras. Nous entrons dans une maison basse entourée d'une haie dégarnie. Il me dépose dans la chambre, sur le lit recouvert d'un édredon de plumes. Sans m'embrasser ni me toucher davantage, il va se placer à distance et s'incline devant moi comme si j'étais un pain bénit.

— Voici votre maison et votre lit, Madame Hayst. Soyez la bienvenue.

— Éléazar, mais je suis ta femme. Approche.

Éléazar, tu n'as pas oublié notre première nuit. Ces aveux, ces caresses, ton corps recouvrant le mien et le labourant de ton sexe. Quelle jouissance et quelle douleur d'être traversée par toi. J'en ai gardé le goût, l'appétit. Approche, Éléazar. Nous devons racheter notre disgrâce et fonder dans l'amour notre propre lignée. Le mariage n'a rien changé. Je suis toujours de chair et de sang. Viens, et je remplirai ta bouche, et j'habiterai ton corps, et tu posséderas mon âme à jamais.

Tu es là. Tu lisses mes cheveux. Tu défais ma robe et m'attires à toi. Tu me couvres de tes mains, éveillant en moi un plaisir qui me gagne lentement. Tu te penches, tu bois ma gorge et mes seins. Je te vois venir et je ferme les yeux. Je te précède dans la longue descente au centre du corps, t'aidant à freiner notre course. Il n'est plus nécessaire de se presser. Nous avons tout notre temps. Toute la vie, et cette maison qui nous accueille tandis que l'autre, là-bas, la maison Trestler, retourne à la dureté de la pierre, à son silence, à ses malédictions.

Je parlais et Éléazar écoutait, rassuré. Désormais je lui appartenais. Nous partagions la fragilité de la découverte, la nécessité du plaisir, l'hésitation du corps, ses audaces et ses reculs. Je ne me lasserais jamais de cet homme. Il riait, toujours apte à vivre l'instant, toujours prêt à partager l'intensité de l'accord.

Après l'amour, je fais le tour de la maison. Je touche le bois blond des murs, humant l'odeur de résine qui parfume chacune des pièces. À l'avant, je vois des fenêtres sur deux côtés, une armoire, un miroir. Adélaïde a tout prévu. Elle a placé un rameau au-dessus des portes, allumé le poêle de fonte, préparé le linge de maison, aéré les pièces. Dans la cuisine, elle a déjà disposé la boîte à sel, le hachoir, les râpes, les écumoires, les poêles et les mortiers à sa convenance.

Des épis de maïs marinent dans une jarre. J'ai faim d'un appétit nouveau. Bientôt, c'est ici que je cuirai moi-même le pain, préparerai les confitures, rangerai le lait et le beurre. Ici que je couperai les légumes, laverai les grains et nettoierai les viandes. Tant de projets m'exaltent, et je ne sais qu'aimer, me coiffer, tirer l'aiguille, préparer des bouquets.

— Je t'apprendrai, dit Adélaïde.

— C'est long ?

— Tout est aisé quand on sait s'y prendre.

Elle m'apprendra. Cette femme connaît les vertus de l'eau et du feu. Elle a déjà soupesé tant de matière, soutenu tant de vies qu'elle connaît l'ordre naturel des choses, leur lien avec l'amour, l'invisible, la mort. Habituée à suivre le corps de ceux qu'elle aime, elle en adopte parfois l'attitude. Il m'arrive de l'apercevoir, assise dans la cuisine, alors qu'elle laisse rouler sa tête sur sa poitrine et reste ainsi longtemps, immobile, oubliée. Puis elle s'éveille et, à mesure qu'elle avance en âge, elle essuie ses paupières cernées de mauve, se plaignant : « Doux Jésus, quelle vie on me fait mener ! »

Souvent, elle se parle à elle seule, ses doigts noueux tâtant le bois des meubles et s'y appuyant, comme si elle attendait de l'intérieur même des choses la mémoire des gestes, le poids de leur nécessité. Et puis, très vite, elle retrouve son élan, recommençant à aimer, à protéger, à nourrir. Adélaïde est une mère qui n'a pas connu d'homme. L'anneau qu'elle porte au doigt, comme les commissures de sa bouche que je connais si bien, renvoie à un passé dont je ne saurai jamais que le mystère. Elle ne se raconte pas.

— Tu verras. C'est facile.

J'ouvre le coffre de cèdre soustrait à l'avidité Trestler, où se trouve le trousseau intact. Je reconnais les nappes, les draps, les tabliers. Je palpe les toiles raides, soulève les dentelles délicates, les tissus froids. Éléazar m'observe du coin de l'œil. Il sait à quoi j'ai dû renoncer. Je le rassure. Je respecterai le pacte qui nous lie. En peu de jours, nous aurons réchauffé ces fibres, habité ces étoffes, rempli ces motifs ajourés. Je compléterai les initiales C.T. de la lettre H. Car je m'appelle maintenant Catherine Hayst.

Un nom bref, formé d'une seule syllabe, qui résonne aux oreilles comme une note de musique.

Je répète « Hayst ». Éléazar s'approche, m'entoure de ses bras et me conduit à la fenêtre dont il ouvre les volets. Dans deux jours, ce sera le printemps. L'air est doux. Nous allongeons la tête au-dehors, mains tendues vers le soleil. La neige s'amincit. Bientôt la terre se dévoilera, nue jusqu'à la ligne violacée de la forêt.

— Tu es heureuse ? Je voudrais tant que tu sois heureuse.

— Je suis heureuse. Parfaitement.

Sur la route, un bruit de grelots. Hector est reparti. Père ne nous a pas fait don du traîneau. Il a simplement fait livrer sa fille à l'homme qui l'a déshonorée.

Je m'éveille. La chambre est glacée. Corps de silence, cuisses gelées, je m'extrais d'une intimité oubliée. Ma tête est une passoire où l'hiver s'est réfugié.

Je fouille la mémoire, mais rien ne s'enchaîne. Dans la conscience, le flou des séquences émiettées de rêves, des visages effacés parmi lesquels se trouvent ceux de Catherine et d'Éléazar. Flâner dans ce lit m'aide à peine à retracer les images oubliées. Je regarde le fauteuil Récamier, le secrétaire de postier où dort le cahier noir dans lequel j'écrirai une phrase réconfortante pour mes hôtes. La porte du cabinet de toilette est ouverte. Je viens de passer une deuxième nuit à la maison Trestler.

Il neige probablement encore. Hier, la radio a annoncé quinze centimètres de neige. Une moyenne de trois cents centimètres par hiver, et cela nous fait la hauteur de la pyramide de Chéops en un demi-siècle. Mais cette architecture mouvante s'écroule à chaque printemps. L'Amérique est construite sur des sables mouvants. Quelques coups de vent, et tout s'effondre. Au lendemain de violentes tempêtes, les journaux dressent la liste des victimes, et l'on s'étonne d'apprendre que l'on est encore vivants. Les analphabètes ont finalement de la chance. Ils vivent leur mort à temps.

Éva est debout. Des heurts d'assiettes et d'ustensiles montent de la cuisine. Une porte se referme. J'entends des pas, des bruits retenus. Un arôme de café me vient, puis des odeurs de pain grillé, la rumeur de va-et-vient familiers. Il faut bouger. Il faut m'arracher à cette somnolence qui me ramènerait tôt ou tard dans la vieille maison grise de la route de Gaspé.

Je soulève les draps. Les notes prises la veille forment un rectangle flou sur le plancher. Plus j'en accumule et moins je sais par quel bout commencer. Je devrai faire le point. D'abord, clarifier les impressions ressenties dans cette chambre et ensuite transcrire le rêve érotique à demi oublié.

J'étais dans les bras d'un homme, je ne sais lequel, les traits se sont brouillés, mais je me sentais désirée. Après la rencontre intime, je me suis levée et j'ai plongé dans une cuvette d'eau chaude sous le regard amusé de spectateurs anonymes. Je ris du stratagème. Les écrivains font leur toilette sur la place publique en utilisant leurs personnages comme paravent. Je rajouterai néanmoins ce détail de la cuvette à propos de Catherine. C'est probablement ainsi qu'elle se lavait, puisqu'il n'y avait ni douche ni eau courante à l'époque où elle vécut.

Accroupie dans la baignoire crapaud, j'ouvre le robinet. La tuyauterie gargouille une plainte acide, et les entrailles de la maison refluent vers moi. Brancher un micro au mur éclaircirait peut-être l'histoire de Catherine et le mystère des esprits de la maison Trestler. L'eau gicle, tournoie, stagne sous mes pieds, mais j'échoue à reconstituer mon rêve. La pensée triche. Elle ne livre à la conscience claire que les fragments de réel tolérés par la mémoire.

J'allonge un bras vers la serviette rose, impeccable, que n'a pas dû toucher Nicolas B. Il a plutôt utilisé la grenat, si par hasard il a eu le temps de prendre un bain avant de refermer sa valise et de filer à l'église avec ses parents pour la messe de dix heures.

J'entrouvre la fenêtre pour vérifier la température qu'il fait. Un froid humide mord les épaules. Il a neigé. Le vent a baissé, mais il souffle toujours du nord. Le temps doux d'hier n'aura été qu'un répit. À la mi-mars, nous sommes encore plongés dans l'hiver.

Dans ma tête, des lieux s'effritent et des dates s'annulent. Ce matin renvoie à trop de souvenirs, trop de saisons, trop de rêves et d'impressions chaotiques. Je voudrais une fois, une seule, vivre le temps à l'envers. Remonter jusqu'à l'homme de Cro-Magnon, la femme du Néanderthal, et revenir ensuite au 20e siècle après avoir traversé l'espace d'un seul bond, comme on revient de voyage.

Dans la cuisine, je fixe les murs de grès de Potsdam comme si je les voyais pour la première fois. La densité de la pierre m'échappe, comme m'échappe aussi le sens des signes contenus dans les rainures de la table sur laquelle fument les œufs et le café. Trop de mystère tue le raisonnement et gâche le goût de vivre. J'ai pourtant assisté à des noces cette nuit. Étaient-ce les miennes, celles de Catherine, ou celles, éphémères et glorieuses, de tous les humains ?

Derrière la porte-fenêtre de la cuisine, le jardin est blanc comme une feuille de papier vierge. Rien n'est écrit. Tout est possible. Les commencements ont une importance que l'on aurait tort de négliger.

— Vous avez vu ceci ?

Éva me présente une photocopie d'un acte de mariage daté du 19 mars 1809. J'examine les signatures. Celle de Catherine, ronde, pleine, a les *t* barrés de hauts traits. Celle d'Éléazar, nerveuse, déliée, affiche des jambages aigus. Une sensuelle combative a épousé un émotif passionné.

— Si les contraires s'attirent autant qu'on le dit, ce couple a de l'avenir.

— Vous êtes une vraie sorcière.

6

J'étais revenue à ma presqu'île. À mon bungalow de banlieue. Une maison basse percée de fenêtres panoramiques
rendant sensible la progression du jour.

Accablée de contraintes domestiques, harcelée par
les attachées de presse qui souhaitaient m'offrir une
livraison gratuite de *Madame au foyer* ou un écrivain
génial dont je pourrais vanter le talent, poursuivie par les
associations de bienfaisance, le Tiers-Monde madame,
Centraide, l'Unicef, j'étais allée me terrer dans le sous-sol
d'une amie pour écrire en paix.

Un soir, en rentrant, je trouve un message. Stefan
a noté un numéro de téléphone surmonté d'une flèche
pointée vers le mot Trestler. Aussitôt le dîner terminé,
je passe un coup de fil à l'historien qui prépare un livre
sur la seigneurie de Vaudreuil et ses notables. Il cherche
des lettres d'Iphigénic, petite-fille de J.J. Trestler qui
épousa un conseiller de la Reine, futur chef du Parlement dont le nom alla à Dorion lorsque la seigneurie se
scinda en deux, à la fin du siècle dernier, sous la poussée
du C.P.R. et du Grand Tronc. Le chemin de fer avait
enfanté cette ville comme il avait semé des provin-
ces de l'Atlantique au Pacifique, et les Chinois y avaient
posé des rails, habillés de blue jeans, longtemps avant
Mao.

Je panique en entendant parler de lettres. J'ai commencé le roman Trestler à partir d'un article de magazine précédant de peu la venue de Monsieur B. Si je succombe à de nouvelles sollicitations, ce livre deviendra l'auberge espagnole où chacun voudra loger. Car, à partir d'un même sujet, chacun envisage un double scénario : le souvenir du roman parfait qu'il se souvient d'avoir lu, le canevas du roman idéal dont il attend la publication. « Cet été, j'ai lu un beau roman, très correct, c'était pas comme du roman québécois écrit n'importe comment », m'a dit une étudiante récemment.

L'historien insiste.

— Je ne peux trouver ces lettres. Je dois romancer, et ça me répugne. J'ai pensé que vous en aviez peut-être une ou deux en votre possession.

Hélas non, monsieur, aucune. Mon stylo se déplace de fantasme en fantasme, aidé de quelques documents et d'une imagination démente qui accouchera de Catherine si Dieu le veut. Je renonce à Iphigénie. Le prénom est si beau qu'il me conduirait chez les Grecs, chez Agamemnon, sa soif de conquête et son désir d'immoler sa fille. Or, je suis déjà débordée par l'Amérique, le Canada *a mari usque ad mare*, la guerre de Sept ans qui nous livra à l'Angleterre, l'occupation américaine qui suit son cours, et cætera, et cætera. Je ne saurais me mettre l'Antiquité sur les bras sans périr. Néanmoins si vous aviez une photo de Trestler ou de ses filles, j'en serais ravie.

L'inconnu, qui se dit historien du dimanche, se dilue au bout du fil. Il a quatre-vingt-un ans, trois bureaux dans le Vieux-Montréal et travaille huit jours sur sept. Il ne peut musarder avec une romancière sans mettre sur le même pied la fiction qui fabule et l'histoire qui dit vrai. Je m'abstiens d'énoncer que la vérité est la part de réel

196

que le mensonge n'a pas encore dilapidée. Je passe également sur le fait que je préfère la passion du rêve au déterminisme des archives.

Peut-être m'a-t-il entendue penser. Ou peut-être suis-je sauvée par le hasard. Il avoue finalement détenir une photo de J.J. Trestler.

— Donnez-moi un coup de fil quand vous passerez dans le Vieux-Montréal, je vous apporterai le négatif.

— C'est vrai ?

— Oui. Trestler était gros, gras. Il devait manger beaucoup de lard et de pâtisseries.

Dans ma tête, Trestler n'est ni maigre ni gras. J'ai soudain peur d'avoir aimé un homme dont je devrai faire mon deuil. Voir ce négatif, c'est accepter de rencontrer l'étranger que je détesterai le reste du roman, puisque Catherine vient de rompre avec son père. Dans la peau de cette fille, j'ai déjà eu deux mères. Si je dois loger un second père dans la mienne, je risque l'égarement.

Cette nuit, j'ai entendu un roulement de train déchirer le silence. Le bruit, d'abord aigu, s'est assourdi, puis s'est atténué jusqu'à disparaître complètement. Dans mon rêve, je voyais une voiture couverte des armoiries du ministère des Postes quitter la gare de Vaudreuil pour aller porter du courrier à la maison Trestler. Une lettre d'Éva me fut livrée dans la matinée. Elle écrivait *c'est ici, n'est-ce pas, que vous lancerez votre roman, je vous attends, à bientôt.* Mon roman prenait du retard. J'en sentais moins la nécessité depuis que je savais Catherine enceinte.

197

À Saint-Michel, le carême traînait en longueur. Catherine attendait la semaine sainte pour se confesser. Certains jours, le remords la tourmentait. Au lever, après le départ d'Éléazar, elle se reprochait parfois de n'avoir pas fermé les oreilles, enfant, aux sermons du dimanche qui condamnaient le péché de la chair.

Ce matin, seule dans le lit imprégné de leur chaleur, elle observe le désordre de la chambre. La courtepointe tombée par terre, ses vêtements jetés pêle-mêle sur la chaise, les serviettes mouillées posées sur le drap lui donnent le sentiment de s'enfoncer dans l'excès du désir. D'habitude cela la rend heureuse, car elle repousse la tentation de culpabilité liée à la jouissance amoureuse. Mais une amertume gâche trop souvent, comme alors, le souvenir de l'étreinte. Accablée par le rejet paternel, elle craint que sa malédiction ne frappe aussi le fruit de leur union.

Alanguie, elle retarde le moment de se lever, d'aller boire, manger, contempler la chatte endormie sur la berceuse. Adélaïde est debout depuis longtemps. Elle le sait par les bruits étouffés, l'arôme de café d'orge et de pain grillé qui filtre de la cuisine, la présence active et effacée de cette femme sans laquelle la clarté du matin serait parfois trop vive.

Envahie par une fatigue nouvelle, elle éprouve, les

yeux mi-clos, le bien-être du désœuvrement. Elle a peine à s'intéresser à autre chose qu'à ce qui s'épanouit en elle, sa rondeur, cette maturation du corps, cette conscience d'une possible continuité du temps. Des impressions confuses éveillent en elle une sensation de bonheur mêlée à une sorte d'engourdissement inquiet. À propos de ces choses, les femmes du village s'enfermaient dans un mutisme prudent qu'elles rompaient seulement après la délivrance de l'enfant.

— Elle a perdu beaucoup de sang. Le médecin a failli arriver trop tard. Il semblerait qu'on a réussi à arrêter l'hémorragie avec des feuilles de plantain.

— Des histoires, tout ça. Les médecins ne soignent jamais avec des herbes.

La matinée avance. Les épaules de la jeune femme se creusent. Elle s'assoit et rabat les draps. Une nausée lui soulève le cœur.

Catherine se lève et marche, nue, vers le miroir. Son ventre luit, à peine marqué d'un gonflement au-dessus de la touffe sombre garnissant le bas-ventre. Sans ces vibrations profondes, sans ces modifications intérieures surtout perceptibles par leurs effets, elle croirait découvrir un corps plat jusqu'à la pointe des seins. Un corps de jeune fille, et pourtant elle se sent femme.

Satisfaite, elle s'arrache à sa contemplation et commence à brosser ses cheveux qu'elle noue en longues tresses. Puis elle s'habille et va vers la fenêtre dont elle tire les rideaux. Le soleil est déjà haut. Elle sourit. Le printemps approche.

— Madame devient fainéante, dit Adélaïde en la voyant entrer dans la cuisine. Si vous n'y prenez garde, l'enfant aura le sang faible.

Catherine entend à peine les mots, distraite par l'odeur de suif et de petit lait qui remplit la pièce. À la façon dont la cuiller heurte le bol, en racle les bords, elle sait qu'Adélaïde prépare un gâteau. Ces gestes l'enveloppent comme un bonheur ancien. Dans l'autre cuisine, elle venait souvent la regarder travailler. Les mains lestes allaient, venaient, touchaient les viandes, la farine, le sucre, comme on revient à une longue habitude. Elles coupaient les légumes, coulaient les jus de fruits dans des sacs d'étamine, chacun de ses gestes se donnant avec amour. Aucun homme n'avait tenu Adélaïde dans ses bras, mais elle paraissait épouser le corps des choses mieux que personne.

En l'observant, Catherine se demande si des bruits compromettants ne s'échappent pas de leur chambre pendant la nuit. L'étroitesse de la maison favorise une proximité gênante pour ces moments d'abandon où elle souhaiterait s'exprimer sans retenue. En même temps, elle trouve injuste que ces étreintes, qui la comblent de tant de satisfaction, soient interdites à une femme qui s'en trouve exclue par l'âge et le célibat. Car Éléazar l'entraîne de plus en plus loin dans la jouissance. Souvent la chandelle se consume avant qu'ils ne s'endorment, leurs corps n'en finissant plus de se chercher et de se rejoindre.

Adélaïde coule la pâte dans un moule et lui donne, comme autrefois, la cuiller à lécher. Catherine pense au livre gigantesque que formeraient les recettes inventées par les femmes depuis des siècles. Plus vaillante, elle rédigerait un carnet sommaire de ses plats préférés pour empêcher l'oubli de ces préparations culinaires. Mais elle sait que le courage lui manquera, tant elle préfère vivre l'instant et laisser à d'autres le soin d'écrire ce qui nourrit et réjouit le corps de mille et une manières.

Enfant, elle s'était dit qu'elle aimerait se trouver un jour dans la peau d'un écrivain. Or, curieusement, l'extravagance de ce désir a cessé de l'étonner depuis qu'un enfant se forme dans son ventre. Elle comprend maintenant mieux comment on peut se laisser envahir par une vie, décider de l'absorber et de l'aimer comme la sienne.

La chaleur du four la rejoint. Tout à fait éveillée, elle éprouve maintenant une sérénité calme. Un épanouissement serein qui la fait s'étonner de ce que le sens de l'interminable lui soit révélé par la germination de cette toute petite chose qui grandit en elle.

À Montréal, Éléazar se dirige vers la place du nouveau marché où les fermiers, venus des faubourgs avoisinants, ont déjà étalé leur marchandise. L'air sent les fruits et les herbes fraîchement coupées. Il est heureux. Il se sait jeune et fort. Des cloches sonnent plus à l'est. Il est trop tard pour l'angélus du matin, trop tôt pour celui du midi. Sans doute s'agit-il d'un mort qu'on porte en terre. Débordant de vigueur sensuelle, il chasse cette sombre pensée.

Sa dernière nuit est encore présente à son esprit. Le souvenir du corps de Catherine, sa beauté, sa chaleur, l'ont suivi. On l'a inutilement mis en garde contre le mariage. Depuis qu'il a épousé cette femme, il est rempli de tendresse et de passion. Où qu'il se trouve, il ressent la puissance de ce lien dont les rencontres intimes avec Catherine lui révèlent la profondeur.

S'abandonnant au plaisir de marchander, il s'approche des étalages et s'informe du prix des fruits et des légumes, sachant qu'il devra néanmoins réserver sa maigre fortune pour les achats indispensables à leur survie, ces peignes, tissus, rubans, ciseaux, lacets et fils dont il fait le commerce dans les rues de Saint-Michel. Car depuis son renvoi de la maison Trestler, il est devenu colporteur. Sa clientèle, encore réduite, augmente rapidement. Si tout va bien, il ouvrira bientôt un magasin, et le beau-père devra ravaler ses infamies.

Au centre de la place, il s'attarde devant le marché aux fleurs par amour des couleurs et des parfums. Les marchandes le connaissent. Il est là pour la beauté des gerbes, non pour leur bénéfice. Après les avoir complimentées, il continue à gravir la côte du marché et se retourne pour jeter un regard d'ensemble sur la double rangée d'étals échelonnés depuis la rue Saint-Paul jusqu'à la rue Notre-Dame. Dommage que ce marché neuf, situé sur le gigantesque emplacement des anciens jardins du marquis de Vaudreuil dont le château et les bâtiments ont été rasés par l'incendie colossal survenu quelques années plus tôt, soit gâché au sommet par la prétentieuse colonne Nelson récemment érigée en l'honneur de la victoire anglaise à Trafalgar. On ne rate aucune occasion de leur imposer les marques de la puissance anglo-saxonne, comme si la composition du Conseil et du Parlement ne suffisait à en témoigner.

Les allées et venues des curieux, les déplacements des attelages, le mouvement des piétons et les cris des vendeurs l'excitent au plus haut point. Une fois redescendu au bas de la place, il s'engage dans la ruelle Saint-Amable pour y observer le travail des artisans. Il fait lentement le tour des échoppes et des ateliers où travaillent les potiers, les ferblantiers et les cordonniers, mais il passe vite devant le quartier des tanneurs saturé d'une désagréable odeur d'huile. Une fois sa curiosité rassasiée, il file à la chapelle Notre-Dame-de-Bonsecours où il s'agenouille, le temps de réciter une prière, puis il longe le chemin de la Grande-Rivière en direction de l'ouest. Sur les murs des bâtiments touchant la rive, il voit une ligne, tracée à la peinture ou taillée au couteau, indiquant la hauteur de la crue des eaux du fleuve à la dernière fonte des neiges.

Il atteint bientôt la berge et ses quais grouillants d'activités où des déchets fermentent au soleil. Il se laisse accaparer un certain temps par le spectacle qui s'y déroule, observant le halage des bateaux, leur déchargement, le va-et-vient des marins auprès desquels il s'informe de l'état de la mer, de sa traîtrise, des conditions de vie à l'intérieur de ces bâtiments flottants. Bousculé par les débardeurs et les charretiers qui transportent les ballots de marchandises et les caisses d'importations vers la ville, peu pressé de mettre un terme à sa flânerie, il s'attarde tout en respirant l'odeur de l'eau alourdie d'algues et de goudron.

Le soleil dur et l'absence d'ombre lui rappellent qu'il est midi. Il coupe par le sentier qui le conduit au Vieux Marché, moins achalandé depuis l'ouverture du marché de l'est, plus vaste et mieux situé, qu'il vient de visiter. Son beau-père a vainement appuyé la pétition, présentée à la Chambre, demandant l'ouverture d'une nouvelle halle dans le sud-ouest de la ville afin d'y garder la clientèle anglaise et de freiner le développement du marché neuf qui prend de plus en plus d'ampleur. Éléazar note que les voitures à grain et à volailles y sont moins nombreuses qu'autrefois et que les vendeurs de cuir, de poissons et de légumes ne débordent plus sur la rue Saint-Charles et la rue de la Fabrique comme ils en avaient l'habitude.

Derrière une bâche à demi rabattue, un étal chargé de fromages aiguise son appétit. Il en palpe un, le porte à ses narines et le dépose avec regret. Lorsqu'il aura fini ses courses, il devra se contenter de manger la pomme et le quignon de pain garni de lard qu'il transporte dans le sac de jute pendu à son épaule. Non loin, dans des sachets de toile, transpire l'odeur du clou de girofle, du poivre noir et des pistaches. Et tout près, celle, irrésistible, des cœurs de sucre disposés autour de pâtisseries que le soleil ramollit. Trop de tentations le sollicitent. Pour oublier, il se concentre sur les primeurs que l'on vient échanger contre un bout d'étoffe, des chaudrons, des ustensiles ou des outils.

Sur cette place, où étaient autrefois livrées au son du tambour les proclamations officielles, se trouvaient la potence, le pilori et le cheval de bois destinés aux suppliciés. Des condamnés, pendus à l'aube, y étaient exposés jusqu'au couvre-feu dans l'espoir qu'une sentence exemplaire retiendrait d'autres brigands de commettre leurs méfaits. Éléazar croit en la tolérance. Il se réjouit de la disparition d'une justice aussi implacable et rend grâce au ciel de l'amélioration des conditions de vie et du progrès profitant à tous. L'exercice de son métier a déjà été plus difficile. Il fut un temps où, dans ces rues étroites, des colporteurs, bousculés par les carrosses et les charrois, devaient se frayer un chemin dans les bourbiers formés par la neige, les pluies et les immondices accumulées.

Il regarde les remparts dont on achève la démolition, l'auberge Wurtele située à quelques pas du lieu où s'élevait jadis la boulangerie du Roy, et il lui semble que la ville se transforme à vue d'œil. Les navires à vapeur mouillent maintenant dans le fleuve, et on projette d'éclairer les rues à l'huile de baleine. Mais il n'approuve guère ce projet de cirque, à propos duquel circulent des rumeurs, qui permettrait de donner à la population, sur cette place, des spectacles de saltimbanques et d'animaux savants. Il lui semble que l'on peut s'amuser de tant de manières qu'il est superflu d'y employer des bêtes et des humains.

Le temps passe trop vite. Éléazar doit maintenant renoncer aux vagabondages inutiles et aux transactions imaginaires pour s'occuper de ses affaires. Il quitte la place du Vieux Marché par la rue de la Capitale, pour y apercevoir les artisans à l'œuvre, et monte la rue Saint-Sulpice où il croise un sulpicien qui transporte une statue de la Vierge et de l'Enfant Jésus. Il se signe, implorant la bénédiction du ciel sur lui-même et sa descendance. Puis il tourne à droite, rue Saint-Paul, et aperçoit l'enseigne *Mercerie Delorme*. Cette maison lui est connue. Il pousse la porte.

— Entrez. Ah ! voilà le gars qui a tout risqué pour les beaux yeux de la petite Trestler. Comment vont les nouveaux mariés ?

— Bien, merci.

La rougeur lui monte au front. Il trouve impudent d'étaler son bonheur dans une boutique où des clients se bousculent en s'échangeant les nouvelles de la semaine comme on se passe une allumette ou un bout de drap.

Apercevant, près de la longue table longeant le comptoir, une bourgeoise empêtrée dans des dessous féminins ornés de volants, il tourne la tête comme pour s'épargner une indiscrétion. Il se tient également loin du bahut, placé à l'arrière de la boutique, regorgeant de dentelles, de corps de satin lacés et baleinés, faits pour comprimer les chairs. Tant d'artifices le déconcertent. Un corps de femme nue blesserait moins sa pudeur que ces fanfreluches destinées à étouffer la nature ou à la déformer.

Près de lui, un rentier promène sa canne au-dessus de rayonnages chargés de chapeaux anglais, de tuques et de casquettes grossières. La conversation tourne autour de déboires essuyés par une fille de bonne famille qui a déjà fait envie.

— Cette débarque, elle l'a pas volée. Avec ses grands airs, elle donnait toujours l'impression de vouloir nous marcher sur la tête.

— Tout un chacun s'en moque. On raconte qu'elle a dû partir à la sauvette en pleine nuit.

— Et la mère, qu'est-ce qu'elle en dit ?

— Pas grand-chose. Elle n'avait de cœur que pour son grand flanc-mou de garçon.

Éléazar écoute à peine. Ces propos nourrissent la rumeur qui remplit la mercerie à chacune de ses visites. Les clients laissent couler leur fiel en palpant les résilles, guimpes, chapelets, savons, agrafes, miroirs, peignes d'écaille et ciseaux disposés sur les étagères ou jetés en vrac dans des caisses. Toutes ces bonnes âmes, il en est persuadé, courtisent le curé et se confessent régulièrement. Manger du prochain, il l'a toujours su, est le passe-temps préféré des punaises de sacristie et des lécheurs de balustre.

Plutôt que de s'en formaliser, le jeune colporteur s'abandonne à la fièvre des achats impossibles. Il contemple un dé à coudre en vermeil qu'il aimerait offrir à Catherine. Il détaille l'étalage de gants et de chausse-pieds offerts, examine la variété de boucles de ceintures, l'assortiment de brides, d'attaches et de garnitures mettant en valeur la collection de boutons dorés et nacrés qui couvrent tout un mur de tiroirs vitrés. Il palpe des rouleaux de drap, de carisé, de mazamet et de péniston, tissus importés dont les habitants de Saint-Michel, qui ne connaissent le plus souvent que la toile brute et l'étoffe du pays, ignorent même le nom. À la maison Trestler où il devait distinguer la serge d'Aumale de la serge de Londres, ou bien la toile de Meslis de la toile de Bretagne, il s'est familiarisé avec ces tissus aux noms rares qui attisent, sur sa langue et au bout des doigts, le rêve des Vieux Pays.

Ces terres lointaines d'où viennent les draps précieux, les blouses de crêpe et les souliers fins destinés aux fonctionnaires, aux bourgeois et à leurs épouses le font rêver. Il ne peut néanmoins s'empêcher de penser que l'Europe s'est approprié le Nouveau Monde, et en a tiré des richesses qu'elle leur refile après coup. Le long chapelet de bois suspendu derrière le tiroir-caisse du marchand lui rappelle la façon dont s'est effectué ce trafic de part et d'autre de l'Atlantique. Des âmes contre de la poudre à canon, de l'eau-de-vie contre des fourrures. Dans cette histoire, l'Amérique, découverte par hasard, fut le pain d'épices à partager. Ensuite la vieille Europe demanda de l'espace à ce continent neuf qui, en retour, attendait d'elle du temps, sa mémoire.

Le temps, c'est parfois pour lui la hantise des origines dont il fredonnait ce matin même le refrain : *À Saint-Malo, beau port de mer*. Pourtant, il ne se plaint pas de son sort. Il croit être né au bon endroit et à la bonne époque. L'étalage d'exotisme et de richesse de la mercerie se fige dans son regard, à la source de son émerveillement, sans éveiller en lui la moindre avidité. Sa passion de l'existence tient à cette certitude : les êtres et les choses naissent un jour quelque part, à partir d'un point choisi par le désir, et cela se continue aussi longtemps que durent cette passion et ce désir.

Après avoir écouté les conversations pendant un certain temps, Éléazar quitte la mercerie. Sur le seuil, il s'étonne de retrouver le soleil, l'animation de la rue, le vent léger qui souffle du port. Il presse contre lui le sac contenant les rouleaux de fil, les lacets, peignes, crayons, épingles et tissus achetés pour quelques livres sterling. Sans compter l'écharpe de soie pour Catherine à qui il rapporte toujours un souvenir de la ville. Il se réjouit d'avance de son rire, de ses exclamations. Il pense à elle, et tout son corps vibre, comme si elle faisait désormais partie de lui. À moins que le contraire ne se soit produit, qu'il se soit ouvert à elle au point d'en garder l'empreinte et de finir par ressentir les choses à sa façon.

Il regrette pourtant de n'avoir pas frappé le malappris qui lui a lancé, alors qu'il s'approchait du comptoir pour payer ses achats :

— Au lit, une petite Trestler, ça sait se défendre avec du sang allemand ?

— Une Allemande ? T'oublies qu'elle est née ici et que sa mère était de notre sang.

Une voix avait aussitôt ajouté :

— De l'autre bord, on est des Français, des Allemands, des Portugais, des Irlandais, mais une fois rendu de ce côté, il y a plus que des Canadiens ou des Anglais. À toi de choisir.

Cette phrase, j'étais sûre de l'avoir déjà entendue. En hiver, peut-être, dans l'ancienne cuisine, autour de la lampe à pétrole au globe enfumé. Des hommes parlaient, assis en demi-cercle autour de mon père. Intelligent, il régnait sur eux du fond de sa mémoire remplie de souvenirs exotiques, de savoirs supérieurs dont il usait avec discrétion.

Par modestie, ou par souci de masquer ce qui aurait pu le distinguer d'eux, il leur cachait ses années de juvénat à Lowell, mais était-ce bien Lowell, cela m'était égal après tout que le juvénat fût de Lowell ou d'ailleurs. Il ne leur parlait pas non plus des églises et des fabriques de coton visitées, des encans courus avec ses parents amateurs de tapis de Turquie, de porcelaine et d'argenterie. Mais il leur décrivait parfois à grand renfort de gestes l'énorme Chrysler bleue dans laquelle ils étaient montés un jour, lui et ses quatre frères dont un ferait fortune dans les assurances et deviendrait millionnaire avant son retour au pays.

Lowell était *le petit Québec* des États. Les nôtres y avaient émigré à la fin du 19e siècle, avant que l'Europe y déverse ses immigrants. Jack Kerouac, qui ferait la gloire de la *beat generation* et immortaliserait cette ville, ne s'était pas encore révélé. Mon père les entretenait donc de Mackenzie King, de la conscription, de la prochaine campagne électorale, du prix des grains, du voisin malade de tuberculose, des vaches qui allaient mettre bas. Homme de gauche, il leur dissimulait l'abonnement au *Soleil* et à *L'Événement*, deux quotidiens libéraux de la capitale. À sa mort, personne ne se doutait qu'il était trilingue. Car en plus de parler anglais, il était l'un des rares paroissiens à pouvoir traduire le *De profundis* et à comprendre le sens exact de *Dominus vobiscum — et cum spiritu tuo*.

Ma mère, à l'égal des autres femmes, restait à l'écart de ces conversations. Certains de ses frères avaient fait le cours classique et choisi des professions libérales. Elle-même avait été institutrice. Pendant ces années, elle avait rédigé avec art, comme en témoignait son journal intime marqué par un style et une calligraphie exemplaires, les lettres d'amour et les lettres d'affaires de nombreux parents d'élèves. Ces hommes, elle aurait pu leur réciter l'histoire de France et l'Histoire sainte sans omettre de noms importants ou de dates essentielles. Charlemagne, Louis XIV, Bonaparte, Moïse et les prophètes, Salomon et Abraham parlaient par sa bouche dans ces instants où elle se retrouvait, sereine, déchargée des soins du ménage, allégée du fardeau quotidien.

Parallèlement à ses nombreuses grossesses, elle portait à vie le Traité de Paris, le Traité de Versailles, le Traité d'Utrecht, la bataille de Poitiers, les défaites de Waterloo et des Plaines d'Abraham. Tous les faits marquants de la civilisation reposaient en elle. Tous les grands du monde se nourrissaient de sa tendresse et dormaient en son sein. L'histoire l'habitait, mais elle-même restait hors de l'histoire. Pendant ces palabres nocturnes, elle agitait en silence ses aiguilles à tricoter ou son fil de broderie Richelieu, attendant d'être sollicitée. Une fois requise, elle leur offrait, comme on passe un bonbon ou une friandise, l'année de la grippe espagnole ou de l'épidémie de sauterelles, l'année du grand feu de forêt qui ravagea les boisés jusqu'au fleuve, celle de la fondation de la paroisse ou de l'investiture du dernier évêque du diocèse.

La rivière Outaouais est lisse sous le soleil. Éléazar parle peu aux autres voyageurs. Enfoncé dans l'embarcation, il s'abandonne à une rêverie douce, la main droite traînant comme une rame à la surface de l'eau. Il a cueilli quelques fleurs sauvages dont ce nénuphar qu'il tient à l'ombre, sous son chapeau, afin de l'offrir à sa femme. Libre de toute hâte et de toute préoccupation, il se laisse porter par le courant, accordé au temps paisible qui se déroule autour de lui. Bientôt, il somnole, s'imaginant flotter dans l'espace infini du monde, répandu dans tous les temps et tous les lieux ouverts à sa chair d'homme aimant comblé par la vie.

La lumière décline. Il ouvre les yeux. L'écorce argentée des érables flamboie dans l'épaisseur des boisés d'ormes, de pins et de frênes qui bordent les rives du lac. Il respire l'odeur sucrée des résines, imaginant les ramifications souterraines qui échappent à sa vue. Face à cette explosion de branches, de tiges et de pousses qui s'entremêlent, il sait que la forêt devra toujours être repoussée au-delà des terres cultivables, ces étendues sauvages arrachées à la solitude du continent.

Le bac s'immobilise. Les passagers de la traversée Trestler se lèvent d'un bond. Chacun prend son ballot et remonte le chenal, pressé de retourner chez soi. Éléazar descend le dernier, heureux de s'engager seul sur le chemin pierreux qui le conduit à Saint-Michel.

Là-bas, Catherine a croqué une pomme et bu une tasse de lait frais. Elle ne sait pas que bientôt Éléazar sera auprès d'elle. Tout le jour, elle s'est traînée de la cuisine au-dehors sans pouvoir se fixer nulle part. Elle a apprécié le réconfort d'Adélaïde, comme chaque fois qu'il la quitte pour aller à Montréal, mais cela n'allégeait pas cette torpeur, proche de l'amnésie, qui l'accablait.

L'air est lourd. L'été a éclaté comme une fièvre. Subitement, un vent chaud est monté du sud et les oiseaux sont arrivés. La terre s'est réveillée, humide et grasse, et des bouffées d'air se sont mises à circuler, chargées d'odeurs de sève et d'écorce. Dès lors une avidité violente s'est emparée de la jeune femme. Elle souhaitait porter le monde entier en elle, l'imprégner de son sang, le remplir de sa respiration.

Maintenant, appuyée au chambranle de la porte, elle boit la lumière. L'oreille tendue, elle entend la rumeur sourde qui traverse la terre et fait craquer le sol. Mais personne n'arrive. Éléazar n'apparaît toujours pas. Son attente finit par se confondre avec le paysage immobile cerné par son regard. Il lui semble qu'elle pourrait crier de toutes ses forces, et que l'écho de son cri lui reviendrait sans que personne l'entende.

Lourde, elle s'assoit, saisie d'un vertige. Elle se sent glisser dans le vide. Rejetant la tête en arrière, elle ferme les yeux, et bientôt l'énergie solaire la pénètre jusqu'à ce noyau secret qui dévore ses énergies. Ses forces lui reviennent. Ses sens s'éveillent à nouveau, lui redonnant le sentiment de la fragilité d'avant la mise au monde. Ce monde d'avant les visages, d'avant les mots, quand tout se touche dans l'intensité de la chair.

Je connais cette jouissance de Catherine.

J'ai déjà connu cette fête, aspirée par le ventre, créée par lui. C'était l'été. J'étais grosse, fécondée de part en part, jubilante de l'extrémité des doigts à la plante des pieds. Le monde passait par ce noyau qui me permettait d'éprouver ma puissance de femme, la jouissance d'un corps gravide dans sa plus resplendissante beauté. Cette transfiguration rendait les gestes imprévisibles, la parole inutile. Tout existait avant d'être nommé.

Nous étions en juillet. Il faisait incroyablement chaud. Mon ventre, où s'éprouvaient tous les équilibres, harmonisait tous les désirs et tous les besoins. Je ne désirais plus rien. Je portais la vie. Elle me portait. C'était un bonheur absolu.

Stefan était jaloux. Il plaçait sa tête entre mes cuisses et reniflait l'antre chaud où plongeaient ses racines. Il me portait sur le lit, éteignait la lumière et me recouvrait. Il s'enfonçait comme s'il eût voulu remonter jusqu'au premier maillon de la chaîne. À travers ses caresses, je l'entendais malaxer la pâte informe qui coulait entre ses doigts. Je l'entendais retourner dans le sein de sa mère, en palper les contours, se frayer un chemin dans l'épaisseur du temps qu'il traversait.

Sur le seuil, Catherine se déplace, attentive au mouvement du soleil. Dans quatre mois, elle retrouvera sa taille normale et redeviendra une femme ordinaire. Mais, pour l'instant, son ventre l'honore. Ce soir, Éléazar s'introduira en elle après avoir éteint la bougie, et elle aura ce geste impossible : refermer ses bras sur lui comme s'il faisait partie d'elle et coulait son corps dans celui de leur enfant.

Le jour sera passé. Il fera plus frais. Ils auront ouvert la fenêtre et tiré les rideaux. Maintenant, la chaleur l'accable. Elle a l'impression de devoir s'extraire d'un songe où le poids de la tendresse et le goût du silence l'envahissent totalement. Elle se sent exister au ralenti, confondue au tissu végétal étalé sous ses yeux. Comme si sa chair était devenue la chair du monde, conforme à sa rondeur, à son balancement. Et pourtant, elle compte les jours. L'accouchement la délivrera.

« Je suis revenu », dit-il simplement.

Éléazar est arrivé sans qu'elle l'ait vu venir. Il l'étreint longuement, puis commence à lui décrire Montréal, son agitation, ses vitrines. Il raconte ce qu'il a vu et entendu sur la place du marché, la foule, le bruit, les couleurs. Il s'attarde aux détails de sa visite à la mercerie, omettant les remarques inconvenantes sur son mariage. À quoi bon la chagriner. Bientôt, il sera indépendant, libre d'ignorer les racontars de la ville. Il ouvrira son propre commerce, et elle sera son associée.

Après avoir bu le gobelet d'eau fraîche qu'elle lui tend, il s'essuie les lèvres et déroule autour du cou de sa femme le foulard de soie apporté. Il glisse ses doigts sous le tissu léger, touche la peau moite de Catherine, palpe ses seins, son ventre, comme pour la reconnaître. La retrouvant inchangée, ramassée autour de sa main, il la soulève et la porte sous le pommier de la cour où il l'allonge doucement.

Le corps adossé à l'arbre, il la voit les bras légèrement écartés, les cuisses entrouvertes, et il veut s'en rapprocher.

Mais il prend le temps de l'observer, fasciné par cette lourdeur du bassin, cette tendresse répandue sur le visage aux traits brouillés. Une tornade parfumée les couvre. Il commence à la caresser, affamé d'elle, heureux de la sentir contre lui, brûlante, avide de prolonger les lits défaits, les nuits trop chaudes, mais lente dans l'approche de l'intimité et le silence après l'amour.

— Viens, le serein est tombé. Tu risques un refroidissement.

Dans la chambre, ses genoux ploient. Il la dévêt pour la prendre entière, beau corps heureux déployé sur le drap. La nuque courbée, il plonge dans ses replis tendres, souhaitant toucher le noyau vital qui la gonfle, comme si c'était à travers le ventre qu'il pouvait l'atteindre jusqu'au cœur. Porté par elle, il glisse dans les profondeurs humides qui roulent sous son bassin. Aspiré de l'intérieur, il se laisse emporter par la vague qui le rejette hors de lui alors qu'il voudrait se fondre à elle, l'épouser comme elle épouse l'enfant jour et nuit, sans choc ni rupture.

Cette femme heureuse d'être femme ne lui appartient que momentanément. Le reste du temps, elle trouve en elle sa plénitude. Si elle le voulait, elle pourrait désormais se passer de lui.

Effrayé par cette pensée, et voulant saisir l'instant qui lui soustrait une jouissance paraissant contenir l'entière perfection de la vie, il l'étreint de nouveau. Le vertige de l'amour se prolonge. Il le sait maintenant. De la mère à l'épouse, il n'aura fait que poursuivre le même enlisement bienheureux, le même bercement dans le temps rond et continu qui le rattachait au commencement, avant l'âge d'homme, avant l'arrivée dans l'espace du travail et de l'effort.

Alors, pour ne pas se sentir expulsé de sa jouissance et de sa sécurité, il s'accroche à des mots. Il remplit par des phrases le manque qui s'ouvre en lui. Il multiplie les promesses extravagantes pour se donner l'illusion de perpétuer l'accord.

— La ville est belle, cette saison. J'ai pensé à toi sur la place du marché. Tu es ma reine, ma merveille, j'aimerais te couvrir de fourrures et de bijoux.

D'un geste large, elle rabat le drap sous ses seins, donnant à entendre qu'elle dédaigne les parures. Elle ne porte plus la chaîne en or reçue du père. Au lendemain du mariage, elle l'a enroulée dans un mouchoir et placée dans son coffre avec les autres pièces du trousseau. En choisissant Éléazar, elle a choisi la liberté. Et avec lui, elle se sent comblée. Les fourrures sont destinées aux femmes mal aimées. Ou aux mondaines comme Mme de Lotbinière. Elle en portera lorsqu'elle se sentira délaissée.

Il entoure ses poignets.

— Que diriez-vous d'un beau manchon de castor ou d'une capeline de loutre, madame Hayst ?

— Ni manchon, ni capeline, monsieur Hayst. Je préfère vos doigts.

— Même pas une peau d'écureuil ? Je pourrais tendre des collets.

Elle rit. Il voudrait préserver ce rire, ne jamais l'abîmer. Chaque fois qu'il la touche, l'entend, il la sent à la fois semblable et différente de lui. Insaisissable, mais familière comme s'il la connaissait depuis toujours, une jumelle issue du même œuf, une amante née du même désir.

La lumière pâlit. Éléazar souhaiterait prolonger ces moments d'intimité qui redonnent à la mémoire sa vigueur charnelle. Il s'assoit et la regarde, lissant doucement les cheveux sombres répandus sur l'oreiller. Puis il se penche sur elle, de nouveau attisé par son odeur de chair tiède. Ses doigts remontent vers la gorge déployée en suivant les courbes du corps. Il la parcourt et revient à l'épaisseur du ventre où semble contenu le mystère des générations.

Ai-je écrit déjà : faire l'amour et oublier le reste, écrire et oublier la suite ? Ce matin, assise par terre, un cahier sur les genoux, je me dis que pour continuer ce roman il suffirait d'accueillir ce qui pourrait advenir dans un moment de distraction où l'esprit ne serait plus sur ses gardes.

Mais il faut faire vite. Car les astres tournent, et les jeunes mariés seront pressés par la montée du jour qui exigera une utilisation plus précise de leur corps. Dehors, les blés mûrissent et l'eau des fontaines se tarit. Dans la chambre lambrissée de bois blond, Éléazar colle son oreille au ventre bombé de sa femme, espérant entendre bouger des formes. Il souhaite percevoir l'enfant dans l'œuf. Mais celui-ci, qui dort d'un profond sommeil, ne livre au père qu'une palpitation confuse.

Était-ce Catherine ou une autre fille du même âge qui répétait parfois, de façon lassante : « Je voudrais savoir comment c'était la vie au commencement. » On lui répondait : « En Nouvelle-France ? » Elle faisait un geste large et disait : « Non, dans les Amériques. » Dans la tête de cette enfant, il y avait toujours eu plusieurs Amériques, et je ne sais où elle avait pris cette idée contraire à l'enseignement donné de part et d'autre de l'Atlantique.

— L'Amérique, l'Amérique, t'en fais un drame chaque fois.

— Pour toi, ça ne signifiera jamais la même chose.

— Il n'y a pas que ça qui compte. L'Amérique, c'est tout de même pas la fin du monde.

Stefan lance cette phrase nonchalamment, sans quitter des yeux son journal. Il fume, à demi couché sur le divan du salon. Il dévore trois quotidiens par jour et, comme l'homme de Lowell, il n'aime pas être dérangé dans ses lectures.

Sa hantise à lui porte un autre nom, indique un autre lieu. Varsovie, ses remparts, les grévistes de Gdansk, les camps nazis, le cimetière de Lotz où reposent pêle-mêle ses grands-parents maternels, sa tante juive, ses oncles Jan et Josef, fusillés par la gestapo. Du sang bleu. Du *ski* et du *ska* au bout de chaque nom. Mais aucune particule n'a pu résister au désastre des deux dernières guerres, ni même à la douceur des années folles du début du siècle quand les femmes se mouraient de langueur, sensibles au baisemain, aux déclamations horrifiées par la banalité du quotidien.

Stefan est leur petit-fils. Le tragique lui va comme un gant. Il répète qu'il préférerait ne pas mourir de mort naturelle. Je réponds à côté de mes mots, taisant ce qui me préoccupe. Si j'avouais que j'ai rédigé les deux tiers du roman Trestler et ne sais plus comment le terminer, il me couvrirait d'un regard blanc, cherchant à quoi rattacher l'incohérence de ces phrases.

Je me souviens, nous étions en pleine lune de miel, et c'était notre premier voyage à Paris. Nous allions quitter notre hôtel, lorsque la femme de chambre surgit en tendant la main. « Alors, vous repartez pour les colonies ? » Je portais des sandales dorées. Elle regardait mes pieds comme on fixe un veau d'or. J'entendais son accent pointu, et je voyais s'ouvrir le Larousse et le petit Robert. Intimidée, je tendis un gros pourboire et refermai la porte. Stefan alla rendre la voiture louée. J'en profitai pour terminer les bagages. Lorsqu'il revint, elle rappliqua. « Alors, vous repartez pour les Amériques ? » Ce pluriel me frappa. Mais attribuant la singularité de l'expression à la modestie de son emploi, j'y prêtai une attention distraite.

Enfant, quand je suivais avec mon doigt sur l'atlas la ligne qui nous séparait des États-Unis, j'imaginais cette frontière infranchissable. D'un côté c'était ici, de l'autre c'était ailleurs, un lieu où l'on parlait une autre langue et invoquait un autre Dieu. Ces deux terres voisines ne pouvaient empiéter l'une sur l'autre. Une ligne noire tendue de l'Atlantique au Pacifique les séparait, étroit barbelé qui contournait les Grands Lacs avant de longer les plaines de l'Ouest où poussait un blé tranquille dont je n'avais jamais croqué le grain ni respiré l'odeur.

Dans ma tête, tout tenait à cette ligne. Je croyais alors en la vertu des marques. Je vénérais le pouvoir des signes, la force des alliances, la solidité des tracés. Aujourd'hui, cette foi m'a quittée. Je sais que tout cercle peut se fissurer. Que toute ligne peut s'écarter de sa trajectoire et se dissoudre dans l'immensité du vide.

Le monde tourne pendant que je passe l'aspirateur sur la moquette fanée, heureuse d'avoir trouvé cette occupation simple pour remplir un après-midi torride. Il faisait à peine plus chaud aux portes du désert. À Djerba et Annaba, nous campions sous les palmiers royaux, et dès l'aube nous cherchions les points d'eau tandis que la kasbah flambait. Depuis une semaine, le ruisseau de la presqu'île est aussi sec que le Rhummel de Constantine dont Zaïna, la fille aux sept bracelets d'or qui versait chaque matin de grands seaux d'eau sur mes planchers, me chantait les crues de lait et de miel attendues pour le jour de la résurrection.

Le ruisseau tari découvre un fond de planète râpé. Une pointe de terre brûlée où j'erre sans passion, à demi amnésique, cherchant à rallier des temps et des lieux épars. Heureusement, le bruit de l'aspirateur m'empêche de trop penser.

Catherine s'est rhabillée. Elle chante, allégée comme chaque fois qu'elle répond à l'appel du corps. Elle s'est ouverte à la jouissance, elle s'est déliée dans l'homme. Elle pourra goûter l'apaisement du soir.

À la maison Trestler, elle s'en souvient, sa gorge se nouait dès que tombait le jour. La nuit traînait, mais l'aube arrivait d'un seul coup. Elle entendait siffler le train de cinq heures, la lourde secousse sur les rails ébranlant le champ communal, et puis le silence, brusquement, qui tamisait l'odeur de charbon. Au même instant, les chambres s'éveillaient. D'en bas montaient les premiers pas du père.

Adélaïde filait à la laiterie et rapportait des bols de lait pour les enfants. Les garçons servis d'abord, les filles ensuite. Quand venait son tour, Catherine n'avait plus soif.

En lisant ce passage, Éva protestera.

— Mais vous confondez les choses. À l'époque, le chemin de fer n'existait pas encore. Si ma mémoire est bonne, le Grand Tronc n'a été construit que vers 1850.

Le facteur fait claquer le couvercle de la boîte aux lettres. Je glisse la main dans le métal cannelé d'où j'extrais un relevé de compte d'American Express, une carte postale d'un ami en vacances à Cape Cod, deux dépliants publicitaires vantant les mérites du *fast food*. Bâtards au bout du fil, enfants naturels de la communication, ici parle l'oncle Sam. Mangez beaucoup de *hot dogs*, buvez beaucoup de Coca-Cola, et vous vivrez longtemps. *In God we trust, God is American.*

Le soir même, ou peut-être le lendemain, un cabriolet s'immobilise dans la cour. Madeleine en descend, pâle, le regard sombre. Catherine la voit peu depuis son mariage. Elle l'aperçoit parfois à l'église dans le banc familial, timide et blonde, récitant des oraisons à l'ombre du pilier du temple, J.J. Trestler debout face à son Dieu.

— Tu es malade ?

— Non.

— Tu ne supportes plus la maison ?

Elle hausse les épaules. Nous avons vécu dans les mêmes murs. Inutile d'en parler.

— Père est trop dur ?

— Il ne sait rien.

— Qu'est-ce qu'il devrait savoir ?

— J'aime un garçon.

— Son nom ?

— Patrick.

Patrick Adhémar, troisième commis de père, perdra son emploi, et ma sœur sera répudiée. J'entends résonner les cris. Fille infâme, tu pourrais prétendre au meilleur parti et tu te laisses aller à un coup de sang comme les bêtes, comme ta sœur. Ce mécréant, tu as compté combien de shillings il avait dans ses poches ? Je ne permettrai pas que cela se fasse. Une traînée dans la famille, c'est déjà trop !

— Va trouver père, et dis-lui tout.

— Je n'ai pas ton courage.

— Accepterais-tu de vivre avec un homme pour qui tu n'as aucun penchant ?

— J'en serais incapable.

— Alors, il faut parler.

— Non. J'aimerai Patrick en silence jusqu'à ma majorité. Ensuite je me déclarerai.

Madeleine aime père et le craint davantage. Elle a choisi l'obéissance et la douceur depuis toujours. Elle se taira.

Éléazar vient d'entrer. Il sait où le bât blesse. Il a tenu entre ses mains une copie du contrat de mariage de mes parents unis en communauté de biens. Il dit que J.J. Trestler prive injustement ses filles de la part de succession maternelle qui leur revient, et que cette part peut être réclamée en justice.

— À quoi bon ? Toucher ce capital ne nous rendrait pas l'amour de cette femme.

— Et l'enfant que tu attends ? Et les autres à venir ?

— Les enfants ?

— Oui, les enfants. Ils y ont droit.

C'est vrai. J'oubliais nos enfants. J'aurais souhaité les épargner, mais puisqu'on ne peut séparer l'avoir et le sang, je réclamerai mon dû. Tu peux couvrir ma requête de ton nom, Éléazar, je ne contrarierai en rien ton dessein.

Il se tourne aussitôt vers Madeleine.

— Et toi ?

— Je ne veux pas de ce procès. Mère est morte. Elle le restera.

Une semaine plus tard, la demanderesse, mineure, s'appuie de la capacité juridique de son époux pour réclamer sa part de l'héritage de Marguerite Noël auquel ne peuvent prétendre ses deux sœurs décédées en bas âge dont les noms, lancés dans la salle d'audience par le jeune avocat chargé de la représenter, ont pesanteur d'éternité. J.J. Trestler est absent. Il a refusé la confrontation publique avec sa fille. La cause est remise. En dernier recours, le mauvais état de santé du défendeur est invoqué.

Un jour que J.J. Trestler se trouve à Québec, Madeleine revient à Saint-Michel. Des cernes creusent ses yeux. Elle se languit. Elle voit à peine Patrick. Elle sacrifie l'amour à sa tranquillité.

— Une chose terrible s'est passée hier sous notre toit.

— Mes frères ?

— Non. Cela te concerne.

— Qu'est-il arrivé ?

— Père a fait venir le notaire et lui a dicté ses dernières volontés.

Et s'il était vraiment malade ? Si j'avais eu tort de l'accabler de mes réclamations ? Il est encore temps de retirer ma plainte. Je renoncerais à tout pour le sauver. J'ai choisi la haine à défaut de pouvoir l'aimer.

— Non. Sois tranquille. Il est bien portant. Il te déshérite.

— C'est déjà fait.

— Comment sais-tu ?

— La veille de mon mariage, pourquoi crois-tu qu'il s'est rendu à Montréal avec deux témoins ?

— Tais-toi. Écoute-moi plutôt. Hier matin, quand je l'ai vu filer à la salle des comptes, suivi du notaire et de ses témoins, j'ai couru à l'extérieur me placer sous la fenêtre entrouverte. Pendant quelques minutes, je n'ai rien entendu, et puis il y a eu ceci.

Éléazar est aux aguets. Il rit, impudent, puis récite d'une voix sarcastique : *L'an mil-huit cent neuf, le quatorze du mois de septembre avant-midi, au mandement de J.J. Trestler écuyer négociant demeurant en la paroisse de Vaudreuil, le notaire et les témoins ci-après nommés se sont transportés en la demeure dudit J.J. Trestler qu'ils ont trouvé en bonne santé de corps, sain d'esprit, mémoire et entendement, ainsi qu'il leur est apparu.*

— Tu es sorcier. Ce sont exactement les paroles.

— Elles commencent tous les actes de donation. Ensuite ?

— Ensuite cela concernait la crainte de la mort.

— *Comme chrétien il a recommandé son âme à Dieu, suppliant la divine Majesté de lui faire miséricorde et de le placer au royaume des cieux au nombre des Bienheureux. Veut et ordonne ledit testateur que ses dettes soient payées et torts par lui faits réparés.*

Le rire d'Éléazar retentit de nouveau dans la maison silencieuse. Madeleine, partagée entre la méfiance et l'incrédulité, pose sur lui un regard interrogateur.

— Ces formules me sont aussi connues que le Pater et l'Ave Maria. Dis-moi ce qui suit.

— Il laisse à Marie-Anne Curtius l'usage de ses biens qui iront ensuite à ses fils.

— Ton nom n'a pas été prononcé ?

— Il l'a été en même temps que ceux de nos frères, mais Patrick m'assure qu'il a ensuite été rayé.

— Patrick ?

— Il était témoin.

— Lâche !

227

Leurs regards se croisent. Madeleine le fixe, obstinée. Éléazar parle le premier.

— Tu me crois capable d'avoir épousé ta sœur par intérêt ? J'aime Catherine, mais ton père m'a humilié. En l'obligeant à verser à ta sœur la part de succession qui lui revient, je venge aussi mon honneur.

Quoi de plus simple que de faire d'une pierre deux coups : récupérer des fonds et imposer sa loi. Madeleine choisit toujours la voie facile. Elle se satisfait de l'explication.

— Pour Catherine, tu te souviens des mots ?

— Père la déshérite parce qu'elle s'est mariée contre sa volonté.

— Contre sa volonté ! Nom de Dieu, il verra jusqu'où peut aller la mienne. Je lui montrerai de quoi est capable un va-nu-pieds.

Inutile d'insister, Éléazar, je sais de quels excès tu es capable. Je connais tes humeurs, tes emportements, ton ambition. Un jour tu te satisfais de la condition de colporteur, le lendemain tu veux être marchand, cultivateur, agent de traite, fonctionnaire ou même seigneur. Dès l'instant où tu t'es introduit dans la maison Trestler, j'ai deviné, au premier coup d'œil, que tu appuierais ma rébellion et partagerais mes audaces. D'abord, tu m'aiderais à quitter les lieux. Ensuite, tu participerais au cérémonial de vengeance. Au tribunal, tu te souviens, la voix des magistrats résonnait comme un chant grégorien.

Il se souvient. Il a la mémoire des voix.

— Et si tes frères n'avaient pas d'héritiers ?

— Ça irait aux autres parents.

— Et tu acceptes ça ?

— C'est ainsi qu'il l'a voulu.

— Mais tes parents étaient mariés en communauté

228

de biens. Une fois ta mère partie, la moitié vous revient à Catherine et à toi.

— Je recevrai ce qui lui paraît juste.

— Tu le crois capable de justice ? Si tu ne réclames rien, tu ne recevras rien.

Ma sœur rêve d'une vie sans heurts ni conflits. L'argent n'a pour elle aucune importance. Elle voudrait fuir. Il voit l'esquive et demande à qui reviendra la fortune de J.J. Trestler en l'absence d'héritiers.

— Par certains côtés, tu lui ressembles. Tu penses à tout.

— Réponds à ma question.

— En l'absence d'héritiers, la maison sera transformée en école et l'argent servira à payer les maîtres.

— Hypocrite ! Monsieur renie ses filles, mais il se permet de jouer au grand seigneur.

J.J. Trestler reste égal à lui-même, conforme à son amour de la caserne. Des enfants, de sexe masculin pour la plupart, apprendront à lire, à écrire, à commander. On les initiera aux mystères de la religion et aux vertus du citoyen : discipline, épargne, respectabilité, l'art de régner et de faire fructifier son avoir.

Devant le portique du palais de Justice, une mare d'eau s'est accumulée. Catherine devra encore une fois entrer, traverser le couloir, entendre gémir les gonds des lourdes portes de la salle d'audience. Ensuite ce martèlement des pas, ce craquement des bancs, et l'homme qu'elle évite de regarder. Éléazar la soutient sans un mot, sans un regard. Je les sens inquiets, séparés.

À l'avant, un magistrat en robe noire remue des paperasses, énumère des chiffres, produit des pièces. Une voix grise s'élève du fond du prétoire faiblement éclairé. La gorge nouée par l'émotion, je fixe le geste du plumitif qui note chacune des paroles prononcées, comme si cela pouvait suffire à exorciser le mal. Parodie de la justice que ces droits du sang mis aux enchères. On ne redonnera pas à Catherine l'amour du père qui ne l'a jamais aimée. On ne lui rendra pas sa mère vivante.

Personne ne lui a jamais parlé de cette femme, sauf Adélaïde qui soulignait parfois un trait de son caractère, son penchant pour la musique et les couleurs. Elle a dû imaginer seule la courbe de son cou, la lenteur de ses yeux, le goût de son lait. Pendant qu'ils prononcent son nom dans cette pièce, mêlant son souvenir aux acquêts, recouvrements et possessions cités, elle ne peut s'empêcher de trouver leurs mots horribles et leurs gestes meurtriers. Elle les voit s'arracher les biens de Marguerite Noël et se disputer ses entrailles. Manger le cœur pour avoir son courage. J.J. Trestler se réserve une pièce de choix.

Soutenu par la rapacité de sa seconde épouse, il préside au festin. Je tourne la tête. Il est là, ramassé sur lui-même, le dos voûté. Plus rien de flamboyant ni de martial, mais un front pâle, une autorité déchue. Sa stature a cessé d'en imposer à Catherine. Il est moins grand qu'elle ne croyait. Elle l'a toujours regardé de trop près.

Le magistrat veut des preuves. Il faut trouver plus. Il faut trouver mieux. Les hommes de loi savent attiser la douleur, aviver le supplice des liens tranchés. Éléazar écoute tout ce qui se dit. Je sens que je détesterai bientôt cette salle. La souffrance a ses limites. Catherine souhaite mourir. Il suffirait de consentir à l'épuisement du souffle, et tout s'achèverait là d'un seul coup.

Je m'étais évanouie. Ce ne fut pas un accident. Des hommes en uniforme, placés à contre-jour, épiaient mes actions. C'étaient eux qui m'avaient convoquée en ce lieu où j'attendais sur un banc, une pile de feuilles entre les mains. Fallait-il entamer un deuxième cahier, renoncer à ce papier jauni où j'avais rédigé une première version de la comparution en cour, ou bien recommencer à zéro et assener le grand coup à l'auteur de cette tragédie bourgeoise qui se payait des scribes pour se faire justice ?

Les yeux secs, j'ai suivi la scène de désolation exécutée avec minutie. Puis je m'accordai à peine un répit. Munie du document trouvé chez Éva, je traversai la salle d'audience après m'être retournée vers le prétoire où le verdict était prononcé. *La cour, après avoir entendu les parties par leurs avocats, examiné la procédure et en avoir délibéré, condamne le défendeur à un inventaire exact et fidèle de tous les biens meubles et immeubles de la communauté entre lui et Marguerite Noël, sa défunte femme, telle qu'elle subsistait au jour du décès, et à rendre compte auxdits demandeurs de leurs droits stricts.*

J.J. Trestler se lève, titubant presque. Personne ne lui a donné d'ordre depuis sa démobilisation. Il se retourne, foudroyant sa fille du regard. En elle, tout se relâche. Tout se défait. Mais elle se ressaisit. Son visage se durcit comme lorsqu'elle attendait une gifle. L'homme cède. Il quitte son banc, tête basse, exténué.

— Sortons vite, Éléazar.

Au-dehors, la pluie a cessé. Un enfant dort, recroquevillé dans l'escalier du palais de Justice. Catherine lui touche l'épaule. Il ouvre les yeux et les referme aussitôt.

Chaque jour, des cartes postales arrivaient de tous les coins du monde. Poussé par ses rêves, la curiosité, un ennui trop grand, on partait visiter un coin de la planète. On allait vers des pays tempérés, attiré par les mêmes cieux, la même pluie, le même soleil. Ou l'on se risquait vers l'Orient, en quête de silence, de hachisch, d'aromates, de sables flamboyants.

Pourtant ici, c'était l'été. Au petit matin, je me réfugiais sur la terrasse, me hâtant d'écrire avant que les pierres ne commencent à brûler. Le ruisseau, tari, asséchait l'imagination. Mais il restait, pour innerver la mémoire et nourrir les sens, ce tremblement d'air au-dessus des géraniums, ce frémissement des érables, cette odeur de gazon fraîchement coupé. Sur le cahier, la couleur verte prédominait. Toutes ces formes en mouvement facilitaient le travail de substitution, comme si dans cette pâleur et cette fragilité matinales, les humains devenaient semblables, trahis par leur sentiment d'individualité.

Dans sa dernière lettre, Éva avait écrit : « Nous sommes au bord de la faillite, nous ne savons pas combien de temps nous pourrons encore tenir. Tout traîne.

Tout dort dans des filières. On ne nous a pas encore remboursé les frais de séjour de Monsieur B. »

L'inquiétude pesait sur la suite du récit. Que pouvais-je faire pour elle ? Que pouvais-je inventer, à propos de Catherine, qui pût la réconforter ? Pendant quelques jours, je cessai d'écrire, attendant un miracle, partageant l'impossible attente.

La saison avançait, mais la chaleur était revenue. L'air pesait. Les feuilles bougeaient à peine. J'imaginais la lenteur des gestes de Catherine, la chute de son corps sur le lit. J'avais d'ailleurs à peine besoin d'imaginer. Cette femme finissait toujours par m'atteindre.

Tout le jour, Éléazar s'est interrogé. En cet instant, il examine la peau striée de mauve sur le ventre de Catherine, souhaitant faire surgir sous ses doigts une transparence qui lui livrerait le visage de l'enfant attendu. Il voudrait saisir cette plénitude qui enveloppe le visage et le corps de sa femme d'une clarté douce. Lui et elle boivent la même eau, mangent le même pain, partagent la même jouissance, mais il sent que leurs chemins s'écartent. Bientôt, il ne pourra plus la suivre dans la voie où elle s'est engagée. Il suspend son geste. Le mystère de la vie le confond.

Catherine se retourne. Des doigts de lumière se posent entre ses cils, brouillant sa vue. Elle ne sait de quel côté s'en va le monde, ni à quelle violence iront ses enfants, et elle sera bientôt rendue à terme. Une respiration lente monte de son ventre rond. Elle tâte les parois abdominales et s'étire lourdement.

Les oiseaux se sont tus. Le soir tombé, elle n'entend plus que ce mouvement intérieur, un rythme sourd et liquide. Deux corps, mais un seul battement au poignet, une seule salive, une même avidité. L'enfant la suce du dedans.

Elle se laisse couler sur le drap. Éléazar la voit, abandonnée à sa germination, et il envie ce bonheur qui donne à la chair cette autre extase qu'il ne connaît pas.

A-t-on tout dit de la naissance ? Tout écrit de ce qui ne peut s'écrire ? Je ne souhaitais plus que traverser le cycle final, livrer l'enfant enfoui dans les replis de mon corps, me libérer de ce poids.

Stefan jubilait.

— Ce sera un garçon.

Peu importe. Je veux un enfant, vite, et sans douleur. J'ai suivi tous les conseils des livres. J'ai exécuté tous les mouvements suggérés, pris toutes les postures prescrites. Cette naissance sera un plaisir. Il ne me reste qu'à préparer le cérémonial d'accueil. Effrayée par la violence primitive qui me travaille, je m'accroche aux rituels d'embellissement. Je prends un bain. Je lave mes cheveux dans une eau parfumée de camomille. Je mets tout en œuvre pour oublier la peur sauvage, car je me sais menacée.

Je redoute le passage de l'instinct à son ultime accomplissement. Cet enfant qui pèse en moi, ces tissus, ces os, ces organes empruntent à mes propres tissus, à mes propres os et à mes propres organes la force de rompre. Soudain, mes cavités de femme sont parcourues d'une tension insoutenable. Le processus d'expulsion se prépare, et je ne peux passer les limites du corps.

J'ai peur de flancher. Peur de ne pouvoir obéir aux légendes, ces femmes qui accouchent en un éclair, accroupies, cuisses ouvertes, le sexe aussitôt intact, refermé. Ou encore, la voie royale, préparer à genoux la venue du cataclysme, s'abîmer dans des postures qui élargissent le couloir d'accès au monde et amortissent la chute. Tout se passe dans la tête. Ces bibles tiennent lieu de commodité. Elles confondent méthode et savoir, rhétorique et urgence. On ne peut prévoir le choc de ce qui commence et de ce qui finit.

Dehors, la pluie se change en neige. Il fait une blancheur de craie. Ma terreur grandit. Je sens que je n'empêcherai rien. Tout est flou, imprécis. J'entame la nuit de l'excès. Tout sera trop long, douloureux. Je geins. Stefan me réconforte. Il assure que tout sera terminé dans quelques heures, mais je l'entends à peine. Le corps sombre dans une désorganisation qui brouille les perceptions.

Sur la route conduisant à l'hôpital, je m'arc-boute comme une bête. Le corps bute sur des issues fermées. Rien ne s'ouvre. Rien ne se libère. L'idée de la mort s'insinue. Aucune certitude ne rejoint le ventre où se joue un combat de tendresse et de cruauté. Fatiguée d'attendre, fatiguée d'appeler ce qui se prépare à naître sans vouloir sortir de moi, je ne suis plus qu'une masse tiraillée entre sa puissance de rejet et son désir d'absorption.

Alors, pour retrouver un lieu qui ne soit pas que ténèbres, l'esprit fuit vers l'arrière. L'orage gronde. Un éclair traverse la chambre des filles. Huit, et elles dorment toutes, sauf une. J'ouvre la bouche. Le cri se fige. « Ça ne sert à rien de s'affoler », dit ma mère le lendemain, absorbée par son travail. Absente, comme chaque fois que je frôle l'abîme.

— Combien de temps ça va encore durer ?

Stefan brûle les feux rouges. Il ne sait pas. D'ailleurs, comment pourrait-il savoir ? Toutes les morts se suivent et toutes les naissances se ressemblent. Il n'y a que la façon qui diffère.

Enfin, plus tard, mes eaux ont crevé. C'était un mouvement doux. Un égouttement lent qui ramollissait les cuisses. Puis je m'engageai dans un couloir d'ombres. Je poussais, jambes ouvertes, pieds dans l'étrier, mais où était l'attelage ? Je m'ouvrais, sexe exposé, mais où était l'amant ? Il n'y avait que l'étranglement. Que la douleur. Comment avais-je pu jouir de l'amour avec tant d'insouciance ? Comment avais-je pu croire en l'éternité du plaisir ?

Forcée jusqu'à la moelle, je dérivais. J'avais le sentiment de m'enfoncer dans le néant, et le néant était un engorgement de matière corporelle sans yeux ni visage. J'aurais voulu dormir, échapper à l'arrachement de ce qui tenait encore trop à moi pour s'en extraire. J'étais une chair en travail. Une chair en abîme qui attendait sa délivrance.

Un vertige m'emportait. Haletante, je m'élançais, lèvres et muscles tendus. Des coups dardaient le bas-ventre. Une spirale de douleur ébranlait les reins et forçait les parois comprimées autour du bulbe qui glissait hors de moi. Une tête, des bras, un torse couvraient le miroir suspendu au-dessus du lit. Une dernière contraction me secouait, libérant la vigueur animale qui s'épuisait en moi. Le bassin dégorgeait une liqueur rose sur le drap. Je retombais sur le matelas. Tout était terminé. Je ne sentais plus ma chair.

On allongeait l'enfant sur mon ventre, et l'osmose se reconstituait. Mais je savais que nous ne remonterions plus jamais vers l'embouchure. Mon fils avait poussé son cri primal. Un cri insoutenable qui disait l'horreur de la rupture. Il ignorait que la chair a plusieurs lieux, plusieurs âges, plusieurs déploiements. Je le voyais me boire, accélérer les mouvements de succion, et je percevais, dans cette voracité, l'ampleur d'une faim qui ne serait jamais satisfaite.

Au même instant, dans une autre chambre, la sage-femme tamponne avec un linge les cuisses ouvertes de Catherine. Les muscles de la jeune femme se relâchent. Son souffle s'élargit. Une dernière poussée la traverse de part en part.

— C'est une fille, madame.

Sa tête retombe sur l'oreiller. Le cercle des existences maudites recommence. « Une fille ! » Elle se souvient d'avoir entendu prononcer ces mots un jour, dans une pièce sombre, frappée par une douleur trop grande pour son âge. Au milieu des odeurs acides et fermentées qui remplissent la chambre, elle revit le rejet de la mère sanguinolente. Son ventre se contracte. Elle se tourne du côté du mur. La lumière la blesse.

La porte grince. Des pas glissent sur le plancher. Éléazar contourne le lit, rabat le drap et l'oblige à le regarder. Il lui dit qu'il l'aime dans sa pâleur, qu'il la soutient dans son corps meurtri dont il voudrait partager la souffrance et le fruit.

Il prend l'enfant et la tient contre lui.

— Elle s'appellera Marie-Catherine. Comme toi.

— Tu n'es pas déçu ?

— Déçu ? Mais tu es folle. Des garçons Hayst, nous aurons bien le temps d'en avoir.

Une semaine plus tard, la jeune femme se lève, va à la cuisine et peint des œufs qu'elle place dans un bol. Elle n'a plus mal. Le sang mouille à peine le linge posé sur son sexe. Se souvenant de ses bonheurs d'été, elle se rapproche de la lumière, ouvre la fenêtre et respire la neige imbibée d'eau. Bientôt elle marchera à l'extérieur en portant l'enfant dans ses bras.

Elle imagine les tourtières et les beignets qu'elle préparera avec Adélaïde lorsqu'elle aura recouvré ses forces. Leur premier Noël a été sans cochon de lait, sans volaille et sans vin. Pour Pâques, elle veut un festin.

Madeleine est venue me rendre visite. Je suis dans la chambre, en train de nourrir l'enfant. Une odeur de lait flotte dans la pièce. Gênée par ma surabondance d'accouchée, elle regarde à peine mes seins. Elle pose ses mains sur la courtepointe et les retire aussitôt, comme si le geste était indécent. Elle ne me saisit plus qu'à travers Éléazar, le nourrisson, le lit conjugal.

Finalement, elle se risque à parler.

— Patrick s'est prononcé. Il a demandé ma main.

— Et quelle a été la réaction de père ?

— Tu sais.

Oui, je sais. Même situation, mêmes cris, mêmes menaces. Il a levé les bras et demandé quel mauvais sort poussait ses filles à s'amouracher de bons à rien. Incapable de répondre à l'inévitable autrement que par la violence, il a souhaité venger l'honneur bafoué.

Éléazar s'impatiente. Il trouve ma sœur trop complaisante.

— Quel bourgeois comptait-il te faire épouser ?

— Il a déjà été question du fils Mure et du fils Bastien.

— Des radins qui portent le drap d'Espagne sans faire la différence entre le crottin de rue et une pomme de pin.

— Éléazar, tu exagères toujours.

— Tu as vingt ans. Si tu aimes Patrick, qu'attends-tu pour te décider ?

— Ma majorité. Il sera alors forcé de donner son consentement. Je ne pourrais pas supporter sa malédiction.

Éléazar s'emporte. Il prend Marie-Catherine et la lève à bout de bras.

— Sa malédiction ? Regarde cette enfant, tu crois qu'elle nous aurait été donnée si Dieu avait souhaité la vengeance ? Bien naïve, si tu crois qu'il se ravisera. Cet homme-là ne revient jamais sur une décision.

Madeleine s'entête. Elle restera toute sa vie une

femme soumise, une femme sans emportements et sans excès. Ses passions sont douces.

— Je suis l'aînée. J'ai le devoir de ne pas contrecarrer ses projets.

Mots vides, ma sœur. Tes frères seuls possèdent les droits et privilèges de la filiation. Leur nom ira à leurs fils et arrière-petits-fils comme il leur est venu de père. Mais pour toi comme pour moi, ce nom est à troquer pour un autre de même valeur. Aurions-nous toutes les vertus du monde, que nous ne serions rien sans l'alliance qui confère importance et dignité.

Je m'arrête. Ses larmes sont proches. Tout refus lui paraît insoutenable. Il faut me taire, seulement prendre acte de sa douleur.

— Hier, père a vu le notaire et déclaré son opposition.

— Ce genre de déclaration est chose courante. Tous les bourgeois y ont recours lorsqu'ils veulent écarter un mauvais parti.

— De toute manière, le curé de Vaudreuil refuserait de bénir cette union.

— Qui vous oblige à choisir l'église de Vaudreuil ?

— C'est là que je suis née. Nous croirais-tu capables de traverser la frontière pour aller nous marier en terre américaine, alors que père s'est battu contre les Américains ?

— Voilà de bien grands mots et de bien grands scrupules. Si les États-Unis envahissaient de nouveau le Bas-Canada, les Britanniques se battraient à nos côtés.

Inutile d'expliquer. Ma sœur se désintéresse de la politique. Pour elle, la vie s'arrête à la maison Trestler, lieu sûr auquel elle s'agrippe comme à sa planche de salut. Pour finir, elle ajoute :

— Je veux rester en bons termes avec père.

— Que risques-tu ? Il t'a probablement déshéritée avant même de savoir qui tu épouserais.

— Je place les sentiments au-dessus de ces questions.

Huit mois d'attente, et la voilà vêtue de blanc. Elle est majeure, heureuse d'être au bras de Patrick. Des migrations d'oiseaux traversent le ciel. La campagne embaume jusque sous le portique de l'église. Il ne souffle aucun vent. Le ciel est découvert. Et cependant, c'est un jour triste.

Madeleine espérait que sa majorité ferait fléchir père. Garde tes pleurs, pauvre fille, cet homme n'a pas de cœur. Il a des principes, une âme trempée d'acier, la vengeance à fleur de peau. Il a un pianoforte, des titres, des serviteurs, un commis qu'il ne te destinait pas pour époux. Il a même des substituts pour les besognes répugnantes. Après la bénédiction nuptiale, un voisin illettré tracera une croix en guise de signature au bas du registre paroissial.

Neuf mois plus tard, un troisième testament est rédigé, dont je trouve une copie dans le dossier prêté par Éva. Rien de neuf pour l'essentiel. La jouissance de l'usufruit des biens du négociant est maintenue en faveur de Marie-Anne Curtius et de ses fils. En cas de rupture de la lignée paternelle, ses biens iront aux parents collatéraux mâles.

L'ancien mécène mise maintenant sur la famille. Catherine perdra bientôt sa fille, mais J.J. Trestler verra naître un quatrième fils.

Déclarant ledit testateur donner à Marie Magdeleine et Catherine Trestler, ses deux filles de son premier mariage, à chacune cinq shillings cours actuel de la province, il n'en a pas moins recommandé son âme à Dieu tout-puissant, le suppliant par son infinie miséricorde de lui pardonner ses offenses et de le recevoir au nombre des bienheureux.

— *Son of a bitch !*

— Tu es vulgaire, dit Stefan. Surveille un peu ton langage. Je ne peux supporter les jurons dans la bouche d'une femme.

7

Je ne peux remettre cette visite à plus tard. Le moment est venu de faire connaissance avec le père de Catherine. Je passe un coup de fil à l'historien du dimanche qui promet d'abréger sa réunion de la matinée afin de me recevoir, et je descends aussitôt dans le Vieux-Montréal, quartier en forme de labyrinthe où je cherche la rue Saint-Nicolas.

Rue Saint-Sacrement, je croise une calèche tirée par un cheval harnaché de courroies, de clochettes et de pompons rouges. Des touristes américains quittent un instant des yeux le dépliant publicitaire tenu à la main, cherchant le soleil, le mât olympique, les colombes, les temples et les forêts qui y sont célébrés. *Les pionniers du Nouveau Monde, les grands découvreurs y ont vécu, et ils y ont laissé l'empreinte de leur courage. À pied, sur les pavés ronds et usés par trois siècles d'histoire, admirez les anciennes maisons à pignons, les riches églises.*

— *Stop ! I want to take a picture.*

Les rues défilent dans mon rétroviseur, et j'imagine l'historien en train de consulter des archives poussiéreuses dans un bureau délabré. On a brûlé ses lettres, m'a-t-il dit au téléphone à propos d'Iphigénie, nièce de Catherine, qui le fait toujours rêver. Je sais. On a aussi brûlé des pages du journal intime de ma mère, de ma grand-mère, et de beaucoup d'aïeules. La femme de rêve n'écrit que pour ses tiroirs.

Au 410 de la rue Saint-Nicolas, j'hésite devant un building moderne flanqué de colonnades grecques. Aucune société d'histoire n'est inscrite au rez-de-chaussée. Croyant m'être présentée à la mauvaise adresse, je m'apprête à partir lorsque j'aperçois, au tableau indicateur, des initiales pouvant être celles de l'amoureux d'Iphigénie. Je prends l'ascenseur. Au troisième, deux standardistes assises derrière un comptoir laqué psalmodient le nom de *G.P. Ltée* dans des récepteurs rouges. Le décor est futuriste. Lignes modernes, lustres de plexiglass, divan bleu, moquette pourpre. Je me suis sûrement trompée de porte.

— L'historien de quatre-vingt-un ans qui a trois bureaux dans le Vieux-Montréal, ce n'est pas ici ?

— Mais oui. Bientôt quatre-vingt-deux, dit la plus proche en interrompant sa litanie. Vous verrez, il ne les paraît pas.

— Vous êtes sûre qu'il est historien ?

— Parfaitement.

Elle fait glisser mon vieil imperméable sur un cintre avec les égards habituellement réservés aux manteaux de vison. Puis elle vérifie l'heure du rendez-vous et ajoute d'un ton détaché :

— Il est président d'une firme de courtage. Vous ne le saviez pas ?

— Non. Les historiens sont rarement riches.

— Il n'y a pas de raison. L'histoire appartient à tout le monde.

Dans le bureau du président, je suis intimidée par les fauteuils de cuir, la moquette feutrée, les tableaux d'artiste, le luxe du PDG. Je me tiens au bord du siège comme une dame en visite. Cette femme sans bloc-notes, qui griffonne des notes à l'endos d'un carnet de chèques, dégrade le métier de journaliste. En vieux pull, jaquette sport, pantalons tuyautés, sac en bandoulière et talons plats, elle ressemble à une étudiante des beaux-arts. Si elle avait su, elle se serait habillée et maquillée.

— Mais enlevez votre veste, je vous en prie.

— Non merci, ce n'est pas la peine.

La morale a ses exigences. Je n'ai pas de soutien-gorge. Je ne saurais montrer la pointe de mes mamelons à l'amoureux d'Iphigénie sans rougir. D'un geste précautionneux, il ouvre un tiroir, en tire un écrin d'où il extrait trois négatifs. Mon cœur bat à tout rompre. J.J. Trestler est face à moi, yeux bleus, traits neptuniens, double menton, petite bouche. Ce visage brouillon dément la lourdeur butée prêtée au père de Catherine. Ce n'est pas du tout l'homme que j'ai imaginé.

— Un parvenu. Voyez comme il accentue ses origines plébéiennes avec ce gilet de mauvais goût.

— Jaune et noir, ça me rappelle le père Goriot.

— Aucun goût, c'est visible.

— Il paraît jeune, Catherine a dû l'aimer.

Cette pointe œdipienne le laisse froid. Catherine ne lui est rien. Il s'intéresse à la montée de la bourgeoisie québécoise dans l'histoire. Il vénère la petite-fille de J.J. Trestler qui épousa un avocat célèbre, futur membre du Parlement. Quant au reste, il affectionne les épouses des politiciens, ce côté laiteux et clandestin du pouvoir trop souvent négligé des historiens.

Iphigénie repose entre ses doigts, corsetée, lèvres minces et sourcils droits. Si la photo est fidèle, elle aurait eu les yeux du grand-père, le nez en plus aquilin. Ce visage affirmé, intelligent, n'accuse rien de frivole. Je me demande à qui cette femme, morte en couches au début de la trentaine, aurait pu écrire des lettres compromettantes, sinon à ses sœurs Marie-Adèle et Radegonde-Olympe, noms romanesques sollicitant des confidences, des aveux, un égarement fictif du cœur et des sens.

Un drame se joue derrière la ressemblance des traits. La descendance Trestler est condamnée. Déjà, la branche mâle s'épuise. Le fils cadet, mis au monde par Marie-Anne Curtius peu de temps après l'accouchement de Catherine, dédaigne le mariage. Et son frère Jean-Baptiste aura trois filles — dont cette glorieuse Iphigénie, et deux fils qui resteront célibataires.

— Tenez, Jean-Baptiste, le père d'Iphigénie. Regardez comme les traits s'affinent avec les générations.

— On dirait la tête de Lord Byron.

Un faciès romantique, que j'aurais eu plaisir à fréquenter dans le vieux grenier, me dévisage du fond des temps. Je regarde le visage étroit et tourmenté, me demandant ce qu'il pouvait avoir de commun avec le père, *self-made-man* qui parut garder toute sa vie une mentalité de mercenaire. Ce garçon doux a, paraît-il, étudié la médecine à Édimbourg où il rédigea une thèse sur la rage avant de rentrer au pays et de contracter mariage avec une demoiselle portant un nom anglais.

— Peu équilibré, ce garçon. Il a ouvert un asile d'aliénés, puis il a finalement pratiqué une médecine rudimentaire.

— La médecine de l'époque ?

— Oui, à peu près ça.

On avait choisi pour lui la voie royale. Administrer des lavements, des purgations, des saignées, effectuer le transvasage des fluides, l'évacuation des humeurs. Mais jouir de la consolation suprême : s'être conformé au désir du père. Être entré dans la petite bourgeoisie soignante et papiste qui glorifiait l'effort et le mérite, laissant aux Anglais, protestants et capitalistes, les activités commerciales ressortissant à la naissance ou à l'appât du gain.

L'historien paraît deviner ma pensée.

— Le bourgeois est condamnable s'il refuse le progrès, mais il est utile s'il fait fructifier l'économie. Ici ce sont les bourgeois qui ont développé le pays.

Un Néo-Canadien m'a servi le même argument la semaine dernière, citant ses bourgeois à lui, les Steinberg, Molson, Schwartz, Zimmerman, Bronfman qui ont fait fortune en Amérique. J'ai développé un réflexe conditionné. Quand on dit grand bourgeois, je pense Ogilvy, Birks, Holt Renfrew. Quand on dit juif, j'intériorise la conscience malheureuse, Dreyfus, la voix fêlée des nouveaux philosophes, l'odeur des fours crématoires, les marchands de la rue Craig. Le soir même, je sollicitai l'avis de Stefan. Il m'étonna, parut oublier son sang bleu. « C'est vrai, convint-il, la bourgeoisie constitue la part la plus dynamique de la société. Les Peugeot, les Renault, ce sont des grands bourgeois huguenots, des protestants. Quant aux Américains, c'est même pas la peine d'en parler. »

L'historien arpente son bureau d'un pas pressé, à la manière d'un préfet de collège. Il m'entretient des seigneurs et de la seigneurie de Vaudreuil, du pré communal situé derrière la maison Trestler où les serfs allaient faire paître leurs bêtes. J'ai été bien avisée de ne pas envoyer Catherine courir de ce côté, je n'aurai rien à changer à ses allées et venues. Mais je devrai déplacer le manoir des Lotbinière que j'ai situé trop loin, et que Trestler fréquentait, semble-t-il, plus que je ne l'ai laissé entendre.

Je note scrupuleusement chaque renseignement reçu. Je n'aurai pas de sitôt la chance de toucher la charnière vivante qui relie la France puritaine de Léon Blum au Québec libertaire de cette fin de siècle. Le verso et le recto de mon dernier blanc de chèque sont déjà couverts. *Payez à l'ordre de.* Je dois maintenant poser la vraie question.

— Vous n'avez jamais vu de photos des filles Trestler ? Madeleine ou Catherine ?

— Jamais.

Réponse sèche. Je recevrai le superflu, un essai de l'historien dont le titre, contenant les mots *une famille bourgeoise* suscita, à sa sortie, la réprobation de ses proches, vexés de voir ravaler un statut civil en jugement de valeur par un simple adjectif. La bourgeoisie ne se reconnaît que dans le substantif. *La qualité de ce qui est*, avait bellement écrit un partisan thomiste dans le vieux bouquin de philo jadis feuilleté sous les combles de la maison familiale.

Il me remet également le neuvième tome de son journal intime où je trouve les hivers délicieux. Vacances sur la Côte d'Azur, soirées à l'opéra de Nice, flâneries sur la promenade des Anglais. À travers ces pages, transpire un humanisme imprégné de délicatesse, le fin esprit de qui sut toucher le meilleur des deux côtés de l'Atlantique. L'argent à l'ouest, la culture à l'est.

Subitement, une idée me vient.

— Mais ce ministre des Finances, il pourrait être de votre lignée ?

— Ce ministre des Finances, c'est mon fils, madame.

J'aurais dû m'en douter. Cette ressemblance, ces évidences après coup. Même sourire, même profil, même arête nasale, même regard embusqué sous l'épaisse arcade sourcilière. Le particulier conduit toujours à l'universel.

Observer ces traits, noter les paliers gravis par cette famille, c'était saisir l'évolution de la bourgeoisie entière.

Nous continuons d'échanger nos impressions sur les visages fixés à la cyanine, hasardant des hypothèses sur le caractère des personnages, leurs manies, leurs penchants, les disculpant ou les incriminant selon le rôle que nous leur avons assigné dans nos récits respectifs. Nos têtes se touchent presque. Nos épaules ont pris le même angle d'inclinaison. Nous sommes les parfaits complices de l'époque que nous tentons de restituer. Nous sommes les passionnés amants des personnages que nous créons.

Les négatifs retournent dans leur écrin, et nous reprenons aussitôt nos distances. Il est né d'un chirurgien qui imposait le camping à ses fils avant que la mode n'en fît un sport enviable. Mon père était un rêveur qui fuyait la ferme, ses mouches, son purin, pour la somptueuse splendeur des mots. De nos mères, il n'est pas question. Nous nous sommes connus à propos d'une famille étrangère où les femmes détenaient l'arrière-scène du pouvoir.

Le tiroir du bureau se referme. L'entretien est terminé. L'historien me reconduit à l'ascenseur avec l'élégance des hommes de son temps. Il ébauche un geste d'adieu. Nous retournons à nos occupations. Lui, à la gestion de ses capitaux, de ses documents, de ses fresques édifiantes. Moi, à mes fantasmes, à mon roman. Nous appartenons à deux clans d'écrivains qui s'ignorent et se sous-estiment mutuellement.

Dehors, le soleil de midi est blanc. Après avoir vu ces négatifs, entendu ces propos, la ville me paraît aussi irréelle qu'un film de science-fiction. Je devrais me sentir soulagée pour Catherine. Aucun procès n'a finalement eu lieu, semble-t-il, entre elle et son père avec qui le conflit se serait réglé à l'amiable. Mais je crois avoir lu ou entendu le contraire. Il me faudra revoir ce dossier lorsque je retournerai à la maison Trestler.

Quelques semaines plus tard, j'appelle la standardiste de la maison de courtage pour vérifier les détails du décor de la salle d'attente. Elle rectifie : « Les lustres sont effectivement en plexiglass, mais les récepteurs sont noirs, la moquette beige et le divan vert. » Une seule de mes références est juste. Loin de m'inquiéter de l'inexactitude de mes perceptions, je m'en réjouis. Puisque les sens et la mémoire déforment à ce point le réel, je peux invoquer le passé en toute tranquillité. Il se trouvera toujours quelqu'un pour me persuader, à partir de ses propres approximations, que le blanc était noir ou que le noir n'est pas le blanc.

Je n'avais pas eu tort de lire comme des romans d'aventure ces récits d'exploits et de batailles auxquels les historiens, qui en livraient les épisodes, n'avaient jamais assisté. Et auraient-ils été présents sur les lieux de l'action que mes doutes eussent encore été fondés, le parti pris politique, l'aveuglement des sens suffisant à orienter le jugement. L'Histoire avec un grand H, c'était avant tout un genre littéraire doté d'un style, de règles, de procédés. C'était, de toutes les histoires possibles, celle que l'on choisissait à des fins qui ne se révélaient que plus tard. Et, dans ce dévoilement, le temps aussi faisait son œuvre.

Tourmentée par les propos de l'historien du dimanche concernant l'issue du procès que Catherine aurait pu avoir intenté à son père, je décide de retourner à la maison Trestler.

Après avoir jeté dans ma serviette un pyjama, une brosse à dents, un bloc-notes et un stylo, j'éteins les lumières et m'apprête à glisser la clef dans la serrure lorsqu'un bruit étrange parvient jusqu'à moi. Une ovation monte du sous-sol. Je suis seule. Surmontant ma peur, je rallume et descends.

À l'extrémité de la salle de séjour, je trouve le téléviseur à demi ouvert. Vêtue de rose géranium, Elizabeth II quitte la passerelle d'un Boeing 707 des Forces armées canadiennes. J'augmente le volume. « Ottawa, seize avril. Le grand jour est arrivé. » Voici la première tranche du feuilleton télévisé qui nous égaiera cette semaine.

L'actualité est couleur d'un mouchoir de papier Scottie. Aujourd'hui, *the medium is the message* de l'Atlantique au Pacifique. Le pas mesuré par les flonflons des cuivres, la reine avance, offrant aux foules son visage de grand-mère sereine et coquette. Cet heureux pastel gomme l'image des terreurs coloniales ranimées aux Malouines. Il célèbre la luxuriance printanière, les fleurs qui ornent les jardins du parlement — complexe néo-gothique dont elle aime le dépouillement.

Sur le tapis rouge conduisant au podium, elle entend « *Cheer up !* », et elle regrette d'avoir forcé le ton de sa toilette, s'avisant soudain que la neutralité d'un vert doux eût mieux convenu aux circonstances. On l'achemine vers le hangar de la base militaire où l'attend le deuxième régiment de la Royal Canadian Horse Artillery qu'elle passera en revue. Après la longue envolée de sept heures, la vigueur martiale des soldats sanglés dans leurs uniformes perma press, luisants comme des tambours neufs, la revigore. Une salve de vingt et un coups de canon balaie le ciel. Elle s'essuie les yeux. Du vaste empire du Commonwealth dont s'enorgueillissaient les siens, il reste une odeur de poudre et un léger nuage de fumée qui s'évapore rapidement.

Envoûtée par l'image, je m'assois, profitant du spectacle offert par les caméras. La reine marche. Elle signe un livre d'or où l'or est rare. Elle reçoit une gerbe de fleurs d'un enfant de la Belle Province dont le gouvernement boude le rapatriement de la constitution qu'elle rapporte dans ses bagages. Entêtement de catholiques, croit-elle en prenant place dans la limousine qui la conduit à la résidence du gouverneur général où elle passera la nuit, sachant qu'on loge dans ces résidences étrangères mais qu'on ne dort bien qu'à Buckingham Palace.

Un long travelling couvre la suite royale qui avance au ralenti, attirant les curieux agglutinés autour de l'église St. Bartholomey où la reine s'agenouille, le temps de réciter une prière. *My God*, sauvez la monarchie, Scotland Yard, la reine, sa cour et ses chevaux. *My Queen*, que l'on adore en Sa majesté et suprématie à jamais consignées dans leurs mémoires oublieuses, régnez éternellement.

À plusieurs reprises, le cortège se dissout et se reforme. Cocktail à dix-huit heures. On chuchote les noms et les qualités des personnalités présentes. Couleurs acides, mains gantées de miel. Ce soir, ma reine, vous assisterez au concert gala donné en votre honneur. *The american look, the american tune*. Vulgaire à souhait. Nous partageons près de 9000 kilomètres de frontière, souvenez-vous, c'est trois cents fois la largeur du Pas-de-Calais. Mais vous faites preuve d'une dignité remarquable. Rien ne vous rebute. Rien ne vous étonne. La ferveur méditative vous est prétexte à fermer les yeux. Faites de beaux rêves, ma souveraine, je vous reverrai au dîner d'État. D'ici là, je grimpe à la cuisine passer un coup de fil et préparer un double *T.V. dinner.* Stefan rentrera peut-être ce soir.

J'appelle Éva pour remettre à plus tard mon passage à la maison Trestler. Je dépose ensuite sur un plateau deux branches de céleri, deux carottes, deux boîtes de sardines, deux yaourts et deux thés. Il y a trente-six façons de préparer un repas frugal. Saviez-vous, ma reine, que le yoga et la cuisine macrobiotique font en ce moment fureur en Amérique ? Les voyages forment la jeunesse. Je n'oublierai jamais notre première rencontre.

C'était un soir d'été exceptionnel. À dix-huit heures, nous nous sommes levés de table, père, mère, enfants, puis nous avons traversé la route de Gaspé et dégringolé le précipice longeant le flanc nord de la maison. Nous foncions droit vers le soleil, en marche vers la voix ferrée où nous déposerions les pièces de monnaie qui seraient frappées à votre effigie. Vous étiez habillée de bleu ciel, fiancée au prince Philip, ou sur le point de l'être. La reine mère portait un tailleur bleu paon, cinq rangs de perles et une étole de vison blanc. Mais peut-être suis-je en train de confondre ce voyage avec un autre qui aurait pu survenir plus tôt ou plus tard. Vos toilettes variaient peu, et ces déplacements constituaient l'événement suprême que seule une visite papale pouvait éclipser.

Remplis d'allégresse, nous humions l'air avec avidité. Le soir était lent, nos visages brillaient dans la pénombre. Le moment crucial tardait à venir. Bientôt, nos respirations devenaient plus courtes et l'herbe tournait au noir. La fièvre de l'attente devenait intolérable. Ma mère avait résumé l'histoire de la monarchie anglaise. Mon père, raconté en détail les circonstances du couronnement de Georges VI. Nous avions épuisé la gamme d'anecdotes connues sur le caractère des époux, leurs goûts, leurs rapports. Nos yeux dévoraient la nuit et fouillaient la campagne immobile sans vous y trouver.

Mais je m'accrochais, ma souveraine, je m'accrochais. Pour tenir, je rêvais à vos amours, aux chapeaux de feutre à large bord, affectionnés par madame votre mère, auxquels paraissaient tenir notre adoration et une part du prestige royal. Nous commencions à désespérer lorsque, soudain, un bruit d'engin fendit l'air. Crachant du noir, un train du Canadien National avançait, propulsé par une mécanique qui détraquait la cervelle. Le ciel tremblait. Terrifiée, je me bouchai les oreilles. Puis une voix s'éleva. « C'est fini, ils sont passés. » Mon père se pencha, fouilla l'herbe et exhiba une piécette blanche au creux de sa main.

Un visage royal — était-ce celui de Georges VI ou d'Elizabeth ? peu importe, les traits étaient oblitérés et la royauté affiche toujours le même visage — fixait le levant, la tête aplatie au sommet, là où avaient porté les roues du convoi. Nous nous bousculions pour toucher le métal précieux. Mon père nous laissa approcher, nota nos observations, les compléta des siennes, puis fit disparaître l'objet rare dans la pochette du pantalon réservée à sa montre. Ensuite, il donna le pas, et ma mère suivit. Nous regagnâmes la maison en silence, remplis de la grâce du sacré qui suspendrait, pendant quelques jours, le tumulte familial, le vacarme domestique.

Les caméras de télévision m'entraînent maintenant dans un hôtel chic de la chaîne Holiday Inn où cinq cents jeunes chefs de file, cheveux lisses, collet monté, partagent le repas de la reine. On les a exemptés du banquet simulé, la fastidieuse répétition générale imposée deux jours plus tôt par le corps protocolaire de Buckingham Palace au personnel cadre intermédiaire. Les salades, les viandes, les vins, les fromages et les petits pois ont été importés de France, mais les serveurs et les têtes de violon du potage sont du pays. Je broute mon céleri tandis que Sa Majesté déguste une feuille de chicorée lavée à l'eau minérale des Malvern Hills of England qui la suit toujours en voyage. Noblesse oblige. Elle touche à peine son verre de Château Puyfromage et son carré de veau Choisy. Ces repas l'épuisent. Il faudrait parfois avoir le courage de servir aux reines des *T.V. dinners*.

Auparavant la souveraine a causé de la pluie et du beau temps avec ses hôtes, manifestant une préférence pour le climat d'Écosse. En pays roturier, elle a porté du rose comme une roturière, mais elle refusera la disgrâce de préférer les plages de Floride, d'Hawaï ou de Jamaïque, affectionnées par les chefs d'État nord-américains, à ses verts pâturages. *Home sweet home.* On n'est jamais aussi bien ailleurs que chez soi.

L'angle de la caméra se rétrécit, le cadrage se resserre. On tend à la reine son portrait, une peinture naïve devant laquelle elle hoche la tête après avoir esquissé une moue. Le bleu a si longtemps soutenu la palette des portraitistes anglo-saxons qu'elle répugne à accepter ces dégradés neigeux où des yeux impavides fixent le néant. Cette toile l'anéantit. De regarder son corps figé dans un espace nu la débilite. On lui donne à contempler l'apothéose du vide. La fin de la monarchie.

Son instinct de survivance l'emporte sur son désir de plaire. « *No much resemblance* », articule-t-elle, refusant de reconnaître ses traits, et ceux du prince consort, dans ces visages blêmes surgis d'un cauchemar de l'Arctique.

« Sa Majesté. »

Elle lève les yeux. Quelqu'un croit en elle. Elle l'entendra. Elle veut continuer d'exister.

— Sa Majesté, vous arrive-t-il de parler de politique ?

Pourquoi s'acharnerait-elle à reproduire le pouvoir au-delà de la représentation qu'elle en donne ? Mais il insiste.

Elle cherche des yeux ses gardes du corps pour leur signifier la présence de l'intrus qui enfreint le protocole. Inutile, ma reine, ils ne lèveront pas le petit doigt. À Ottawa, *they don't speak french*, langue de l'intelligentsia européenne que l'on vous fit un devoir de maîtriser. Ils n'ont rien entendu des propos échangés. Cela leur est musique barbare, dialecte tiers-mondiste, borborygmes de mangeurs de soupe aux pois. Ici, ma reine, il n'est que minuit. La grande noirceur couvre la ville tandis que le fuseau horaire de Greenwich marque six heures.

En ce moment, à Buckingham Palace, vous sonneriez la femme de chambre et commanderiez du thé avant de consulter les journaux du matin où vous liriez les bavardages d'insulaires sourds au bruit que font quatre milliards et demi d'habitants s'arrachant les restes d'une planète déchue. À Ottawa, vous les ouvrirez à peine, redoutant l'humour qui stigmatisera la couleur de vos toilettes, le flegme de votre sourire, la simplicité de vos propos.

Un soupir s'éteint sur les lèvres de la souveraine. Personne ne saura que la couronne lui a toujours pesé. Personne ne comprendra que le destin l'a condamnée dès l'instant où il jeta le duc de Kent, fils aîné du roi, dans les bras de l'ambitieuse et stérile Madame Swamson. Nouveau mouvement de caméra. Un rideau de pluie couvre Rideau Hall d'où part le cortège attendu pour la cérémonie. La colline parlementaire est remplie d'associations d'Éclaireurs, de Guides, de personnes âgées, de handicapés invités à nourrir l'ovation. Triste spectacle pour une reine dont les traits accusent une fatigue scandaleuse.

Vêtue de bleu turquoise, Elizabeth II quitte le carrosse où montèrent Georges VI et la reine mère aux belles heures de la monarchie. D'instinct elle avance sur le tapis rouge bordé de cordons de policiers, sachant que les tapis rouges la conduisent toujours où elle doit aller. Sous son parapluie, elle voit la foule massée derrière les grillages de fer dressés pour la circonstance et jette un coup d'œil du côté des baraques fumantes, installées le long de l'édifice abritant son Conseil privé, d'où viennent des odeurs de frites et de hot dogs poussées par un vent froid. Un peuple se reconnaît à ses odeurs. Elle fronce les sourcils. La mine renfrognée des officiants laisse présager le déclenchement de quelque incident fâcheux. Des fanatiques oseraient-ils saboter cette manifestation déjà compromise par le mauvais temps ?

Non, ma reine, vous ne courez aucun risque en dehors de ces jets d'eau qui dégoulinent sur votre col sans abîmer votre mise en plis. Aucun patriote ne traversera l'Outaouais. Dans quelques instants, vous vous restaurerez. On posera devant vous un omble de l'Arctique arrosé de Pouilly-Fuissé, et je scruterai votre ennui, les pieds allongés sur un pouf de moleskine, tout en vidant ma dernière boîte de sardines.

La caméra bouge. « *The show must go on !* », lance la speakerine d'une chaîne pirate américaine qui déborde sur le réseau français. La reine se détache des timbres-poste et des billets de banque, où on la gardait immobile, pour remplir le côté fade de sa mission. Elle échange des reparties et des poignées de main avec des hauts fonctionnaires en jaquette et des femmes toilettées. Elle glisse ses pas dans ceux de la reine mère, empruntant ses rides sans jamais atteindre à sa splendeur, son visage et ses gestes rappelant plutôt la froideur un peu gauche du père, sa retenue empreinte de timidité.

Plus tard, je la vois lever la tête vers quelques-uns des mille neuf cent quatre-vingt-deux pigeons que les organisateurs de la cérémonie ont échoué à lancer vers le ciel. Je l'épie dans ses silences et ses retraits. Je la suis même jusqu'à l'aéroport d'Uplands où des familles de militaires honorent son départ. Et pourtant, il me manque encore une image. La télévision me cache les Indiens d'Edmonton en train de fumer le calumet de paix et de protester contre le Canada Bill.

Ces photos me seront livrées par les journaux du lendemain. C'est aussi grâce à la presse écrite que j'ai fait connaissance, cinq mois plus tôt, avec le chef de la tribu des Ojibway, l'octogénaire Ojibwav Senapor Shingwauk, qui escaladait la colline parlementaire outaouaise suivi d'un millier d'autochtones réclamant le respect des droits ancestraux. La télévision faisait sa besogne. Elle couvrait le spectacle, abandonnant aux scribes la pérennité de l'histoire.

Pendant ces quarante-huit heures où je regardai le petit écran, Stefan ne rentra pas. Au troisième jour, je compris que je ne devais plus lui préparer de *T.V. dinners*, ni aucun autre repas. Il s'était épris d'une walkyrie slave, seins plats, longue crinière rousse, qui, fatiguée de faire la plonge dans un restaurant de New York où n'apparaissait jamais Santa Claus, avait abouti à notre bungalow, munie de huit valises, d'un transistor, et de la ferme intention d'être épousée, choyée, gavée de caviar et de foie gras avant l'expiration de son visa.

Je l'eus au bout du fil quelques semaines plus tard. Il avait cessé d'acheter les journaux, de regarder le téléjournal. Il ne savait pas qu'Elizabeth II avait signé la proclamation constitutionnelle de son seul prénom, *Elizabeth*.

— Elizabeth, répétait-il, pensif, croyant avoir livré le nom de la femme qu'il aimait.

— Elizabeth pour les intimes.

— Les intimes ?

— Oui. Elle est devenue reine du pays, première de la dynastie élisabéthaine créée exprès pour nous.

Le lendemain, j'ai l'esprit vide lorsque je lance ma serviette sur la banquette arrière de la voiture. Je n'ai plus très envie de voir la maison Trestler. Écrire m'est devenu difficile. Bouger me demande un effort. Je voudrais dormir du sommeil des aphasiques. Je voudrais rompre l'élan compulsif qui pousse à faire du texte quand hurler suffirait à traduire le mal de vivre.

Je mets le contact, et le moteur ronfle aussitôt. Le progrès n'aura jamais fini de m'étonner. Un mouvement de la main suffit à lancer un engin de huit cents kilos sur la route quand le corps traîne, déchiré par des souvenirs, un timbre de voix le matin au-dessus d'une tasse de café, l'indifférence d'un visage aux contours clairs, un bureau imprégné d'une odeur de tabac, et ce vieil imperméable abandonné sur un fauteuil, que je voyais noir, la nuit, quand je me levais pour vérifier s'il était rentré.

La question du temps s'est posée, aiguë, lorsque je me heurtai au silence des pièces vides en traversant la maison d'une extrémité à l'autre. Cette tentation de partir, l'un ou l'autre l'avait déjà caressée, mais cela prenait figure de fugue, un éloignement passager qui n'altérait pas la nature d'un attachement considéré comme indéfectible. La douleur pressentie dans l'ignorance, les jours qui avaient précédé cette fuite, ne m'avait prémunie de rien. J'avais échoué à mesurer la distance franchie par un corps que j'imaginais encore proche malgré le regard oblique, les mots aigres-doux, ces instants d'incompatibilité mis au compte de la fatigue.

Et maintenant, ce manque. Cette panique des nuits solitaires que je tais, que j'ai toujours tue. N'étais-je pas la plus forte, la plus raisonnable ? N'étais-je pas celle qui demeurait sereine et tranquille quand d'autres claquaient les portes ? Je croyais le connaître par cœur. Il est parti sans dire c'est la dernière fois, et j'ignorais le temps qui me serait soustrait, cette impossibilité de revenir à l'oubli, à l'accueil où nous conduisaient toujours nos phases d'isolement.

Auparavant, lorsqu'il lui arrivait de s'éloigner, il prenait ses précautions. Il laissait des traces. Il brouillait les signes. Un coup de fil, une colère, une lettre atténuait ou relançait l'espoir de la réconciliation. Mais en parcourant les chambres où traînent des objets qui lui ont appartenu, des stylos, des peignoirs, des cendriers pleins, je comprends que le deuil impose toujours la même épreuve : l'absence, le saccage de l'amour révélé dans le silence absolu.

Je roule dans la chaleur croissante du jour, pressentant que quelque part, dans ce qui a été ma vie, ou celle de Catherine, un dénouement se prépare. Mais dans ce déplacement entrepris pour endormir la douleur, je me soucie peu de savoir jusqu'où Catherine me tient lieu d'alibi. C'est d'abord pour moi que je continuerai le récit. On ne peut rien contre ce qui doit finir, mais la réalité du texte tempère le désir de mort. Peu importe ce qui se joue, ce qui s'est joué dans le bungalow de la presqu'île, les pages remplies éludent l'insoutenable question du vide.

Le soleil monte et j'avance dans une lumière sans fond. Des taches sombres, mêlées de feu, balaient mon pare-brise. Cette confusion délivre. Sans un geste, je pourrais fermer les yeux et entrer dans ce lieu où plus rien ne blesse. Mais je fais l'effort de reconnaître Dorion, ville silencieuse où rien ne semble se passer, où tout paraît converger vers ce qui peut être vu, entendu à la maison Trestler. Comme si, dans ces murs, l'odeur du vieux bois, une sensation de froid, le tracé d'écritures anciennes constituaient toute la réalité.

Ce que j'avais cherché dès ma première visite, c'était sans doute moins la somme des événements ayant constitué la saga Trestler, que la perception d'une continuité inscrite dans la mémoire du sang. J'avais fixé sur papier ce qu'Éva et Benjamin avaient consolidé dans la pierre. Sans le savoir, nous faisions œuvre commune. Nous cherchions à vaincre le temps. Nous tentions d'empêcher la chute des mots, la chute des choses et des corps dans le néant.

Rendue là-bas, au lieu d'aller sonner à la porte et saluer Éva, j'abandonne la voiture près du chenal et longe le lac sur quelques mètres. Je m'écarte suffisamment de ses bords pour ne pas céder à la tentation d'y plonger, choisissant plutôt de m'allonger et de laisser mon regard se remplir du paysage le plus proche, un carré d'herbe, des fleurs piquées d'insectes, des lignes en fuite entre les arbres du jardin.

Un assoupissement bienheureux me gagne, effaçant presque le mal. La terre a pu s'effondrer, mais il reste ce bien-être végétal, cette brume de chaleur qui dilue la précision des faits et la cruauté des gestes. Cette maison où je n'ose encore pénétrer m'aura servi. J'aurai appris d'elle la patience des pierres.

La femme dormait. Des bruits épars lui parvenaient. Elle entendait le grincement d'une porte, des chaussures effleurant le gravier de la cour, une voix montant de la terrasse. Et ensuite, plus rien. À peine une image, pas même une ombre ne traversait son esprit. Elle ne sentait plus les fourmis s'agiter sous ses jambes et ses bras. Elle ne savait plus rien de la veille.

— C'est arrivé quand ?

— Je ne sais plus. J'ai oublié. Dans ces cas-là, vaut toujours mieux oublier.

Plus tôt, sur le pont Champlain, elle avait augmenté le volume de la radio, et le début d'un bulletin de nouvelles avait retenu son attention. Washington, disait-on, n'hésiterait pas à intervenir si nous nous entêtions à maintenir notre politique pétrolière. Des remorques et des camions lourds roulaient en sens inverse, secouant le tablier du pont. Tous, nous dansions sur un fil, et la terre était ronde. Même en nous déplaçant, nous restions perpendiculaires à l'un de ses bords. Même en courant les routes, nous restions collés aux USA.

Allongée sur l'herbe de la cour, Catherine dormait, ignorant qu'une guerre se préparait. Nulle vie étrangère à sa chair ne la sollicitait. Le temps n'existait plus.

Pourtant, dans ce bonheur tranquille, elle se sentit subitement menacée. Rêvait-elle ? Il lui semblait que des pas résonnaient à ses oreilles. Elle entrouvrit lentement les paupières et leva la tête. Un officier et un milicien se tenaient devant elle.

— Madame Hayst ?

Elle se redresse, portant les mains à son ventre. Elle s'appelle en effet Madame Hayst. Elle est l'épouse d'Éléazar Hayst. Que lui est-il arrivé ? Et pourquoi Adélaïde n'est-elle pas revenue de la maison Trestler où elle est allée prendre des nouvelles du jeune frère malade ?

— Vous avez vu des miliciens fuir vers la forêt ?

— Des miliciens ? Pourquoi ?

Hier, Éléazar a appris que des Américains ont incendié le parlement du Haut-Canada et que des mouvements de troupes s'effectuaient aux abords de la frontière, mais personne n'a encore parlé de guerre. Pourquoi un officier anglais est-il dans la cour, en train de l'interroger comme si elle avait trahi le roi ?

— *No* déserteurs ?

Elle n'a vu ni milicien, ni déserteur. Elle a vu l'été,

touché l'herbe. Elle a senti le soleil sur son front et ses tempes. Une délivrance proche du sommeil. L'officier s'impatiente. Il fait signe aux miliciens qui l'accompagnent de le suivre.

— *Come on !*

L'arme tendue, ils font le tour des bâtiments, puis s'engouffrent à l'intérieur de la maison. Elle les entend ouvrir des portes, inspecter les chambres, déplacer les meubles. Ils grimpent au grenier. Que cherchent-ils ? Que leur veulent-ils ? N'est-elle pas une femme respectable, et son époux n'a-t-il pas toujours vécu comme un honnête citoyen ?

Ils sont revenus dans la cour. Elle entend leur voix, ce fort accent étranger. « Les nouveaux maîtres », disait J.J. Trestler. Dans l'enfance elle a entendu parler d'affrontements, mais c'étaient des guerres lointaines, des malheurs abstraits. Elle n'a encore jamais vu de soldats. L'horreur était ailleurs, imaginée seulement.

Elle court vers la maison et constate les dégâts. Ils ont saccagé le coffre et les armoires, laissé béantes les portes des chambres où elle voit les lits défaits. Elle a soudain peur de ce qui pourrait arriver.

— Tout déserteur doit être signalé au capitaine de milice. Avisez M. Hayst qu'en cas d'hébergement, ou de complicité, il tomberait sous le coup de la loi.

L'officier se met au garde-à-vous, imité par le jeune milicien qui, avant de sortir, plonge un gobelet dans le broc d'eau froide placé sur la table et demande à voix basse : « Vous avez du pain ? » Elle lui en tend un morceau qu'il enfonce dans sa poche avant que son supérieur ne l'aperçoive.

Catherine se demande s'ils n'ont pas eu tort de prendre à la légère l'Acte de milice, récemment proclamé, qui ordonnait la levée de miliciens tirés au sort parmi les célibataires de dix-huit à trente ans. Vaudreuil s'enorgueillit d'avoir formé un détachement de cinquante-trois soldats placés sous le commandement de Chartier de Lotbinière, et les miliciens de l'île Jésus se sont regroupés au cri de « Vive le roi ! » Mais tout ça ne forme pas un corps d'armée.

En cas d'invasion américaine, ils ne pourront compter que sur eux-mêmes. L'Europe est en guerre. Napoléon, qui voit son empire crouler, poursuit sa difficile campagne d'Allemagne. Et l'Angleterre, qui ne cesse de lui tendre des pièges, prédit sa chute.

— Catherine !

Éléazar est enfin revenu. Il la soulève de terre et la presse contre lui pendant un long moment avant de lui raconter les récents événements.

— L'armée fouille les maisons. Toutes les paroisses avoisinantes ont été visitées.

— Je sais. Ils sont venus ici. Qu'est-ce qu'ils cherchent ?

— Des déserteurs. Seulement la moitié des miliciens tirés au sort se sont présentés. Les officiers d'entraînement parlent anglais. Alors, les hommes ne savent plus s'ils ont affaire à des Américains ou à des Anglais. Ils refusent de se soumettre au tirage au sort qui les enrôlera d'office.

Catherine a peur de nouveau. La menace d'une guerre pèse sur eux, et ils attendent un enfant. L'inévitable devait un jour ou l'autre arriver : leurs concitoyens n'arriveraient plus à différencier les Anglais — qui étaient censés être leurs alliés — des Américains sur le point d'occuper le territoire.

Selon Éléazar, les dernières nouvelles sont alarmantes. Non seulement la révolte gronde, mais les miliciens recrutés manquent de vivres, d'abris, de paillasses, de munitions.

— Les Américains gagnent du terrain. Ils suivent la route du lac Champlain et paraissent se diriger vers Montréal.

— Montréal ?

— On peut s'y attendre. Notre armée vient d'y établir son quartier général, et un régiment venu de la vieille capitale est sur un pied d'alerte.

La veille, le juge McCord a été dépêché à Lachine pour mater l'agitation qui prenait de l'ampleur. Une fois sur place, il ordonne aux résistants de se rendre.

— Vous avez trente minutes pour déposer vos armes.

Personne ne bouge. Il regarde cette poignée de gueux, dont certains ont noué des mouchoirs rouges à leur front, et il se prend à souhaiter le maintien de leur opposition pour avoir le plaisir d'exterminer une partie de cette race maudite. Race de gagne-petits qui n'a gardé de son ascendance française que l'amour des ripailles et l'attrait de la rébellion.

— Quinze minutes de plus, et l'armée interviendra.

Ce McCord porte un nom anglais et affiche une forte arrogance. Cela suffit à ranimer leur haine. Juste à l'observer, ils trouvent plus facile de détester les *Canadians*, méprisants et monarchistes, que les Américains libéraux et républicains.

Les trente minutes sont écoulées. Un tir d'artillerie écrase les rebelles au sol. Ils ripostent avec une salve de coups de feu, s'attirant une nouvelle canonnade. Mais le jour tombe. Comme des loups, ils mesurent la distance qui les sépare de la pinède proche et disparaissent, couverts par l'obscurité.

Vingt-quatre heures plus tard, on parle de loi martiale sans oser l'appliquer. Le gouverneur maintient les libertés civiles, mais l'armée surveille la frontière et garde à l'œil les *townships* peuplés de loyalistes américains. Dans les villages, les citoyens évitent de se regrouper par crainte de représailles, car tout suspect est conduit aux bureaux de la police.

James Wilkinson, chef des forces armées américaines, a décidé d'envahir le territoire sur deux fronts. Il convoite cette colonie fortement divisée de l'intérieur, demeurée fidèle à l'Empire britannique. Les deux Canadas comptent à peine un demi-million d'habitants. Ils ne pourront résister longtemps à leur riche et puissant voisin dont la population dépasse déjà les sept millions.

Son plan est simple. Il descendra le Saint-Laurent à partir de Sackets Harbour, tandis que le major général Hampton, qui agira comme première force, remontera le lac Champlain, la rivière Richelieu, et filera vers Montréal qu'ils assiégeront ensemble.

Ce dernier, riche planteur du Sud, a l'habitude de commander à des esclaves, non d'être commandé. Il feint de se plier aux ordres reçus, mais il coupe bientôt en direction de la rivière Châteauguay qu'il croit moins fortifiée que la rivière Richelieu empruntée lors des précédentes invasions.

Hampton ne se sait pas attendu là-bas par le jeune officier Michel de Salaberry. Celui-ci n'a que trois cents combattants à placer sur la ligne de défense, des miliciens pour la plupart, dont plusieurs ont été recrutés dans les bas-fonds de Montréal. Seules les techniques de guérilla peuvent déjouer le colossal corps d'armée qui marche vers lui. Avec ses hommes, il érige à la hâte des parapets sur les ravins qui bordent la rivière, puis il dresse le long du premier un vaste abattis en forme d'arc qui s'étend de la vallée jusqu'à la forêt.

Le major général a soixante ans. Il aime la vie, les femmes, le whisky. Lorsqu'on l'informe des parapets construits sur la Châteauguay, il préfère ne pas risquer sa peau, ni trop d'efforts, sur cette terre maudite. Prendre d'assaut des ravins fortifiés lui répugne. Il donne ordre à son adjoint de dépasser la ligne de défense pour frapper l'ennemi à revers, ce qui lui permettra d'encercler de Salaberry et de poursuivre ensuite vers Montréal où l'attend Wilkinson.

La nuit approche. Il pleut à torrents. Ce climat odieux l'épuise. Comme il a grand besoin de refaire ses forces, il décide d'interrompre sa marche. Mais à peine son aide de camp lui a-t-il enlevé ses bottes, et servi un double whisky, qu'un messager se présente.

— De la part du chef des forces armées, mon général.

Wilkinson lui ordonne de retraverser la frontière et d'établir ses quartiers d'hiver à Four Corners — le futur Plattsburg dont les habitants des deux Canadas dévaliseront plus tard les 5-10-15. Non seulement il le croit incapable de l'aider à réussir le siège de Montréal, mais il lui fait l'affront de l'exiler dans un centre d'espionnage et de contrebande où il devra passer l'hiver à regarder défiler le bétail échangé contre des barils de potasse ou de whisky. Il s'était vu régnant sur le Saint-Laurent, somptueusement nourri, entouré de femmes faisant l'amour à la française. Son rêve vient de s'écrouler. Il écrase son poing sur la table.

— *Son of a bitch!*
— Aucun message, mon général ?
— *Go to hell!*

À Saint-Michel, la splendeur de l'été des Indiens rend l'idée de la guerre impensable.

Une forte chaleur est montée du Sud, ravivant l'éclat du paysage à peine touché par les gelées d'automne. Les granges sont pleines, les vergers débordent. La saison se déroule comme à l'accoutumée : mêmes bruits, mêmes gestes, une lumière à peine rétrécie et des odeurs épicées qui parfument l'air, malgré la menace persistante d'un conflit armé.

Catherine peut difficilement se concentrer sur la vie de l'enfant qu'elle porte. Dans son sommeil, elle entend le bruit des canons, le gémissement des blessés, et elle rêve parfois que l'homme allongé à ses côtés est l'un d'eux. Il lui arrive de crier et de ne plus pouvoir se rendormir. Au lendemain de ces nuits de cauchemar, elle peut à peine penser, se mouvoir. En ce moment, elle devrait être à la cuisine en train de couper des herbes et de sécher des graines, mais elle flâne dans la cour, accablée de fatigue.

— Viens, il ne faut pas rester seule. Tu penses trop.

Éléazar l'entraîne à l'intérieur. Il redoute cette angoisse qui la rend lointaine, absente dans leurs moments d'intimité ou même lorsqu'il l'entretient du deuxième enfant attendu, un garçon, espère-t-il secrètement.

Patrick profite des déplacements imposés par son travail pour courir aux nouvelles aussi souvent que possible. Le soir même, il s'introduit sans frapper.

— De Salaberry a défait les Américains à Châteauguay.

— Répète.

— Hampton a battu en retraite, laissant tout sur place, fusils, tambours, provisions, havresacs.

Éléazar, qui va moins souvent à Montréal et rencontre moins de gens depuis son départ de la maison Trestler, veut connaître les détails de la victoire. Selon Patrick, le combat n'a duré que trois ou quatre heures. Les Américains avaient pour eux l'infanterie, la cavalerie, l'artillerie, mais ils ont pris peur. De Salaberry les a attirés dans ses abattis, et il a utilisé des stratégies de toutes sortes pour faire croire à une défense importante.

— Les Américains étaient nombreux ?

— On parle de quatre mille hommes.

— Et de notre côté ?

— Trois cents.

Le long de la rivière Châteauguay, des flammes balaient le ciel tandis que des charrettes chargées de vieillards, d'enfants, de provisions hâtivement rassemblées, fuient à l'intérieur des terres. Craignant une nouvelle attaque, de Salaberry a fait incendier les villages des riverains. Il insiste auprès de son supérieur, qui vient d'accourir sur les lieux avec le gouverneur, pour obtenir l'autorisation de poursuivre les Américains.

— Nous devons les repousser, mon général. Grâce à ma tactique, tous nos hommes sont en parfait état.

— Vous rêvez. Ce que nous avons réussi dans les ravins serait pure folie à découvert.

271

— Nous ?

— Lieutenant-colonel, ne vous enorgueillissez pas trop de cette victoire. Vous avez négligé de m'informer de l'avance américaine. En cas d'échec, cela aurait pu vous coûter cher.

Les deux dignitaires lui jettent un regard condescendant. Ce jeune officier porte un nom à particule, et il jouit de la protection du duc de Kent qui lui a ménagé un beau mariage avec une fille de la noblesse. Cela devrait suffire à nourrir sa gloire le reste de ses jours.

La même semaine, je fus témoin d'une scène troublante à la bibliothèque. Dans l'aire de lecture éclairée du jour pâle découpé par les verrières, je vis le président américain Jefferson tremper sa plume dans un vieil encrier et rédiger, à l'intention de La Fayette avec qui il entretenait une correspondance assidue, une lettre qui se terminait par les mots : *Nos quartiers d'hiver seront probablement à Montréal.*

À peine avait-il scellé son message qu'un pli lui arrivait de son état-major. Il rappela aussitôt son secrétaire. « Dieu nous éprouve. Remettez-moi la lettre que je destinais au commandant La Fayette. » Puis il eut un long soupir et ajouta le post-scriptum : *Nos justes espérances viennent d'être déçues par un second échec.*

La fragilité de l'histoire, sa partialité, m'apparurent tout aussi clairement à Fort Lauderdale où je me trouvai quelques semaines plus tard.

Attirée par la guerre des prix que se livraient les hôteliers de la côte floridienne à coups de pancartes *Eat as much as you can,* je m'étais rendue à l'Hôtel Sheraton profiter de l'un de ces fastueux buffets servis de 6 à 9.

Tout en m'affairant devant les dépliants publicitaires vantant des excursions à Disney World, je racontais au réceptionniste les occupations américaines de 1775 et 1813 en terre québécoise, insistant malicieusement sur leur dénouement. Il écoutait, plus amusé que sceptique, comme s'il m'eût entendue réciter une fable de La Fontaine ou un extrait de *Gulliver's Travels*. Quand j'eus fini, il s'esclaffa : « *It is all bull shit !* Je n'ai jamais lu ça nulle part. »

C'était un *wasp* de Boston. En le quittant, je me rendis au bar où je trouvai Michael, Juif new-yorkais à la tête hirsute, qui pleurait sur la décrépitude yankee et le despotisme de sa maman. Je répétai mon boniment. Il s'en montra ravi.

— *You know*, les Américains sont de bons petits soldats quand on leur promet beaucoup d'*ice cream* et de Coca-Cola. Autrement, ils sont très *lazy boys*.

Certaines versions de l'histoire sont proprement incrédibles.

Pendant la rédaction du chapitre précédent, lorsque je me rendis visiter le site de la bataille de Châteauguay, je trouvai, le long d'une minuscule rivière située à moins de vingt kilomètres de la frontière américaine, un bâtiment commémoratif entouré de pâturages où ruminaient des vaches paisibles indifférentes à notre arrivée. Cette petite rivière, où s'était déroulé l'événement qui avait enflammé les enthousiasmes épiques de l'enfance et nous avait permis de continuer à dire bonjour, bonsoir, comment ça va ? encore pendant quelques siècles, était un pur poème. Avait-on vraiment souhaité la détruire ? C'était oublier que la poésie impose des limites à la bêtise humaine.

Un autre exemple me venait à l'esprit. Quelque douze ans plus tôt — c'était en octobre —, Stefan et moi suspendions nos radios à ondes courtes à l'étroit balcon de la Kouba de Constantine, en Algérie, pour tenter de capter Montréal. Dès l'imposition des mesures de guerre, des officiers de la GRC avaient fait irruption sur la presqu'île et passé le bungalow au peigne fin. Un voisin, qui leur servait d'indicateur, nous avait désignés comme poseurs de bombes. Affamés de preuves, d'indices compromettants, ils avaient éventré les matelas, fouillé les armoires, vidé les coffres, ravagé la bibliothèque.

À son retour d'Afrique, lorsque Stefan ouvrit les tiroirs gondolés de son vieux bureau remisé au sous-sol, il entendit tomber un objet. Il se pencha. Par terre se trouvait le détonateur qu'il se rappelait avoir déjà confisqué à un cancre de son laboratoire de physique. Ce geste simple, qui aurait épargné le coffre pêche et le lit à colonnes dénichés chez un brocanteur peu avant notre départ, répugne à l'esprit militaire.

8

Lorsque je m'éveillai, la vague battait doucement à mes oreilles. Je regardai le lac lisse et crémeux sous le soleil. Le jour avançait. Je me souvins que nous étions lundi, un jour ouvrable. Brisée, aussitôt rejointe par la douleur, je me demandai pour qui, pour quoi cela valait la peine d'écrire, de travailler, de continuer à vivre.

Je tournai la tête vers la maison Trestler. Elle m'attendait. Je marchai vers la voiture et entendis crier, du chemin de la Commune, que l'omelette était prête. Ces mots fondaient dans la bouche. J'eus subitement faim. Il devait être midi.

La lumière s'engouffrait dans le gazon chaud, ravivant les sensations et les réminiscences qui refluent souvent à la conscience dans ces états de demi-somnolence proches de l'égarement. Autrefois, un jour pareil, l'euphorie m'avait saisie lorsque j'avais vu se détacher pour la première fois, sur la page d'un livre, les mots « il était une fois », « en 1813, de Salaberry s'illustra à la bataille de Châteauguay », « par la suite, la reine Victoria pleura son époux le reste de ses jours ».

La gloire militaire et l'éclat monarchique ne me touchaient plus, mais je succombais à une vieille habitude. *Il était une fois* restaient des mots porteurs d'anciens vertiges, l'exaltation ressentie dans la chaleur suffocante du grenier quand j'allongeais la main vers un livre écorné dont je tournais les pages, envoûtée par les caractères minuscules, souvent rehaussés de gravures, qui comblaient mon désir de plénitude.

Je devenais alors l'enfant des mots. L'enfant des signes. Des inconnus me cédaient leurs passions le temps d'une phrase, et j'en disposais pendant des jours. J'attendais la prochaine séance de lecture qui m'apporterait ce contact indispensable avec le monde imaginaire. Car je savais depuis longtemps que la vraie vie était là-haut, dans ces instants de gravité parfaite et solitaire. Le reste n'était jamais à la hauteur.

Dans le hall de la maison Trestler, Benjamin me croise en coup de vent. « Et alors, ce roman ? » Il s'excuse de devoir retourner à sa besogne, un travail de maçonnerie entrepris dans la salle de bains où résonnent les coups de marteau.

— Il a besoin de s'occuper, dit Éva en m'embrassant.

À l'intérieur, quelque chose me paraît changé. Les murs ont pris du relief. La lumière est plus crue, les ombres sont plus nettement découpées. Dans la cuisine, je trouve un plateau de fruits entamés, un livre de recettes ouvert, une cartouche de cigarettes éventrée. Au salon, malgré les portes-fenêtres ouvertes, la lumière s'est rétrécie. Il n'y a plus de flou, plus de mystère. Meubles et objets paraissent témoigner de leur seule fonction utilitaire. Debout, le dos tourné au lac, j'observe dans une totale immobilité cette nouvelle ordonnance des lieux où l'imaginaire se dessèche, et je crains tout à coup de perdre Catherine.

Alors, afin de la retrouver, je traverse le rez-de-chaussée, m'appliquant à reconstituer la chronologie Trestler pour empêcher qu'elle ne s'efface avec le souvenir de Catherine. Mais plus j'avance et plus j'ai l'impression de toucher au terme du projet qui me fit absorber cette vie au point de la faire mienne. L'écriture avait paru effacer le temps qui nous séparait. L'illusion tire à sa fin. Je devrai en rester là. Je devrai bientôt terminer mon livre.

Je monte l'escalier Tudor en m'appuyant à la rampe, regardant fuir derrière moi les lignes du rez-de-chaussée. Ces murs sombres ont cessé d'être le théâtre où je me suis joué plusieurs scènes du passé de Catherine. À l'étage, dans la chambre à courtines où j'ai souvent dormi, où d'autres ont dormi avant d'inscrire leur nom dans le cahier à tranche rouge que je ne peux m'empêcher d'ouvrir, je suis gagnée par un sentiment d'achèvement qui ressemble à un deuil.

Pourquoi tout doit-il toujours finir ? Pourquoi le seul fait d'entrer dans une chambre déserte relance-t-il la question de l'éternité ? Pourquoi, subitement, la vue des lits refermés éveille-t-elle en moi une souffrance si aiguë ? Quelle absence se ravive lorsque je me remémore la torpeur des soirées passées seule ? Il ne disait jamais « je sors », mais j'entendais la porte se refermer. Ou je le voyais, assis non loin de moi, disparaître dans ces réponses évasives qui me livraient sa fatigue, sa fuite déjà consommée.

— Tu sais ce qu'il faut pour qu'un ménage tienne ?
— Non.
— De l'humour.

Je continue ma visite de la maison. Devant la rose séchée fixée à l'embrasse du rideau de cretonne couvrant l'une des fenêtres, je ne puis m'empêcher de penser que l'histoire de cette maison pourrait être reconduite indéfiniment si cette fleur n'avait jamais été coupée. En même temps, je saisis l'inutilité du geste. Ce besoin d'effacer le temps, ce désir de faire parler les objets et de déplacer mers et mondes pour laisser une trace de son passage sur terre trahissent l'incapacité de se survivre.

Affamée d'éternité, je prends la rose et commence à errer dans le couloir, attirée par une vieille carte de l'Amérique septentrionale rapportée autrefois des quais de Paris par le père de Benjamin. Le géographe y traça, il y a plus de deux cents ans, un schéma grossier de la Louisiane, du Saint-Laurent, et de ce qu'il appelait la Nouvelle-Bretagne, indiquant au-dessus des vastes étendues du nord : *Ces parties sont entièrement inconnues.* Et pour l'ouest : *On ignore si dans cette partie ce sont des Terres ou des Mers.*

Cette indécision me plaît. Du côté du réel, quelque chose a cédé qui rend toute certitude intolérable. Ainsi Catherine avait pu mener la vie que je lui avais donnée, mais elle avait pu tout autant s'en choisir une autre plus conforme à ses vœux, à son tempérament. Je l'avais interpellée pour traverser un cycle de mort et de renaissance. J'avais tracé pour elle les chemins d'indépendance, de passion et de ténacité qui m'avaient parfois manqué, mais j'ignorais jusqu'où elle-même s'était rendue en dehors des quelques indications biographiques trouvées à son

sujet. Plus tard, une fois le livre achevé, on me demande-
rait comment j'avais conçu ce personnage, et je répon-
drais « elle est un peu ma mère, elle est un peu ma fille »,
sachant qu'on est toujours en avance et en retard sur soi.

Un an plus tôt, en quittant la maison Trestler, j'avais
vu dans la clarté vacillante du soir une jeune fille me
devancer, vêtue d'une longue cape blanche. Ses cheveux
sombres flottaient sur ses épaules. Elle marchait en direction du lac. Elle avançait, frôlant les ombres mêlées de
brume qui envahissaient la chaussée, et le balancement de
ses hanches et la fermeté de sa démarche me rappelaient
le mouvement d'un corps familier que j'échouais à reconnaître. Une fois à sa hauteur, je ralentis pour l'examiner
de près. Elle jeta sur moi des yeux étonnés, puis continua
son chemin. Je descendis aussitôt la vitre de la portière
pour crier son nom. Catherine ! Elle fit demi-tour et bifur-
qua vers le chenal, couverte par la buée bleuâtre qui
montait du rivage.

Que cherchait-elle ? Qu'essayait-elle de fuir en
s'échappant de ma vue, courant vers les algues, s'élançant
vers le bassin d'herbes marécageuses où je ne pouvais la
suivre ?

J'eus envie de rebrousser chemin pour aller raconter
l'incident à Éva, mais je me ravisai. Je lui écrirais plutôt.
De toute manière, je devais lui écrire. J'avais promis de
lui poster une photocopie du certificat de décès de la
grand-mère Curtius, personnage dont j'avais appris l'existence sur le tard et dont l'intégration au roman faisait
problème.

Cette fille, je l'ai revue il y a trois jours, couchée
dans l'herbe, les cheveux plongés dans l'eau du ruisseau
entourant le bungalow. La nuit où j'en rêvai, elle traversait
la cour, chargée de tous les désirs, de toutes les détresses

et de tous les bonheurs du monde. Portée par le brouillard, elle émergeait des décombres du temps, forte des expériences que s'échangeaient nos mémoires en deçà de nos vies confondues. Nos vies conformes à leur radicale intransigeance, interrogées avant d'être vécues, insatiables et parfois chaotiques malgré l'apparente sagesse qui nous caractérise.

Dans une chambre où la lumière entre peu, un peignoir rouge a été abandonné sur le lit. Cela me ramène à l'intimité des chairs, à la force de vie contenue dans un corps aimant. Les jours où j'ai été amoureuse, j'ai senti plus de vérité affluer à la conscience qu'après la lecture d'un fait spectaculaire répertorié dans les actes de civilisation.

J'avais longtemps cherché dans les affirmations massives de l'Histoire un prétexte de survie. Il y avait eu des sommations, des redditions, des trêves où l'illusion triomphait. Il y avait eu des conquêtes, des chutes, des lendemains sans lumière. Mais dans ce déploiement d'énergie, nous avions négligé l'amour.

Nous avions renoncé aux fidélités élémentaires. Il nous restait l'humour. Un humour acide qui hantait nos livres et nos journaux. L'éclat de rire eût été préférable, mais nos bouches s'y refusaient. Nous préférions le cérémonial de vengeance consommé à petit feu.

Je passai finalement la nuit à la maison Trestler. Et, cette nuit-là, j'eus froid malgré le drap tiré sous la gorge, et je rêvai plus que d'habitude. D'abord je longeais une rivière. Puis je me trouvai dans un château où le bruit de pas mesurés, dissimulés presque, me rejoignait.

Le rêve se transformait. Sans même tourner la tête ou lever les paupières, j'apercevais la reine étendue sur son lit de Buckingham Palace. Je la voyais lisser avec application le tissu satiné des draps, comme si elle n'osait affronter la torpeur nocturne qui l'accablerait dès qu'elle éteindrait la lumière et fermerait les yeux.

Occupée à ce geste futile qui ne requérait ni attention ni effort, elle s'accordait un répit. Tout le jour, elle avait supporté le poids de Londres. Ces roulements de voitures aux alentours des squares, des tunnels, des gratte-ciel. Ces resserrements de population aux abords des fontaines. Ces grouillements, ces ronflements et ces piétinements qui amplifiaient les canonnades secouant le chapelet d'îles égrenées au large de l'empire écroulé dont la nouvelle Armada, expédiée aux Malouines, tentait de ranimer le symbole.

La nuit commençait. Elle sentait monter vers elle le flux de la misère humaine, déferlement dont l'ampleur la poursuivait jusqu'en cette pièce du palais où elle eût pu s'accorder l'illusion de l'insouciance. Si bien qu'au lieu d'éprouver sa liberté, elle ressentait l'épuisement des clochards effondrés dans les parcs, l'exaspération des épouses enfermées dans leur HLM, la dégradation des femmes publiques qui hantaient Soho, l'impatience des chômeurs agglutinés aux bouches de métro. Tout cela, qui lui renvoyait l'écho de sa propre solitude, prenait dans son esprit des proportions d'autant plus grandes que le silence du château grandissait. Elle tendait l'oreille, mais aucun bruit ne la sollicitait. Craignant de sombrer trop tôt dans le sommeil, elle ouvrit un livre dont les pages se refermèrent.

À demi assoupie, elle suivait la progression de l'ombre sur les ors de la chambre, tout en se représentant les jardins, les plages, les lieux publics où elle n'avait jamais mis les pieds. De regarder son corps vieillissant, la blancheur débilitante des draps, lui donnait un profond malaise. Elle esquissait un geste comme si elle eût voulu se lever, oser circuler dans la ville, s'accorder ce qu'elle avait toujours souhaité : une course à Piccadilly Circus, une entrée dans un pub, une promenade dans Hyde Park. Peut-être éprouvait-elle l'éveil d'exigences intimes anesthésiées par trop de contraintes, ces cérémonies interminables, ces rituels qui la hissaient au sommet des cultes sans assouvir son appétit de bonheur.

On adorait son image, mais elle se savait condamnée aux évasions imaginaires des reines, ces rites consolateurs dont la lourdeur finit par écraser. Elle aurait préféré jouir du bonheur de se savoir pleinement femme. Dans la mémoire de son désir, il y avait à peine une date qui pût lui restituer la conscience de son individualité. Elle était le symbole de tout ce qui prescrit l'abolition de soi. Des photographies circulaient dans le monde entier, la montrant comme une femme sans âge, sans exubérance, sacrifiée à la fonction monarchique qui l'empêchait de s'affranchir du pouvoir.

Dans la chambre, la lumière faiblissait. Le regard de la reine se modifiait. Elle suivait l'aurore boréale qui couvrait la terre et masquait les lésions de la ville. L'espace s'élargissait. Elle respirait mieux. Bientôt elle se dressait et arpentait des dunes dont la luminosité aveuglait. Yeux fermés, elle faisait l'apprentissage de la lévitation. Ses membres se fortifiaient. Son souffle s'ouvrait, elle allait de plus en plus vite. Elle ne s'arrêterait plus. Elle suivrait le lever et le coucher des astres jusqu'à cette culmination de désir garantissant la permanence de l'amour qui la comblait enfin.

Dans son emportement, elle ne s'était pas retournée. Elle avançait, légère, délivrée des lois de la pesanteur, affranchie de toute loi et de toute règle. Elle buvait le mélange d'air et d'eau qui gonflait sa bouche. Elle fonçait vers l'imprévisible, éprouvant l'explosion des sens, le ravissement du corps heureux qui s'éveillait en elle.

Une main d'homme lui frôlait les épaules. Elle sursautait, retenant un cri. Il la fixait, placide, son visage n'exprimant ni empressement ni inquiétude. Elle le sentait fasciné par sa nudité et, en même temps, insensibilisé, possédé par un désir étranger à celui qu'elle eût pu lui prêter. Il avait les cheveux défaits, la barbe longue, le costume délabré. Son regard était rempli d'inquiétude et de provocation.

— *How do you do ?*
— *How do you do.*

— Je souhaitais vous voir depuis longtemps, Elizabeth. J'ai à vous parler d'une chose importante.

— Je ne crois pas avoir l'honneur de vous connaître, Sir. Que puis-je faire pour vous ?

— Ne dites pas un mot. Ne faites pas un geste. Oubliez que vous êtes reine, Elizabeth. Oubliez vos joyaux, votre couronne, vos écuries.

— Mais.

— Oubliez tout et regardez-moi, Elizabeth. Je suis venu vous livrer un message important.

— Votre Majesté se reposait, Sir.

— Votre Majesté est un mythe, et ces dorures sont de la pacotille. Vous êtes un souffle ardent, une âme errante. Le reste est illusion, décadence élisabéthaine.

Il s'était assis sur le lit. Elle le voyait saisir la tige d'un chandelier en or et la replier entre ses doigts d'un mouvement brusque. Cet accès de sauvagerie la stupéfiait. Il pouvait l'atteindre sans la toucher. Comment cet homme avait-il pu escalader le mur d'enceinte, traverser la salle des timbres et franchir le couloir conduisant à sa chambre sans alerter les gardes ni déclencher le système d'alarme ? Elle se frotta les yeux pour s'assurer qu'elle ne rêvait pas.

Sa peur était réelle. L'homme parlait. Il dégageait une forte odeur de sueur.

L'œil aigu, il avait croisé les mains et la fixait, ne paraissant pas l'entendre. Espérant gagner du temps, ou même le sauver d'une impulsion regrettable, elle avait avancé : « Vous joueriez peut-être une partie d'échecs ? » Il ne répondit pas à sa question. Il revenait à son idée fixe.

— Sa Majesté est un mythe parce qu'elle a perdu son âme et que le monde en souffre. Ce collier aussi est un mythe. Il vous rend prisonnière.

— Sir.

— Elizabeth, il faut me suivre dans l'œuvre de libération que je vous propose.

Il s'était avancé. Son souffle effleurait sa joue. Elle dégrafa le collier et le lui remit avant qu'il ne la touche. Il la dévisageait, les pupilles dilatées. Cet homme était un fou ou un assassin. Elle glissa la main vers la sonnette d'alarme pour appeler son valet de pied. Elle régnait. Sa vie ne pouvait finir dans une mare de sang.

Une réplique d'Agatha Christie lui revint à l'esprit. Elle retrouva son sang-froid.

— *You didn't tell me your name, Sir.*

— *Name ?* répétait-il, hagard. Je l'ai jeté à la Tamise avec mes balles de croquet et ma raquette de tennis. Je suis le fils des dieux nouveaux. Je veux faire descendre sur vous le souffle éternel et le désir infini.

— Sir.

— Elizabeth, reine mortelle, écoutez-moi.

C'était le silence total. Aucun bruit de pas. Aucun glissement de porte dans tout Buckingham Palace. Personne ne paraissait avoir entendu l'appel de la reine. Elle s'efforça de sourire, s'accrocha à une autre réplique de la célèbre romancière.

— *How kind of you, Sir.*

— Elizabeth, vous devez immédiatement couper les liens qui vous enchaînent à Buckingham.

Il se rapprochait, lui imposait son haleine fétide, sa terrifiante avidité. On l'avait préparée à tout : composer avec le Parlement, délibérer avec l'évêque de Westminster, deviser avec les pontifes, les prélats et les chefs d'États du monde entier. On lui avait appris à traverser les mers, à courir les pays du royaume, à tolérer leurs coutumes, leurs plats, leurs récriminations. On l'avait initiée à l'art de porter la couronne, l'hermine, l'épée et le képi. Mais personne ne l'avait prémunie contre ceci : un inconnu dans sa chambre, sur son lit, le seul endroit du palais où elle eût pu prétendre au respect de ses volontés.

Mais peut-être n'arrivait-elle pas à identifier clairement la nature de ses sentiments. Il répétait « Elizabeth », et l'arrogance sensuelle avec laquelle il prononçait son nom éveillait en elle des sensations violentes. Sa respiration s'était accélérée. Elle se sentait sollicitée par un désir dont l'urgence la forcerait à repousser cette bouche et ce corps dévorés par une exigence profanatrice.

Elle l'observait, étonnée de ne pouvoir surmonter son indécision, ne sachant plus si sa peur tenait à l'incongruité de la situation ou à l'ambiguïté d'une attirance qui l'avilissait. Mais, tant chez lui que chez elle, elle redoutait des gestes, une dégradation du langage, la brûlure de l'instinct. Avant tout, elle craignait la rupture de l'équilibre précaire qui maintenait cet homme en deçà de la fureur organique, le regard balayé par l'incandescence d'une vision dont elle percevait l'attrait destructeur.

Il s'était tourné vers la table de nuit. Il fixait le diamant qu'elle y avait déposé, le regardant scintiller au fond de l'écrin de velours. Il se raidit, et tous les muscles de son visage se crispèrent. Elle vit qu'il tenait à la main un cendrier de verre brisé dont l'extrémité, aiguisée comme une lame, pouvait, si elle relâchait sa prudence, effleurer sa gorge ou son poignet.

Il implorait :

— Vous avez du feu ? Je veux votre feu, Elizabeth. Je veux votre souffle ardent à jamais.

Elle portait son regard vers la salle des timbres, laissant entendre à l'inconnu que son désir pourrait être satisfait en ces lieux où elle savait qu'un gardien veillait jour et nuit sur les collections de Buckingham évaluées à cinq millions de livres sterling. Apaisé, il s'agenouilla un instant devant elle et laissa retomber sa tête sur ses genoux. Puis il se redressa, paraissant avoir oublié le joyau qui avait capté son attention quelques minutes plus tôt. Elle-même se levait, désignant la porte où ils devaient se rendre.

L'homme tardait à la suivre. Son regard passait de la fixité au clignotement nerveux. Il ne vit pas la femme de chambre entrer. Au centre de la pièce, les bras levés au ciel, il captait le faisceau lumineux de l'astre royal dont il avait souhaité la venue.

Je ne sais pourquoi la lecture d'un article du *Times* qui réclamait la tête du chef de Scotland Yard, au lendemain de l'aventure du rôdeur de Buckingham qualifiée de surréaliste par la presse, m'a inspiré ce rêve alors que je venais de visiter les chambres de la maison Trestler. Comme si l'imprévisible anéantissait toute prétention à diriger le hasard.

L'ombre qui grandit sous les fenêtres touche le plancher craquant du couloir où j'avance. Je descends l'escalier en rasant le mur. Éva, occupée à préparer la table, se retourne. Ses yeux sont fatigués.

— Nous avons mis la maison en vente.

— La maison ?

— Nous ne pouvons plus tenir.

— C'est impossible.

— Quand même !

Je ne peux imaginer que la maison Trestler puisse être vendue, transformée. Et pourtant je reconnais qu'elle a peut-être rempli sa mission. Elle a servi de lien à deux époques, deux façons de penser, d'exister. À ceux qui l'ont visitée, elle a permis d'imaginer ce que pouvait être la vie avant que l'on entende parler de café en capsule, de mémoire cathodique, de pluies acides qui donneraient envie de dire bonjour, comment ça va ? voulez-vous faire un bout de chemin avec moi avant que le monde ne s'écroule ?

Benjamin rentre de la baie James où il a mené une campagne de souscription pour cent soixante-dix œuvres de bienfaisance de la métropole. Là-bas, il a vu pousser la linaigrette et le thé du Labrador. Il a vu des bancs de moraine, des lueurs boréales, des turbines géantes, des digues épiques. Il a entendu le tumulte colossal de la Caniapiscau. Il a survolé des bassins hydrographiques pouvant couvrir le quart du pays mère, de quoi approvisionner Montréal en eau pendant trois siècles. Nous n'aurions plus soif, jamais, d'aucune origine inatteignable. Il dit la Grande avec une fêlure dans la voix. Il dit la Grande est la rivière mère, endiguée par trois barrages, qui reçoit Opinica majeure, Eastman et Petite Opinica dans son lit pour des coulades et des chants incompris des bailleurs de fonds.

Vingt mille touristes se rendent là-bas chaque année. À ma dernière visite chez le dentiste, j'ai trouvé des dépliants touristiques des agences Nord-Tour et Marco Polo qui annonçaient des départs pour le Grand Nord avec guides parlant français. On y vantait le *Disney World de la caverne LG2, la plus grande centrale hydro-électrique souterraine du monde, où les autocars ont l'air de jouets*. On y décrivait des engins de science-fiction, un paradis futuriste.

Je partais photographier les fleurs de la taïga. Mais, très vite, envahie par une sorte de léthargie comateuse, ayant perdu le sentiment de mon corps, de l'espace, de la durée, je rengainais ma caméra. Je voyais la toundra ravagée, les pistes boréales broyées par les machines, et je souhaitais m'évader encore plus au nord, vers la baie d'Hudson ou la baie d'Ungava. Revient-on jamais de cet enfer grandiose dont Benjamin a rapporté des visions titanesques ?

— La baie James, c'est le tonneau des Danaïdes du Québec. C'est extraordinaire, je n'ai jamais rien vu de tel. L'avenir est là. Tous nos budgets vont là. Il n'y a plus que l'énergie qui compte.

Le monde est devenu un grand *business center* qui capte l'énergie, la transforme en capitaux, en devises, en programmes. Même les poètes s'y mettent. Ils écrivent la matière est énergie, irradiation, propulsion, ce pas osé, ce baiser donné sont l'effet d'agencements cybernétiques. Parlez, bougez, traversez la ville en émettant des ondes, et les pierres capteront les signaux et les néons multiplieront les appels.

Benjamin sert l'apéro. Un bulletin de nouvelles, diffusé par un transistor placé dans la pièce voisine, suspend la conversation. Petite leçon de morale en temps de crise. À la Maison Blanche, un repas a été servi aux sénateurs américains avec des ingrédients prélevés dans les poubelles de Manhattan, et les convives ont été unanimes à louer la qualité des plats. Insensible aux bonheurs gastronomiques, l'annonceur enchaîne avec un second message. Ici même, nous dépensons annuellement quatre-vingt-treize millions de dollars pour enfouir sous terre nos déchets non recyclables.

L'avenir appartient à ceux qui osent croire à l'opulence. La terre regorge de restes. Chaque jour, la planète dégurgite ses débris, résidus qui empestent l'air et forment au-dessus de nos têtes le smog que Prométhée rêve de dissoudre au fond de ses éprouvettes.

Benjamin continue.

— J'ai mis une maison en ruines sur pied. Maintenant, c'est fini. Si un marchand d'Arabie veut l'acheter, c'est O.K.

Mais aucun marchand d'Arabie ne s'est encore présenté et la banque prêteuse s'impatiente. Éva parle de liquider des meubles pour alléger l'inventaire. Elle vendra des chaises, des lits, des tables, mais elle gardera le coffre de diligence de la grand-salle, le lit de camp de l'armée napoléonienne, le grand tableau de la voûte exécuté par un copiste de l'École de Paris, certains meubles, des objets aimés reçus d'amis.

Elle parle, et dans son visage éclate une anxiété juvénile qui me rappelle Catherine. Une lueur de joie remplit son regard, la ramenant à ces années folles où elle n'avait eu qu'à se laisser vivre, c'est-à-dire à vivre sa propre vie. Après cette dure expérience qui leur fit convertir une maison délabrée en centre culturel, elle a perdu plus d'une illusion.

— Nous devions hériter du mobilier de Sir Antoine Aimé, mais des voleurs l'ont emporté le jour où il devait nous être livré.

— Sir Antoine, le mari d'Iphigénie ?

— Oui. Un mauvais sort. Ici même, on a été cambriolé souvent. Pendant la restauration, on s'absentait cinq minutes et tout partait, les appliques murales, les lanternes, les poignées de portes.

Je pense aux mauvais esprits de la maison Trestler dont parlait l'article du magazine qui me la fit connaître, ces forces étranges qui lézardent la croûte terrestre et fissurent la raison. Un ami a gardé la maison Trestler pendant une récente absence d'Éva et de Benjamin. Chaque soir, au-dessus du piano, il entendait un bruit monter de la cave. Confondu par les forces de l'ombre, il se tournait vers le lac d'où surgissait, dans un clapotis mêlé de brouillard, une femme nue, belle et triste, qui portait pour tout vêtement un cordon noué à la taille. Elle avançait, portée par la chaleur nocturne qui ombrait de flou les contours de son corps, et il saisissait le mouvement des hanches, la pâleur de la chevelure, la sensualité du regard. Il se levait pour aller à sa rencontre, mais elle demeurait lointaine, perdue dans le cri aigu qu'elle lançait avant de disparaître.

Plus tard, il avait blagué pour se donner une contenance. Il disait : « J'ai manqué chaque fois mon rendez-vous avec Ophélie », dégradant le souvenir du visage qui l'avait ensorcelé, obligé à marcher jusqu'au lac, jusqu'à cette concentration de chaleur émanant du point invisible où l'eau devenait chair. C'était l'été. Il avait fui la ville pour se réfugier dans cette habitation mystérieuse qui donnait à entendre un battement de temps étranger à cette fin de siècle.

Mais, je le sentais, tout cela s'achevait. Les murs lâchaient. Les fondations craquaient. L'écume du lac pâlissait. Des sèves nouvelles travaillaient le jardin. L'avenir vacillait dans les mots anciens qui remplissaient la bouche. On disait toujours « la maison Trestler » et non simplement « la maison ». Rompre avec le passé obligeait à des renoncements dont on mesurait, à chaque bout de phrase, l'impossible ascèse.

« C'est probablement nécessaire, mais je ne comprends pas, absolument pas », disait Éva qui craignait de voir saccager leur résidence. Elle avait toujours misé sur la nécessité de la tendresse, sur la passion qui circule d'une maison à l'autre et d'un corps à l'autre dans tous les lieux de chaleur et de création. Benjamin et elle devront se dissocier momentanément de leur œuvre. Ils vendront puisqu'ils ne peuvent faire autrement. Ils n'abandonnent pas. Ils consentent au passage.

Le vent se lève, agitant la surface du lac. Un sifflement traverse la maison. Pendant son séjour ici, l'ami a ouvert les fenêtres du grenier, et les chauves-souris ont recommencé à infester les chambres.

— En haut lieu, on nous accuse d'être élitistes. On voudrait nous voir ouvrir une cantine d'ouvriers, un stand de frites, ou quelque chose d'approchant.

Benjamin éclate de rire.

— Vous ne savez pas tout ce qu'on nous suggère. Hier, un Allemand de Québec qui a éduqué une fille de Frobisher, le découvreur de la Terre de Baffin, lançait l'idée d'un téléthon.

— Un téléthon ?

— Oui, pour couvrir l'hypothèque.

Une ombre balaie la fenêtre. Quelqu'un sonne avec insistance à la porte principale. J'accompagne Éva dans le hall. Une jeune femme de taille moyenne, les épaules couvertes d'une épaisse chevelure rousse, se profile derrière la fenêtre. Une certaine avidité brûle dans son regard. J'ai à peine eu le temps de faire le rapprochement avec la walkyrie slave, qu'elle demande :

— On m'a dit que vous louez pour des mariages ?

— Non. C'est privé. On vous a mal renseignée.

La jeune femme regarde le lac, en convoite la beauté resplendissante. Elle insiste, levant la main, et je me rappelle avoir vu l'autre ébaucher ce geste lorsqu'elle souhaitait voir satisfaire un caprice.

— Même pas pour un cocktail ? Une heure. Rien qu'une heure.

Éva referme sans répondre. C'est la saison des mariages. Hier, lorsqu'elle et Benjamin sont rentrés en fin de soirée, trois voitures les attendaient dans la cour. Ils ont surpris des gestes intimes, des corps affamés de jouissance. Benjamin s'est indigné. Des gens copulaient à leur porte pendant qu'ils crevaient d'angoisse à propos de cette maison.

À un autre moment, ils auraient pu s'en réjouir. Plusieurs mariages avaient été célébrés sous ce toit. Celui du fils, superbe garçon dont j'avais vu la photo dans le boudoir attenant à leur chambre. Celui de parents et d'amis, nombreux, qui avaient cru au pouvoir de la chair et à la générosité du sang.

J'ouvre le livre d'or feuilleté lors de ma première visite. « Onze février », me dit Éva pour m'épargner du temps. Je relis les mots qui m'avaient retenue. *En souvenir des instants trop courts passés à la maison Trestler et avec mes meilleurs sentiments.— R.B.* Cette phrase me semble avoir perdu son sens, comme si l'inscription du dignitaire ne témoignait plus que de la vanité des titres et de la fugacité des événements. Le caractère anecdotique de ces deux lignes souligne la brièveté de l'existence, l'inutile foi prêtée à ceux qui ont le pouvoir de créer l'histoire.

Passer à la cuisine me resitue au cœur du récit que je dois boucler. Sur la table, parmi les restes du déjeuner, j'étale une dernière fois le dossier Trestler. Sous le regard complice d'Éva, qui ne saura jamais de quelle transparence elle est capable, je revois la rencontre de l'adolescente et de la femme, la lenteur qu'elles mettront à saisir les liens qui les unissent, les substitutions auxquelles elles se prêteront à travers les actes notariés qui témoignent de la méfiance du père, de son acharnement à sévir contre ses filles, le prétexte de leur mésalliance masquant une sévérité dont l'excès m'étonne encore.

Cour du Banc du Roi, Montréal, 1812. Le litige traîne. La cause est remise à plusieurs reprises. L'entêtement filial refuse de céder. Aucun geste, aucune tendresse n'aidera à oublier l'affront. Et pourtant, Catherine voudrait savoir s'il l'a aimée, s'il l'aime malgré son refus de l'entendre et de lui pardonner. S'il l'accepte à l'intérieur même de cette répudiation.

Bientôt, elle le saura. Ce matin du 27 octobre, elle est convoquée avec Éléazar au domicile paternel. Dès son entrée dans le bureau où elle s'était autrefois introduite clandestinement, elle retrouve les murs sombres, l'austérité de la pièce, l'odeur de tabac qu'elle croyait avoir oubliée. Elle se rappelle le silence buté du père, les tensions qui se dénouaient plus tard, à table, lorsque toute la famille était réunie. Espère-t-elle vraiment la réconciliation ? Recroquevillée sur elle-même, elle ne livre que son visage et ses mains nues, comme si elle évitait de trop s'exposer à l'homme sec, hargneux, qui distribue les places.

Il est face à elle, la dominant de sa voix, de son insensibilité. « Tu l'épouseras, mais ne remets plus jamais les pieds dans cette maison », avait-il dit le jour où il la chassait. Il a choisi, pour cette rencontre, le lieu de leur défaite commune, la maison Trestler où seront fixés les termes de la confrontation qui les oppose depuis deux ans. La femme assise devant lui par ordre de sa volonté, et l'époux qui l'accompagne pour valider l'acte juridique lui resteront étrangers. Mais elle est de même sang. Les distances imposée rendent cette proximité intolérable.

Le notaire effectue sa besogne machinalement, indifférent à ce qui se joue derrière les mots débités par sa voix grise. *Justement présent le Sieur Éléazar Hayst, marchand de la paroisse Saint-Michel de Vaudreuil, lequel promet de faire accepter les présentes par Dame Catherine-Josephte Trestler son épouse, aussitôt son âge de majorité l'autorisant à cet effet par les présentes mêmes.*

Catherine sursaute. Il y a erreur. Éléazar ne l'a jamais contrainte à rien qu'elle n'eût d'abord décidé. Leur union est heureuse, fondée sur l'égalité du désir et du travail. Elle accepte cependant la formulation. Cette phrase ou une autre, après tout, qu'importe, les biens reliés à cette transaction dérisoire ont toujours moins compté pour elle que l'amour dont on l'a privée. Et le père le sait, ou devrait le savoir.

Rien n'indique qu'il a compris le sens de sa requête. Il gagne à sa manière. Il se porte acquéreur de la terre de Quinchien, située dans la seigneurie de Vaudreuil, entre le Chemin du Roy et la rivière des Outaouais. Il achète les droits de succession de sa fille sur la propriété héritée de la mère de sang, sa première épouse, coupant ainsi l'ultime lien qui les unissait. Elle se réserve cette terre jouxtant la sienne. Catherine ne sera jamais sa voisine. Il lui verse quatre mille livres pour l'éloigner de cette propriété.

Pendant un bref instant, leurs yeux se croisent. Elle interroge le père dans l'homme impitoyable qui persiste à la rejeter. Continuera-t-il d'ignorer sa demande ? Continuera-t-il de la décevoir et de la blesser ? Elle regarde ce visage impassible qu'elle souhaiterait frapper. Il détourne froidement la tête comme s'il n'avait pas été atteint.

Elle sent sa haine grandir. Elle doit oublier cet homme. Elle doit se détacher de son attachement même, quitter cette maison et ne plus y revenir, car tant de dureté la poussera à souhaiter la mort de celui qui lui impose un tel poids d'amertume et de ressentiment.

Laquelle somme ledit vendeur a présentement reçue dudit acquéreur. Lesdits époux ont volontairement reconnu et confessé, par les présentes, avoir vendu, transporté et délaissé dès maintenant et à jamais les droits à la succession de feue dame Marguerite Noël. La boucle est refermée. Il cède, mais il ne se rend pas. Il achète puisqu'il ne peut vendre. Éléazar signe le document le premier, étalant sa calligraphie de prince au-dessus de celle, lourde et massive, du roturier qui l'a déjà traité de va-nu-pieds. Puis Catherine s'exécute, et je reconnais ce tracé lent et ferme qui témoigne à son insu de son appartenance au clan Trestler.

Elle hésite avant d'enchaîner la dernière lettre. Encore maintenant, elle renoncerait à cette somme pour acquérir le seul privilège qui pût la satisfaire, ses droits à l'amour filial. Elle regarde une dernière fois celui qui se dérobe. Elle voudrait lui demander s'il accepterait de connaître son petit-fils, ce deuxième enfant qui lui est né, un garçon fort et robuste comme il les aime et dont il serait fier.

Mais il s'est levé. Il a déplacé sa chaise et fait craquer une allumette sous son soulier. Il a mis le document dans sa poche et allumé sa pipe, échappant à la demande qui le pressait. Catherine l'implore en silence une dernière fois. Puis, comprenant qu'il ne fléchira pas, qu'il restera emmuré dans son orgueil, elle bouge à son tour, défaite, humiliée.

Une fois dehors, elle avance dans l'allée pierreuse, regardant la cour roussie par l'automne, le sous-bois où elle a joué, enfant. Elle détaille le massif de chrysanthèmes, le portail, le lac, comme pour fixer des détails qui pourraient lui échapper. Elle fouille le paysage, lui imposant la profondeur de son regard. Puis elle se retourne vers la maison Trestler, envahie par quelque chose d'étranger à la pitié ou à l'espoir. Elle effacera ce qui s'est déroulé là-bas. Elle reprendra sa vie là où elle l'a laissée.

— Éléazar, jure-moi que cet argent n'a jamais compté entre nous.

— Tu sais bien que ça n'a jamais compté.

— Ajoute que tu pourrais jeter ces quatre mille livres au fond du lac si je te le demandais.

— Je le pourrais.

Elle se détache de lui, le dévisageant comme si elle le voyait pour la première fois. Il est tout ce qu'elle possède, avec ses enfants. Tout ce qu'elle éprouve comme son unique bien et son unique bonheur. Sa voix se durcit.

— Tu le pourrais, mais tu ne le ferais pas.

— Catherine, cet argent vient de ta mère. Il te revient. Il ira plus tard à tes enfants. Tu en as déjà un, et tu en auras d'autres.

— Et que ferons-nous de tout cet argent ?

— J'agrandirai le magasin. Tu t'achèteras des robes, des livres, des bijoux. Nous nous achèterons aussi une ferme, des poules, des lapins.

Il allonge la liste, et elle l'écoute, n'essayant pas d'intervenir ou de se protéger de ses excès. Elle l'aime ainsi, impulsif, passionné par toute entreprise qui puisse satisfaire sa joie de vivre. Il baisse la voix et lui rappelle leur amour. Ses gestes s'alourdissent. Leurs corps se rapprochent tandis qu'ils montent dans la voiture qui les ramène à Saint-Michel.

Je consulte les documents, essayant de situer cette conciliation ratée de la fin d'octobre par rapport aux événements politiques de l'époque. Car j'ignore comment Trestler a réagi à la menace d'occupation américaine qui pesait alors sur Montréal, ou comment il a accueilli la nouvelle de la victoire de Châteauguay.

À l'été de 1813, ses affaires paraissent décliner. Le volume de ses achats décroît, son four à potasse fonctionne au ralenti. Dans les écuries, les bêtes somnolent, à peine éveillées par la distribution des grains. Quelque chose se détraque dans l'ordonnance du travail et l'accomplissement des tâches. La vigueur du négociant s'altère de jour en jour. Un épuisement insurmontable l'oblige à se soucier de frayeurs nocturnes encore jamais éprouvées. Une aggravation du mal mystérieux qui le ronge, depuis plusieurs mois déjà, provoque chez lui un essoufflement constant qui rétrécit sa voix. Tous ces symptômes se manifestent à son esprit inquiet comme l'avalanche de maux qu'il n'a pas su prévoir, la somme d'obstacles qu'il n'a pas pu surmonter.

Ce matin, en se rasant, il observait dans la glace son visage tiré et pressait du doigt le nœud qui lui obstruait la gorge, comme s'il espérait conjurer la menace. Il tirait sa langue blanche, essayait d'apercevoir ce qui se dérobait à l'examen, mais il ne voyait qu'un frémissement de papilles, des fibres roses, une masse de tissus fuyants, contractiles qui accroissait l'angoisse au lieu de la dissiper. Et de se répéter qu'il n'avait que cinquante-six ans ne le rassurait nullement. La vie pouvait l'abandonner brusquement, et cela lui paraissait injuste, révoltant même.

Il se savait trahi par des forces supérieures à sa volonté. Lui qui avait toujours tout dirigé, contrôlé, administré, échouait à enrayer ce mal qui continuait de le dévorer malgré la propriété de Rigaud échangée, dix ans plus tôt, contre la recette infaillible qui devait le guérir. On l'avait abusé. Il sentait le chancre envahir le larynx, étendre ses tentacules jusque dans la poitrine. Il sentait son cœur manquer, sa vue faiblir.

Depuis quelques jours, ses perceptions se brouillent. L'espace de sommeil se confond au temps de veille. La nuit, il entend des corbeaux planer sur le lac, même si Marie-Anne Curtius le persuade du contraire. Le jour, il regarde le froid sévir, la neige tomber, et des coulées de glace figent ses os. Il se tient parfois longtemps debout devant la fenêtre, le front touchant presque la vitre, occupé à contempler le vide, comme s'il n'attendait plus rien ni personne.

Rêve-t-il, lui qui paraissait avoir si peu rêvé? Dans ces moments d'immobilité, revit-il son enfance à Mannheim, son besoin de quitter les siens pour s'expatrier en Amérique, ou ne perçoit-il que sa fatigue, le néant pressenti au-delà du point fixé? En le regardant ainsi posté devant la fenêtre donnant sur le lac, j'ai l'impression qu'il cherche à exprimer sa détresse, à faire un aveu dont je mesure l'humilité. Je crois deviner qu'il consent à la maladie, au délabrement.

Il ferme les yeux. La lumière ne l'atteint plus. Il se détache du mur en titubant. La vigilance de Marie-Anne Curtius s'est relâchée. Elle ne le voit pas se frayer un chemin en se cognant aux meubles. Elle n'entend pas le gémissement retenu. Il sombre seul dans la chambre obscure. Il entre seul dans la nuit de la mort.

À Saint-Michel, un cauchemar tire Catherine de son sommeil. Captant l'irradiation du mal qui vient à elle, la jeune femme se lève aussitôt. Elle jette un châle sur ses épaules, puis elle commence à errer dans la pièce, inquiète, agitée.

Un mal inconnu touche son corps. Elle se sent atteinte, blessée comme elle ne l'a encore jamais été. Elle voudrait crier, se libérer de la violence de la prémonition, mais lorsqu'elle tente d'approfondir la mémoire des sensations qui l'ont obligée à quitter le lit, elle ne peut rien retracer.

Brisée, elle avance vers la fenêtre dont elle tire les rideaux. La nuit est noire sur la campagne déserte. Immobile, elle fixe un point lointain pour se donner le temps de mesurer l'étendue de son deuil. Personne ne l'a avisée, mais elle sait. Cette douleur, cette fulgurance de la mémoire ne trompent pas. Tout le passé a défilé dans sa tête en un éclair. La maison, le lac, le chenal. Son départ, sa dernière visite là-bas, l'ultime confrontation, la dissolution de son désir d'aimer cet homme.

Seule éveillée, elle se familiarise avec le poids de

solitude qui l'accable. Elle absorbe le sentiment de vide et d'effarement qui la touche, ce déchirement rattaché à un visage dont elle se rappelle les traits : les yeux bleus, le double menton, la lèvre inférieure tombante, les cernes gris sous les paupières. Elle ne désire pas plus fuir cette vision qu'elle ne souhaite échapper à la souffrance qui l'afflige, sachant qu'elle aura toujours assez de vitalité pour traverser l'épreuve. Mais, incapable de se fixer, elle marche, espérant atténuer sa souffrance, effacer le mal qui se répand dans tout son corps.

L'homme qui l'a rejetée n'est plus derrière elle. Il n'y a peut-être jamais été, mais il nourrissait la mémoire. Il était celui qui permettait de situer les choses au commencement. Celui qui contrariait ses désirs, étouffait ses élans. Mais elle lui a résisté. Et elle résiste encore à travers ce degré d'absence plus poussé qu'il lui impose, et dont elle ne peut saisir l'ampleur tant la soudaineté de l'événement la frappe.

Des paroles se forment dans sa bouche. Elle voudrait parler, s'expliquer, franchir la distance qui les a toujours séparés l'un de l'autre. Elle voudrait amorcer la réconciliation définitive, réaliser l'impossible rencontre. Mais les mots se refusent. On ne la délivrera pas. Elle n'aura jamais le temps de rattraper la mort. Le nom qui la torture ne passe pas ses lèvres.

Portée par la violence du deuil, elle va et vient dans l'espace étroit qui sépare le lit de la fenêtre. Coller son front à la vitre glacée l'aiderait à insensibiliser la douleur, à en neutraliser les effets. Mais elle se contente de regarder tomber la neige pendant quelques secondes, d'en détailler la blancheur et elle recommence à marcher, hagarde, comme si le mouvement qui la meut venait de sa douleur même. Cette traversée du corps par le mal, ce déchirement des chairs, elle l'éprouve comme une série de morts successives qu'elle doit absorber.

Cette coupure, elle croit l'avoir déjà ressentie. Elle reposait dans un espace corporel, couverte du rayonnement maternel dont elle goûtait la transparence et la rondeur. Mais on l'arrachait à cette lumière, on la soustrayait à cette nourriture essentielle, et elle perdait le goût de vivre.

Cette désolation charnelle, elle l'éprouva plus tard lorsqu'elle l'attendait, lui, couchée derrière le portail, brûlée par le soleil. La respiration du lac gonflait sa poitrine tandis que l'embarcation s'immobilisait. Alors il avançait. Il passait. Il était passé sans la voir, et il lui eût suffi, pour être heureuse, que cette main et cette bouche se fussent posées sur elle. Ensuite, c'était trop tard. Venait le pourrissement de la joie, l'abandon intolérable.

Comme autrefois, l'envie de boire s'empare d'elle. Elle se rend à la cuisine vider le reste de café d'orge laissé sur le poêle. Puis elle revient à la chambre et s'approche du lit.

— Éléazar, il faut vite aller là-bas. Quelque chose est arrivé.

Je les accompagne sur la route poudreuse, un matin, au début de décembre. Entre eux, aucune phrase, aucun geste. Il la regarde, défaite, ravagée. Il voudrait l'aider, mais il sait que cet arrachement ne souffre aucun partage. Il peut seulement tenter de l'accompagner dans sa propre mort, la suivre dans ce retour auprès du père qui la rejetait encore lors de l'odieuse séance de signatures bouclant le règlement de la succession maternelle.

302

Elle passe le seuil de la grande maison. Elle retrouve l'atmosphère ancienne, les planchers sombres, les murs épais. Elle reconnaît la densité du silence, l'odeur de pierre. Confrontée à ce qui l'a déjà contrainte, elle effectue un mouvement de retrait, retardant le moment de pénétrer dans la grand-salle. Ces retrouvailles éveillent sa rancœur. Il est trop tard. Ses yeux sont secs. Elle voudrait fuir.

Elle n'ose avancer, craignant de ne pouvoir trouver le répit qui la délivrerait du pardon cent fois accordé, cent fois retiré. Quelqu'un s'approche. Sa sœur, la familiarité d'une voix. Alors elle se met à pleurer comme si, en entendant Madeleine, elle prenait subitement conscience de partager la même perte, la même blessure creusée dans une chair dont on les a trop tôt dépossédées.

Dans la chambre, elle le trouve. Son front rend une lumière blanche. Ses lèvres sont closes. Ses mains n'interdisent plus, ne préservent plus. Elle se sent touchée, à nouveau éconduite. Elle ne peut rien recommencer, rien corriger ni effacer. Elle ne peut recréer cet homme. Elle ne peut assumer sa chute, ni se rendre là où il s'est rendu.

Plus tard, elle se souviendra de l'intolérable. La connaissance de l'impossible révélée par la position du corps immobile suspendu dans sa marche vers les ténèbres. Alors elle regrettera de ne pouvoir oublier, de ne pouvoir se décharger du poids de la mémoire. Amnésique, elle comprendrait sans souffrir.

Peu après, je quittai la maison Trestler pour réintégrer mon bungalow. Le ruisseau coulait paisiblement comme si rien ne s'était passé. En entrant, je jetai ma serviette sur un fauteuil et fis le tour des pièces. Puis je filai vers le bureau de Stefan où je retrouvai, parmi ses papiers, le billet resté sans réponse. « Je voudrais te parler. » La feuille où avait été rédigé ce message accusait deux ans de retard. Je n'ai jamais su tenir un agenda à jour.

Cela avait-il encore de l'importance ? Les mots arrivent toujours trop tard. Nous lançons des appels, nous posons des ultimatums, nous rédigeons des lettres, des contrats, des livres. Mais tous ces mots altèrent à peine l'exigence du désir, mais tous ces signes entravent à peine la marche du temps. Cela n'atténue pas l'usure des chairs, la brutalité de certains cycles, la violence de certains gestes. Cela n'empêche pas la mort des choses, des gens, des bêtes.

Souhaitant voir les fleurs, je traversai la salle à manger pour aller du côté de la terrasse. Dans leur effort pour atteindre la terre promise, un pot de miel laissé sur la table avec un bout de pain et un reste de café, trois mouches s'étaient écrasées entre la vitre et la moustiquaire. Je soulevai le grillage qui les gardait prisonnières. Elles tombèrent sur le paillasson en faisant entendre un bruit sec. Le ciel s'était couvert. Il pleuvait presque. Je refermai la porte.

À l'intérieur, le silence grandissait. J'arrivais au bout de l'aventure. Au terme du romanesque. La solitude éclaterait bientôt à l'intérieur du corps comme une exigence supérieure de l'amour, une plénitude de détachement que je n'avais pas le loisir de refuser. Mais cela arrivait trop tôt. Je n'étais pas prête. La nuit venait. L'obscurité réveillait mes peurs.

Dans le flou du regard, la presqu'île chavirait. Mes jambes chancelaient. Je craignais de ne plus pouvoir tenir. J'hésitai quelques minutes, alors que s'effritaient des lambeaux de passé, puis je me souvins que Catherine aimait les fleurs. Remettant à plus tard le choc de l'absence, je sortis acheter des plants vivaces pour la rocaille.

La voiture était encore chaude. Je me glissai sur les coussins de moleskine et tournai le volant, suivant la rue qui s'enfonçait dans le versant noir de la montagne. Je n'entendais plus que le ronflement du moteur. Une buée fine collait au pare-brise. Je suivais les courbes de la chaussée et, dans ces lieux où j'entrais, des fragments de lumière me recouvraient. Ma vigilance tombait. La somnolence m'attirait comme une drogue.

Le lendemain, après une nuit blanche, je trouvai en première page du journal déposé à ma porte : *La plus grande étoile va mourir demain.* Les mots ne prolongeaient pas la vie des astres, mais ils nous en apprenaient le déclin ou la chute. Eta Carinæ, l'étoile la plus vaste et la plus lumineuse de la voie lactée, achevait sa révolution. Dire que sa disparition était proche, écrivait l'agence Reuter, signifiait qu'elle pouvait exploser à n'importe quel moment d'ici cent mille ans. Cette étoile était cent fois plus grande que le soleil. Sa vie aurait dû durer quelque deux millions d'années.

Eta Carinæ me rassurait. Elle me replaçait dans l'orbite des temps immémoriaux, des espaces illimités. Elle inaugurait un cycle qui anéantissait la mémoire. J'oubliais le départ de Stefan, la chute de la maison Trestler, l'angoisse d'Éva et de Benjamin. J'oubliais le compte rendu de futurologie que je devais rédiger sur les neuf pays des Amériques répertoriés par le *Washington Post*, parmi lesquels figuraient le Québec, Mexamérica, Écotopia, le Grand Désert.

J'oubliais Catherine, la mort du père. J'oubliais chacune des vies et des morts en suspens dans nos veines. J'oubliais les légendes apprises, le roman inachevé. Il n'y avait pas d'histoire possible, mais des récits, des anecdotes, des épisodes. Pas d'amour ni de destin durables, mais des coïncidences, des audaces, des sursis gagnés sur le hasard.

Chaque minute de vie nous plongeait au cœur d'une fiction grandiose qui pouvait nous anéantir ou nous transfigurer. Eta Carinæ, c'était le futur déjà commencé. C'était le double de Catherine, la fusion du temps vécu et du temps rêvé.

À la suite de cette lecture, je repris la vie solitaire. Je traversai le bungalow désert et recommençai le tour des chambres. Puis je fis l'effort d'entrer dans mon bureau et de m'asseoir à ma table de travail. Très vite, mon cahier s'est refermé. Je n'écrivais plus. Je ne me préoccupais plus de la suite. Le huitième jour commençait.

Chronologie

1930   Naissance de Madeleine Ouellette-Michalska à Saint-Alexandre de Kamouraska.

Poursuit en autodidacte des études primaires, secondaires et de pédagogie.

1947   Commence une carrière dans l'enseignement, qu'elle continue à Rivière-du-Loup où la famille s'installe deux ans plus tard.

1952-1953   Obtient un certificat d'anglais à Western University, puis à Queen's University (Ontario).

Fait ses débuts dans le journalisme au journal *Le Saint-Laurent* de Rivière-du-Loup, auquel elle collabore jusqu'en 1955.

1965   Obtient un baccalauréat ès arts de l'Université de Montréal. Reçoit la médaille du Lieutenant-gouverneur.

1968   Termine une licence ès lettres à l'Université de Montréal.

Publie un premier recueil de nouvelles, *Le dôme*.

1970   Publie un roman, *Le jeu des saisons*.

1970-1972   Séjour à Constantine en Algérie, où elle enseigne à l'Institut de technologie de l'éducation et rédige un recueil de nouvelles, *La femme de sable*.

1973-1976	Retour à Montréal. Professeur à l'École supérieure de musique de l'Institut Marguerite-Bourgeoys.
1975	Publie un deuxième roman, *Chez les termites*.
1976-1994	Journaliste, collabore à Radio-Canada ainsi qu'à diverses publications : *L'Actualité*, *Perspectives*, *Lettres québécoises*, *Le Devoir* (où elle est critique littéraire de 1980 à 1984), *Châtelaine* (où elle tient une chronique de littérature de 1978 à 1984).
1978	Obtient une maîtrise ès arts à l'Université du Québec à Montréal.
1979	Publie un roman, *Le plat de lentilles*.
1980-1987	Anime des ateliers de création littéraire et de journalisme à l'Université de Montréal. En 1984, elle est invitée à enseigner la littérature et la civilisation québécoises à Albuquerque University (États-Unis).
1981	Publie un essai, *L'échappée des discours de l'œil*, pour lequel elle recevra, en 1982, le Prix du Gouverneur général dans la catégorie essai.
1981	Choix des libraires pour *L'échappée des discours de l'œil*. Parution d'un recueil de poèmes, *Entre le souffle et l'aine*.
1982	Membre de la Société des Gens de lettres de France, et de l'Association des écrivains de langue française.
1982-1985	Membre du Conseil consultatif du livre et de la lecture, ministère des Affaires culturelles du Québec. Membre du Comité d'organisation de la

	Rencontre québécoise internationale des écrivains.
1983	Écrivain en résidence à l'Université d'Ottawa.
1984	Publie un roman, *La maison Trestler ou le 8ᵉ jour d'Amérique*, qui reçoit le Prix Molson de l'Académie canadienne-française.
1985	Élue à l'Académie des lettres du Québec, autrefois Académie canadienne-française.
1987	Obtient un doctorat en études françaises de l'Université de Sherbrooke. Publie un essai, *L'amour de la carte postale*.
1990	Publie un roman, *La fête du désir*.
1993	Publie un roman, *L'été de l'Île de grâce*, qui reçoit le prestigieux Prix France-Québec.
1993	Reçoit le Prix Arthur-Buies pour l'ensemble de son œuvre.
1993-1994	Vice-présidente de la Faculté des lettres et de la Faculté des Sciences humaines de l'Université de Sherbrooke. Donne également à Longueuil, pour la même institution, un atelier de création littéraire.
1994	Membre du comité de rédaction de la revue *Les Écrits du Canada Français*, devenue, à

Bibliographie

I. Œuvre

Romans, nouvelles

Le dôme, nouvelles, Montréal, Éditions Utopiques, 1968, 67 pages.

Le jeu des saisons, roman, Montréal, L'Actuelle, 1970, 123 pages.

Chez les termites, roman, Montréal, L'Actuelle, 1975 ; *La termitière*, VLB, coll. « Courant », 1989, 150 pages.

La femme de sable, nouvelles, Sherbrooke, Éditions Naaman, 1979 ; Montréal, VLB Éditeur, coll. « Typo », 1987, 154 pages.

——, *The Sandwoman*, trad. anglaise de Luise von Flotow, Montréal, Éditions Guernica, 1990, 98 pages.

Le plat de lentilles, roman, Montréal, Éditions Le Biocreux, 1979 ; Éditions de l'Hexagone, coll. « Typo », 1987, 154 pages.

La maison Trestler ou le 8ᵉ jour d'Amérique, roman, Montréal, Éditions Québec/Amérique, 1984, 304 pages ; « Bibliothèque québécoise », 1995.

——, trad. serbe de Liliane Matic, Belgrade, Pigmalion, 1995.

« La nuit de Bella », nouvelle *in* : *L'aventure/la mésaventure*, Montréal, Éditions Quinze, 1987, 201 pages.

La fête du désir, roman, Montréal, Éditions Québec/Amérique, 1990, 149 pages.

« La rencontre de l'ange », nouvelle *in* : *Nouvelles de Montréal*, Montréal, Éditions de l'Hexagone, 1992, 249 pages.

L'été de l'Île de grâce, roman, Montréal, Éditions Québec/Amérique, 1993, 351 pages.

Essais

L'échappée des discours de l'œil, essai, Montréal, Éditions Nouvelle Optique, 1981 ; Éditions de l'Hexagone, coll. « Typo », 1990, 336 pages.

« Vivre son triangle : les nouveaux chemins de la communication », essai *in* : *L'avenir du français au Québec,* Québec, Éditeur officiel du Québec, 1984, 227 pages.

L'amour de la carte postale, essai, Montréal, Éditions Québec/Amérique, 1987, 260 pages.

La tentation autobiographique, en collaboration, Montréal, Éditions de l'Hexagone, 1988, 179 pages.

Poésie

Entre le souffle et l'aine, poèmes, avec huit dessins de Nicole Tremblay, Montréal, Éditions Le Noroît, 1981, 152 pages.

——, *Between Breath and Loins*, trad. anglaise de Wilson Baldridge, Amsterdam/Atlanta, Rodopi Ed., Cross/Cultures, 1990.

Théâtre

La danse de l'amante, théâtre, Montréal, Éditions de la
   Pleine Lune, 1987, 64 pages.

Divers

Une tête de plus, dramatique, Radio-Canada, 1971.

Le tambour africain, dramatique, Radio-Canada, 1973.

Les esprits de la maison Trestler, dramatique, Radio-
   Canada, 1982.

La tentation de dire, journal, Montréal, Éditions Québec/
   Amérique, 1986, 172 pages.

II. *Études (choix)*

Sur La maison Trestler

ALMERAS, Diane, « Avènement d'une romancière », *Relations,* vol. 44, n° 53, septembre 1984, p. 235.

BÉLISLE, Michel, « La maison Trestler de Madeleine
   Ouellette-Michalska », *Continuité,* n° 60, printemps
   1994, p. 23-26.

BOIVIN, Jean-Roch, « Des histoires de familles et un passé
   composé », *Montréal ce mois-ci*, septembre 1984.

CRÉPAULT, Jean-François, « La maison Trestler ou le 8ᵉ
   jour d'Amérique », *Le Canada français*, 6 juin
   1984, p. A-60.

GAUDET, Gérald, *Le Sabord*, automne 1984, n° 4, p. 6-8.

GUAY, Louise, « Déposséder l'histoire », *La vie en rose*,
   septembre 1984, p. 56.

GUAY, Louise, « Déposséder l'histoire », *La vie en rose*, septembre 1984, p. 56.

GUILLEMETTE, Lucie, « L'Amérique déconstruite et les voix/voies féminines dans *La maison Trestler* de Madeleine Ouellette-Michalska », *Dalhousie French Studies,* vol. 23, Fall-Winter 1992, p. 61-67.

LAFONTAINE, Thérèse, « Signe du rêve », *Canadian Literature*, n° 103, hiver 1984, p. 125-126.

LAMIRANDE, Claire de, « La maison Trestler : translucide », *Le Droit*, 12 juin 1984.

MARTEL, Réginald, « Fallait-il se méfier d'Ariane ? », *La Presse*, 21 avril 1984, p. C-3.

MOSS, Jane, « A House Divided : Power Relations in Madeleine Ouellette-Michalska's La Maison Trestler », *Quebec Studies*, American Council for Quebec Studies, vol. 12, Spring-Summer 1991, p. 59-66.

SOCKEN, Paul G., « La quête d'identité : La maison Trestler de Madeleine Ouellette-Michalska », *Mélanges*, Les Presses de l'Université d'Ottawa, p. 324-337.

SOULIÉ, Jean-Paul, « Des questions à l'histoire », *La Presse*, 28 avril 1984, A-2, C-3.

THÉRIO, Adrien, « Chez Madeleine Ouellettte-Michalska », entrevue, *Lettres québécoises*, n° 35, automne 1984, p. 21-24.

TREMBLAY, Régis, « La maison Trestler : entre histoire et fiction », *Le Soleil*, 1er mai 1984, p. A-14.

TURCOTTE, Susy, « Un univers de traces », *Nuit blanche*,

Sur l'œuvre (choix)

ANON., « Son interrogation sur l'écriture remet en cause l'évolution de la civilisation occidentale », *La Gazette,* Université d'Ottawa, vol. 28, nᵒ 16, 1983, p. 3, 7.

BARRET, Caroline, dossier, « Madeleine Ouellette-Michalska : De la rupture à la continuité », *Québec français*, nᵒ 56, décembre 1984, p. 20-26.

BERTRAND, Claudine et Josée BONNEVILLE, « La tentation de dire l'intime », entrevue *in : La passion au féminin*, Montréal, Éditions XYZ, 1994, p. 39-45.

BERTRAND, Claudine, « La fête du corps », *Rupture — La revue des trois Amériques*, nᵒ 9, avril 1995.

GAUDET, Gérald, préface du roman *Le plat de lentilles*, Montréal, Éd. de l'Hexagone, coll. « Typo », 1987, p. 7-19.

——, « Ces mémoires nombreuses qui nous traversent », entretien *in : Voix d'écrivains*, Montréal, Éd. Québec/Amérique, 1985, p. 34-50.

——, « Vivre de sa plume au Québec », entrevue, *Lettres québécoises,* nᵒ 45, printemps 1987, p. 12-15.

GAUVIN, Lise et Gaston MIRON, *Écrivains contemporains du Québec*, Paris, Éd. Seghers, 1989, p. 431-435.

——, « *La question des journaux intimes* », *Études françaises*, vol. 22, nᵒ 3, hiver 1987, p. 109-116.

ESCOMEL, Gloria, « Le feu sous la glace », entrevue, *Châtelaine*, avril 1985, p. 124-133.

HAECK, Philippe, « Autour de l'origine », entrevue, *Lettres québécoises*, nᵒ 23, automne 1981, p. 73-76.

——, « Une femme tympan », *Spirale*, n° 6, février 1980, p. 15.

LAFRANCE, Micheline, « Le répertoire des auteurs québécois », dossier sur le Québec, *Magazine littéraire*, n° 234, octobre 1986, p. 106-107.

LAMY, Suzanne, « Des minuscules aux Majuscules », Dossier « Théorie/Fiction — Théorique/Roman », *Canadian Fiction Magazine*, n° 57, 1988, p. 18-21.

LAURIN, Michel, Dossier sur Madeleine Ouellette-Michalska. Entrevue et présentation du roman *La maison Trestler*, *Nos livres*, mai 1994, p. 4-6 et 30-32.

Littérature nouvelle du Québec, dans *Europe,* n° 731, mars 1990, p. 31-45, 136-139.

MOSS, Jane, « All in the Family : Quebec Family Drama in the 80s », *The journal of Canadian Studies/La revue des Études canadiennes,* vol. 27, n° 2, été 1992, p. 97-106.

PATERSON, Janet M., *Moments postmodernes dans le roman québécois*, Ottawa, Les Presses de l'Université d'Ottawa, 1994, p. 53-67.

PRZYCHODEZEN, Janusz, « Quelques métamorphoses de la "femme d'ici" », *in* : *Projet de liberté*, Institut québécois de recherche sur la culture, 1994, p. 93-106, 156-157.

ROYER, Jean, « Faire circuler le féminin », entretien, *Romanciers québécois*, Montréal, Éd. de L'Hexagone, coll. « Typo », 1991, p. 249-261.

Table des matières

Parus dans la
Bibliothèque québécoise

ACHEVÉ D'IMPRIMER
CHEZ
MARC VEILLEUX,
IMPRIMEUR À BOUCHERVILLE,
EN AVRIL MIL NEUF CENT QUATRE-VINGT-QUINZE